PIOTR ADAMCZYK

Pożądanie mieszka w szafie

Dobra Literatura

Wydawnictwo Dobra Literatura
Słupsk 2012

ISBN 978-83-933290-9-0

891. 853 ADA

Redakcja: **Olga Gorczyca-Popławska**
Korekta: **Maria Gładysz**
Projekt okładki i skład: **Ilona Gostyńska-Rymkiewicz**

Cytaty, jak sama nazwa wskazuje, są prawdziwe.
Wydarzenia są fikcją literacką.

1.
Fantomowa miłość

Mógłbym się nazywać Al Pacino, a nazywam się Piotr Adamczyk. Inicjały niby takie same. Zaczynamy się podobnie, ale dalej jest już zupełnie inaczej. Mógłbym się też nazywać Dustin Hoffman, George Clooney, Colin Firth albo nawet Johnny Depp. A nazywam się jak ten polski aktor, który grał papieża. Cały naród kochał polskiego papieża; myślę, że sporo z tego przeniosło się na Piotra Adamczyka, tamtego aktora, a mnie ominęło.

Głosy mamy podobne, chociaż mój jest niższy. Kiedyś chciałem zarezerwować pokój w hotelu w Międzyzdrojach, ale akurat odbywał się tam Festiwal Gwiazd i nigdzie nie mogłem znaleźć miejsca. Zadzwoniłem w końcu do Amber Balticu, pięknie położonego hotelu przy plaży. Był drogi, więc zostawiłem go sobie na koniec. Pytam o nocleg, a recepcjonistka mówi, że ostatnie pokoje zajęli goście festiwalu, właśnie przyjechały pani Janda i pani Cielecka, a wcześniej pan Olbrychski i Zamachowski, może dziś zawita do nich też sam Hanuszkiewicz. Ale jeśli nie przyjedzie, pokój będzie wolny, proszę podać nazwisko i numer telefonu na wszelki wypadek.

– Piotr Adamczyk – mówię i zaczynam dyktować numer. – Sześćset cztery, sześćset, zero, trzydzieści trzy.

– Ten Piotr Adamczyk? – pyta recepcjonistka.

Od lat jestem dziennikarzem, nieraz pytali mnie, czy jestem tym Piotrem Adamczykiem, który jakiś tam tekst napisał.

– Tak, ten – odpowiadam więc odruchowo.

– O rety, rzeczywiście, przecież po głosie mogłam poznać! – cieszy się recepcjonistka. – Pokój ma pan już na bank zarezerwowany, czekamy na pana.

– Jej, to miło, bo dawno nikt na mnie nie czekał – przyznaję się do umiarkowanego popytu ze strony kobiet.

– Nasz hotel będzie na pana czekać. I ja też będę czekać.

Rety, to prawie jak obietnica! Obietnica czegoś więcej niż tylko zwykłego czekania z zarezerwowanym pokojem. Obietnica myślenia o mnie, może nawet z niezasłużonym utęsknieniem?

– Naprawdę? – Nie mogę uwierzyć.

– Oczywiście, sama dopilnuję, żeby był pan zadowolony.

– To miło z pani strony.

– Bo ja w ogóle jestem miła dziewczyna. Proszę przyjeżdżać.

No to przyjechałem, podekscytowany i przygotowany na najlepsze.

W życiu nie widziałem oczu tak rozczarowanych moim widokiem. Pięknych oczu czekającej nie na mnie kobiety. Rety, jak ta dziewczyna była zawiedziona! Aż opadły jej kąciki ust, jak z nagłego smutku… Wtedy po raz pierwszy pomyślałem o nim z zazdrością. O tamtym Piotrze Adamczyku, który pewnie bez trudu uwodzi takie kobiety. Pomyślałem o nim z zazdrością po raz pierwszy, ale nie ostatni.

A ja? Nie żebym narzekał i chciał uwodzić, ale swoje kobiety mógłbym policzyć na palcach jednej ręki. Niby tak się mówi, ale liczenia to by u mnie nie było wcale, bo naprawdę kochałem tylko Marysię Jezus. Potem w innych kobietach szukałem podobnego uczucia, myśląc, że odnajdę tamten dotyk, smak lub chociaż zapach; jej zapachem mógłbym się sycić całą noc, jak dzikie zwierzę. Ale każda kobieta pachniała inaczej. Jedna jak słodkie mango, druga trochę gorzko, jak sok z grapefruita, trzecia jak kwaśna śliwka, też ładnie, ale ciągle nie tak. Wszystkimi byłem zachwycony, ale ciągle pozostawał jakiś niedosyt.

Jest tak, jak mówiłem, mógłbym je policzyć na palcach jednej ręki, kciuk trzymając w zapasie.

*

Nie mógłbym się nazywać Al Pacino, bo pani nocna mówiła, że nie powinno się marzyć. Dzieci w naszym domu dziecka marzyły wieczorami, a rano były jak nieobecne i oczy miały nic niewidzące. Najczęściej marzyliśmy o domu. Ja o tym, że moi rodzice wcale ode mnie nie uciekli, tylko to była taka zabawa i zaraz wrócą. Dostanę od nich metalowy wóz strażacki, na przeprosiny, bo przecież niepotrzebnie trochę się przestraszyłem.

Staliśmy w oknach i patrzyliśmy w siną dal. Z sinej dali mieli po nas przyjechać. Nawet nie mówiło się kto. Niektórzy nie mieli już rodziców, ale każdy czekał. Może jakiś krewny się znajdzie, może starszy brat lub siostra, może ludzie dobrzy i bogaci. Ktoś, nieważne kto. Ważne, że się na kogoś czeka. Przyjadą po nas, pocieszaliśmy się nawzajem, przed świętami przyjadą. Bo rzeczywiście, jak przyjeżdżali, to zazwyczaj przed świętami, żeby nakarmić pierogami z kapustą, napoić kompotem z suszu i pokazać choinkę z plastiku. Potem odnosili choinkę do piwnicy, a nas odstawiali z powrotem. Codziennie po świętach ktoś wracał, tak że na Trzech Króli byliśmy znowu w komplecie.

„Przestańcie marzyć", mówiła nam pani nocna i pokazywała swoją dłoń z czterema palcami. Pani nocna była młoda i śliczna, miała bujne loki, które tańczyły wokół jej twarzy jak miękkie spiralki, młodszym dzieciom pozwalała je rozciągać i cieszyć się, że tak podskakują. Śmiała się razem z nimi, a śmiech miała taki, jakby ktoś rozrzucił korale na schodach. Korale rozsypywały się wszędzie, tocząc się wesoło i docierając nawet do ciemnych pokoi, gdzie zamykano za karę. Nawet w tych ciemnych pokojach było słychać jej śmiech, zupełnie jakby otwarto drzwi i zapalono światło.

Cała była piękna, tylko tę rękę miała straszną. Kiedyś, zanim została panią nocną od pilnowania nocą dzieci, pracowała jako pomoc w kuchni i tam odrąbała sobie palec tasakiem. Chłopaki przez pół roku straszyli się potem przy kotletach, że właśnie ten palec znaleźli. Ja nie znalazłem nigdy, bo obciętego palca bardzo się bałem.

Kiedy zapadał zmrok i gromadziliśmy się przed jej pokojem, żeby powiedzieć po kolei dobranoc, mówiła nam o tym palcu niesamowite rzeczy. Przede wszystkim to, że on w jakiś sposób istnieje, chociaż go nie widzimy. Ma na to nawet zaświadczenie naukowe, bo z kliniki, od lekarza, a lekarz to przecież naukowiec. Na zaświadczeniu napisał, że „pacjentka odczuwa bóle fantomowe, które są bólami rzeczywistymi utraconego palca". I tłumaczyła nam, że ból fantomowy można czuć naprawdę, chociaż miejsca, które boli, już nie ma. To ból, na który skarżą się niemal wszyscy po amputacjach, boli ich organ lub kończyna, którą mają już tylko w pamięci. To może być też wyrwany ząb. Ból jest tak silny, że trzeba podawać morfinę.

„Był pewien kapitan piratów", opowiadała pani nocna, „któremu w walce obcięto rękę. Strasznie go ta obcięta ręka potem bolała, ale nie żalił się, bo zrozumiał, że skoro boli, to znaczy, że nadal istnieje. A skoro obcięta ręka żyje, a jej nie widać, to znaczy, że jest w niej część duszy. I z naszym ciałem stanie się tak samo; nawet po śmierci będziemy je czuć i niewidzialnym będziemy mogli władać, co zdaniem kapitana było oczywistym dowodem na nieśmiertelność".

Równie ciekawa była opowieść o terapii lustrzanej. Kiedy po obcięciu palca pani nocna leżała w szpitalu i skarżyła się na ból fantomowy, lekarze kazali jej wkładać obie dłonie do pudełka, w którym zastosowano specjalny układ luster. Dzięki nim widziała swoje obie ręce, a każda miała po pięć palców. Lekarze tłumaczyli, że w ten sposób można oszukać mózg, bo ból jest w mózgu, a nie w dłoni. Podobnie leczyli ból żołnierza z sąsiedniej sali, któremu wybuch granatu oberwał nogę. Podczas terapii stawiali przed nim lustro, tak aby widział w nim odbicie zdrowej kończyny. Dzięki temu miał wrażenie, że widzi dwie nogi, a mózg się uspokajał.

Słuchaliśmy tych opowieści z przerażeniem wymieszanym z fascynacją. A gdy już byliśmy nieco starsi, sprawdziliśmy niektóre słowa w encyklopediach. Okazało się, że wszystko, co opowiadała nam pani nocna, było prawdą, z tym że kapitan nie był piratem, lecz wicehrabią, i nazywał się Nelson. Poza tym był najsłynniejszym brytyjskim admirałem floty wojennej i oprócz ramienia nie miał też oka, przez co rzeczywiście mógł wyglądać jak pirat.

W opowieściach pani nocnej fantomy pojawiały się bardzo często i dotyczyły nie tylko bólu lub zmysłu dotyku. Mówiła, że dzwonienie w uszach jest fantomem dźwięków, a widzenie duchów – fantomem obrazów. Skoro bowiem można czuć palec, dłoń lub nogę, której już nie ma, można także widzieć kogoś, kto odszedł na zawsze. „Co więcej", przekonywała pani nocna, „podobnie jest z uczuciami, dlatego nie powinniśmy marzyć zbyt wiele, zwłaszcza o domu i rodzicach, a starsze dzieci o przedstawicielach płci przeciwnej, bo niepotrzebnie obudzą się fantomy miłości". Może to z powodu jej opowieści nawet w marzeniach jestem nieśmiały. I z tej nieśmiałości podczas marzeń się jąkam.

2.
Facet z zakupami

Normalni mężczyźni marzą o blondynkach z piersiami jak dwa balony i o sobie z twarzą między tymi balonami albo i z czym innym nawet. Albo o tym, że blondynki są dwie, a jedna przefarbowana na rudo. Albo że jadą samochodem, a obok siedzi dziewczyna i nagle spodnie mu rozpina i dalejże tam ręką. Taką niektórzy mają w marzeniach odwagę.

Takie marzenia na filmach pokazują, głównie na tych od krytyki społeczeństwa konsumpcyjnego. Ja to czasami chciałbym być właśnie tak konsumpcyjny, żeby mnie potem skrytykowali. A jeszcze lepiej, żeby ta dziewczyna, która stoi przede mną w kolejce do kasy, była tak konsumpcyjna.

Mogłaby się do mnie odwrócić, tak jakoś spojrzeć, jak to one potrafią, tak zatrzepotać rzęsami i się uśmiechnąć, żebym wiedział, że to już jest przyzwolenie, akceptacja taka, i już mogę odważnie na przykład o godzinę zapytać.

– Przepraszam, która godzina?

A ona mnie informuje, że wpół do trzeciej. Wtedy ja mówię, że chyba się skądś znamy, może z liceum. Odpowiada, że ma na imię Maryśka. O rety, to zupełnie tak jak moja miłość z czasu studiów, Marysia Jezus, w żadnym wypadku nie może być pomyłki. Ona się uśmiecha, a ja ją zapraszam na herbatę, jak już się skasujemy.

Chętnie przystaje na propozycję. Na klatce schodowej potykam się o wycieraczkę. Poprawiam ją i przy okazji zaglądam Marysi pod spódnicę. Okazja czyni złodzieja, więc kradnę jej majtki. Od razu zdejmuję z niej wszystkie siedem par, gdyż ona nosi majtki na wszystkie dni tygodnia. A każde innym dniem podpisane. Niedziela na czerwono, bo czerwonym znaczy się to, co ważne; że trzeba do świątyni iść, każdy ma pamiętać.

Marysia udaje, że kradzieży nie zauważa. A może nie zauważa naprawdę, gdyż jest pochłonięta lekturą spisu lokatorów. W domu krótka rozmowa, rodzaj gry wstępnej. Dowiaduję się, że skończyła tylko podstawówkę. Więc nie może być moją dziewczyną z liceum. Wychodzi, a ja sam przygotowuję herbatę. Okazuje się, że herbata jest z pokrzywy i parzy mnie w palce.

Nawet jak sobie marzę, to mi nie wychodzi.

*

Stoję w kolejce do kasy, przede mną dziewczyna wyjmuje zakupy z koszyka. Ale nie odwraca się do mnie, żebym mógł zapytać o godzinę.

Kładzie na taśmie pudełko aromatyzowanych świeczek, dwa mocne piwa i jedno lekkie, słodkie, z aromatem malin, parówki drobiowe, żwirek dla kota, paczkę prezerwatyw. Cała kolejka patrzy na tę paczkę prezerwatyw. Czerwone, z wypustkami, nasączone aromatem, też malinowym, i substancją opóźniającą wytrysk.

Kasjerka próbuje uruchomić taśmę, bezskutecznie, coś się zacięło. „Pani mi to poda", mówi do dziewczyny, więc ta po kolei podaje: świeczki, piwo, parówki, żwirek i prezerwatywy o smaku malin.

Wyobrażam sobie jej dzisiejszy wieczór. Włoży piwa do lodówki, posprząta u kota, zrobi kolację i będzie czekać. Tak, ten chłopak raczej z nią nie mieszka. Nie kupowałaby mu piwa i prezerwatyw. Chce go przyjąć w czystym i pachnącym domu, stąd nowy żwirek i zapachowe świeczki. Ugości go kolacją, a potem sobą. Może nie zna go jeszcze dobrze, bo przezornie założy prezerwatywę. Może nawet do miłości francuskiej. Lubi lato, lato ma smak malin. Może jednak przynajmniej raz już z nim spała i okazało się, że nie jest najlepszym kochankiem. Może pomogą te wypustki i żel opóźniający. A może ona po prostu jest przewidująca albo mężczyźni są tacy mało skuteczni lub przewidywalni i lepiej od razu założyć wypustki.

Trochę zazdroszczę jej kochankowi, podoba mi się determinacja dziewczyny, na pewno będzie się starać. Chciałbym być na jego miejscu, chociaż przez jeden wieczór. Kiedy ostatnio byłem w łóżku z kobietą? Pół roku temu? Codzienny wzwód poranny samotnego faceta jest najwyrazistszym z wyrzutów sumienia; organizm każdego ranka przypomina mi o obowiązku rozmnożenia się, założenia obrączki, rodziny oraz księgi hipotecznej pod dom na kredyt. A potem kupowania, kupowania i kupowania. Na co dzień w Tesco, a od święta w Ikei, gdzie w wielkich ilościach stoją zestawy niezbędne do uporządkowania życia małżeńskiego, chociaż niekoniecznie do jego ułożenia. Czteroosobowa rodzina to większy rynek zbytu niż cały poligon.

Dziewczyna pakuje zakupy, podaje kartę, wciska PIN. Cztery rytmiczne ruchy palców na dwóch skrajnych przyciskach terminala. Tych na samej górze. Jeden, trzy, jeden, trzy. Wykładam z koszyka mrożone frytki, pulpety w słoiku, butelkę brandy, męski żel pod prysznic, karmę dla psa, a na koniec miesięcznik dla mężczyzn oraz sałatkę z buraczków, jedno i drugie zafoliowane, żeby palcami nie próbować.

Jakieś smutne wydają mi się te zakupy, jednoosobowe, widać, że nie mam nikogo do pary. A może tak mi się tylko wydaje i nic z nich nie wynika, żaden smutek i żadna samotność. To przecież głupie, żeby z zakupów wynikał smutek, z zakupów może wynikać bieda, rozrzutność lub miły dostatek, gusty i apetyty, a nawet liczba domowników, ale niby dlaczego z pulpetów ma wynikać smutek?!

– Oj, smutne te pana zakupy – wtrąca się w moje rozważania głos za plecami. – Widać, że nie ma kto panu ugotować, a te pulpety niech pan odłoży, oni z papieru je robią, i lepiej kawałek świeżego mięsa pan kupi, na patelenkę wrzuci i raz dwa się usmaży, tylko wcześniej tłuszczu trzeba dodać.

Odwracam się, patrzę, a to jakaś dama z fioletowymi włosami i w fioletowym ortalionie tak do mnie przemawia i teraz już cała kolejka gapi się na moje pulpety zrobione z papieru i na mój miesięcznik do papierowych marzeń sennych. Osiem albo dziewięć osób, wszyscy się patrzą, niektórzy potakują głowami i już dyskutują o składzie tych nieszczęsnych pulpetów, na pewno ich nie tknę.

Następnym razem przyczepię sobie kartkę: „Jestem samotnym facetem, kupuję pulpety ze starego mięsa i proszę uczcić to milczeniem przy kasie".

Najchętniej zostawiłbym to wszystko i uciekł ze sklepu, ale nie mogę, bo obok stoi ochroniarz i słucha, a poza tym kasjerka przeciągnęła już kartę przez terminal i prosi o wpisanie PIN-u, a następnie zaakceptowanie zielonym. Jeden, dziewięć, sześć, trzy, zielony, mogę jechać.

– Tysiąc dziewięćset sześćdziesiąt trzy, akurat rok mojego urodzenia – cieszy się ochroniarz. – Pańskiego też?

*

W domu rozpakowuję zakupy i włączam komputer, żeby sprawdzić pocztę. W skrzynce jest parę reklam i taki list:

Śniłeś mi się dzisiaj, było tak jak kiedyś, aż zatęskniłam i tak mnie w dołku od tego ścisnęło, że obudziłam się w najmilszym momencie. Wiedziałeś, że można tęsknić przez sen? Ja tęsknię. Potem poszłam na zakupy i wydawało mi się, że stoisz za mną w kolejce, nie poznajesz mnie, ale zaraz zapytasz o godzinę i wtedy rozpoznasz. Ale nie zapytałeś. Szkoda, następnym razem odezwij się jakoś. Twoja Miriam.

Czytam list kilka razy i czuję, jak z ekscytacji czerwienieją mi uszy. Dopiero po kilku minutach stygną. Jaka Miriam? Przecież ja nie znam żadnej Miriam. To pewnie jakaś nowa kampania reklamowa w internecie, a ja jestem już cały rozogniony.

Na szczęście gdy w świecie wirtualnym wybucha pożar, nie trzeba wzywać straży pożarnej, bo na miejscu jest wygaszacz ekranu.

*

Następnym razem, gdy idę do hipermarketu, zdejmuję kurtkę i przezornie kładę na dnie koszyka, zakryję nią później smętne sprawunki. Mam wrażenie, że wszyscy wzajemnie się tu obserwują, każdy każdemu do koszyka zagląda. A co udało się panu z przeceny kupić? Ale miał pan szczęście, toż to czekoladki Lindt za trzy czwarte ceny, a do tego jeszcze przez dwa dni przydatne! I wszyscy z przyszłą sytością na twarzach, jakby w myślach trawili zawartość koszyków, na wszelki wypadek jeden drugiemu w głąb zakupów patrzy, jakby w głąb gardła zaglądał, jakby czegoś żałował, że ten ma, a on nie, że może o czymś zapomniał i przyjdzie się obejść smakiem. A poza tym takie to przecież ciekawe, namiastka podglądania cudzego życia, prawie jak zaglądanie do lodówki, patrzenie, co się na obiad poda do stołu i jakimi chusteczkami potem usta wytrze, jakiego papieru na sam koniec użyje się w łazience, niektórzy biorą nawet perfumowany.

Idzie młodziutka, prześliczna dziewczyna i już się do niej zbliża wytrawny amant na bezrobociu, ale nagle – cóż to? Dziewczyna pakuje do koszyka pampersy w najmniejszym rozmiarze i kaszkę dla niemowląt od pierwszego miesiąca do pół roku oraz herbatkę koperkową! Co innego, gdyby pampersy były dla rocznika; wtedy już jest rozmowa, bo taka dziewczyna i czasu ma więcej, i domem może już być znudzona, warto spróbować. Kaszka zaś dla niemowlaka i herbata koperkowa niczego dobrego takiej rozmowie nie wróżą – malucha trzeba karmić w nocy i poić koperkiem, bo pewnie ma gazy, dziewczyna jest niewyspana i żadne amory jej w głowie, amant ucieka.

Jadę ze swoim koszykiem i przykrywam pulpety kurtką. Tamte sprzed paru dni wcale nie były takie złe, w dodatku te są w pomidorach, ale nie chcę już o nich przy kasie dyskutować, w ogóle nie chcę być podglądany. Może mam jakąś fobię albo uraz, teraz psychologia robi takie postępy, że każdy ma jakieś dziwactwo. Byleby je nazwać, a potem to już da się uzasadnić naukowo, a czasem nawet wyleczyć.

Hostessa w białej bluzeczce, krótkiej spódniczce i czerwonych podkolanówkach częstuje okruchami wafelka. Dziś wielkie promocje, wszystkie marzenia po obniżonej cenie. *Cogito, ergo sum,* jak mawiał Kartezjusz. Kupuję, więc jestem.

Obok myśli kartezjańskiej przechodzą dwie dziewczyny.

– O, popatrz, to ta hostessa, co grała w telewizji pachę!

– Jak to pachę?

– No, normalnie, mówię ci. Reklamowała dezodorant i kamera przez chyba dziesięć sekund pokazywała jej pachę. Że już nie śmierdzi, tylko teraz pachnie tym dezodorantem.

PIOTR ADAMCZYK

– To głupie. Przecież z telewizji i tak nie było czuć, że śmierdzi.

– A wąchałaś?

Z głośników sączy się łagodna muzyka, spokojnie i leniwie, bo właśnie po to się sączy, żeby rozleniwić, spowolnić, zatrzymać przy półkach, nie ma się co spieszyć, doprawdy – o jakie tu herbatniczki ładnie zapakowane w czerwone pudełko. Ten, kto dobiera muzykę, jest bardzo ważny i dużo zarabia, podobnie jak ten, kto wymyśla kolory. Już nie wiadomo, kto wymyślił czerwony, ale na pewno został milionerem. W czerwonym wszystko łatwiej sprzedać, wiedzą to nawet stojące pod dworcami zniszczone kobiety.

*

Kasjerka, do której się zbliżam z koszykiem, ma przyczepioną do bluzeczki plakietkę z imieniem Magdalena. Dwudziestoparolatka z rudymi włosami spiętymi w koński ogon. Na twarzy kilka piegów. Szczupła, niebieskie oczy, brwi tak jasne, że prawie niewidoczne. Znam ją z widzenia, ostatnio pracowała w Empiku, przychodziłem tam raz, dwa razy w tygodniu, dziewczyna dobrze mnie pamięta. Gdy kupowałem płyty, dokładnie im się przyglądała, czasami się uśmiechała lub marszczyła brwi. Głos ma tak ciepły, że zimą pewnie rozpływają się w powietrzu płatki śniegu.

Kilka dni temu poleciła mi książkę. Pierre Péju, „Siostrzyczka Ewa od kartuzów".

W domu włączyłem muzykę i przeczytałem pierwszy akapit. Straszny. O tym, że dziecko za chwilę wpadnie pod samochód. To nie na moje nerwy. Ostatnio za łatwo się rozklejam, zostałem wymyślony przed epoką żywicy epoksydowej.

Czytałem pobieżnie, jakbym nie chciał się nad nią roztkliwiać albo jakby to była książka na czas, jakby o określonej godzinie miała z niej ulecieć cała treść; czytałem pośpiesznie, ślizgając się po czubkach zdań, skacząc po grzbietach akapitów. Ten pośpiech mnie nie uratował. Moja słabość była szybsza niż to naprędce chowane przed nią czytanie i dopadła mnie wraz z ostatnim zdaniem, a ja, przegrany, poddałem się nerwowemu chlipaniu i chociaż było mi wstyd przed książką i przed sobą, to już nic nie mogłem zrobić – chlipanie trzymało mnie za gardło, ciągnęło za nos i tarło oczy, wiwatowało całym swoim smętkiem, zwyciężając niemiłosiernie pod sztandarami mokrych chusteczek.

Nazajutrz wróciłem do sklepu w poszukiwaniu nowej książki. Podszedłem do dziewczyny i wskazałem tytuł, który kupiłem wczoraj.

– Czy ma pani coś równie pięknego?

Spojrzała mi w oczy. To było długie spojrzenie, pełne zaciekawienia i chyba jakiejś obietnicy.

– Tak. Jutro kończę o dziewiętnastej. Niech pan po mnie przyjedzie.

Przyjechałem, ale jej nie było.

*

Magdalena przygląda się zakupom i obserwuje klientów, część przychodzi tu niemal codziennie, o wielu z nich sporo może powiedzieć, chociaż żadnego nie zna.

Ten czterdziestoletni pan ma młodą kochankę, odwiedza ją w weekendy. Codziennie kupuje trochę warzyw i owoców, pieczywo, czasami piwo. Większe zakupy robi z żoną, przed rozpoczęciem roku szkolnego był z dwojgiem dzieci. Natomiast w soboty przychodzi bardzo wcześnie, z samego rana, i jest ubrany tak, jakby jechał w delegację. Garnitur, długi płaszcz, kapelusz. Wyjazd w delegację jest pewnie wersją dla żony, tymczasem mężczyzna kupuje szampana, czekoladki, damskie kosmetyki, czasami bieliznę w rozmiarze S. I zawsze płyn do lubryfikacji, jakby między nim a jego kochanką było tarcie nie do złagodzenia słowem lub pieszczotą.

Być może Magdalena przygląda się także moim zakupom. Obok pulpetów na dnie koszyka kładę zamrożoną pizzę oraz sfilmowaną powieść Alberta Moravii „Mężczyzna, który patrzy". Nie dziwię się, że patrzy, bo na okładce ładna blondynka pokazuje biust. Co prawda jest napisane, że w roli głównej występuje aktorka z Polski, Katarzyna Kozaczyk, ale jeszcze nie wiem, że to ostrzeżenie. Na razie zbliżam się do kasjerki, poprawiam kurtkę, żeby przykryła wszystko, co jest na dnie wózka, zwłaszcza imponująco sterczące piersi eksportowej aktorki, zdemaskuję się dopiero przy kasie.

Wyjątkowo nie ma już jednak kolejki, żenującej demaskacji nie będzie, spokojnie wykładam towar na taśmę, ale pulpety nie przechodzą przez czytnik, kasjerka próbuje drugi raz i trzeci, w końcu sięga po telefon i dzwoni do kogoś z działu spożywczego.

– Zaraz podadzą mi kod – wyjaśnia i teraz oboje czekamy, ja po tej, ona po tamtej stronie taśmy, między nami rozmraża się pizza, a w sufit, jak dwie race, strzelają piersi Katarzyny Kozaczyk.

Patrzę na kasjerkę, ma bardzo krótką spódniczkę, którą co jakiś czas naciąga, tak jakby nie zauważała, że bardziej się nie da. Spoglądam na sąsiednią kasę, a tam też siedzi dziewczyna w za krótkiej spódniczce i też ją nerwowo naciąga, i przy następnej kasie też, i z drugiej strony także, zupełnie jakby epidemia krótkich spódnic wszystkie dziewczyny dopadła. Kasjerka widzi mój wzrok, uśmiecha się:

– No, trochę za krótkie dali nam te spódnice.

Stoję już kilka minut, a jak człowiek czeka tak bez sensu, to czas niewiarygodnie mu się ciągnie. Mam wrażenie, że zdążyłbym pojechać na stację, zatankować i wrócić, w końcu to niedaleko. Ale nie narzekam i nigdzie nie muszę jechać, bo nogi dziewczyna ma ładne.

Za mną ustawia się kolejka i już trzy nowe osoby patrzą na moją rozmrażającą się pizzę, a ja jestem pewien, że zaraz usłyszę coś o pulpetach. Ale na szczęście telefon właśnie dzwoni i dział spożywczy podaje kod kreskowy, słoik przeszedł, Moravia przeszedł, a za nim pizza w mokrym pudełku.

– Dawno już zauważyłam, że nazywa się pan tak samo, jak ten znany aktor – zauważa kasjerka, oglądając moją kartę kredytową.

– Tak, czasami nawet mnie z nim mylą, zwłaszcza przez telefon.

– Głos ma pan podobny.

– No właśnie.

– Lubię go. Lubię ten jego głos.

– Też interesuję się filmem – mówię bez sensu, jakbym był na eliminacjach do programu „Mam talent".

– Widzę właśnie. – Dziewczyna patrzy na Moravię. – Pan zawsze kupuje coś ciekawego. Powie mi pan, czy warto to obejrzeć?

– Jasne.

Chcę ją zapytać o ten Empik, ale jakoś się krępuję. Nie jestem typem zdobywcy, uprawiam raczej samotny onanizm. Bardziej mól książkowy ze mnie niż dusza towarzystwa. Chociaż mole raczej się nie onanizują.

– No to do widzenia.

Ale i tak czuję się wyróżniony. Dziewczyna zapamiętała mnie po zakupach. Chociaż, z dwojga złego, wolałbym jednak, żeby zapamiętała mnie po głosie. Głupio być tak postrzeganym przez pryzmat koszyka.

*

Kiedyś pani nocna mówiła, że po przedmiotach ich poznacie, a nie po słowach; słowa bywają złudne, dla niepoznaki lub dla zmylenia, albo dla świętego spokoju, a przedmioty są do zaspokojenia potrzeb, powszednich albo wyuzdanych, mówią o nas na pewno nie wszystko, ale z pewnością wiele.

Pani nocna była obdarzona szóstym zmysłem; wiedziała, w którym pokoju płacze chłopczyk, szła do niego i przytulała jak małego misia, „nie płacz już, Piotrusiu, mama z pewnością do ciebie wróci". Do pani nocnej szło się cichutko, na palcach, po jeszcze jednego buziaka lub po zimną herbatę z cynowego garnka, który też pełnił dyżur do samego rana, gasząc razem z nią wszystkie nocne pragnienia. Szło się bez kapci, kapcie klapały, a to mogło niepokoić inne dzieci, pani nocna groziła kapciom palcem. Pozostawały więc schowane pod łóżkiem – tam, gdzie małe lęki z całego dnia. Po herbacie pani nocna pomagała nam jeszcze zrobić siku, idąc za nami do łazienki i odkręcając kran z zimną wodą, „Psi, psi, psi", mówiła wtedy, a my napinaliśmy pęcherze i byliśmy prawdziwymi mocarzami, którzy dla swoich kobiet napinają mięśnie, aż siku w końcu leciało i kran można było zakręcić.

*

W domu poddaję szczegółowej analizie sklepową sytuację, rozbieram ją na czynniki pierwsze, a potem rozbijam na atomy i nie wykluczam reakcji jądrowej, która być może się zbliża. Chyba wpadłem w oko tej dziewczynie, skoro mnie zapamiętała i wie, co kupuję. Jest miła i ładna, przyjemnie byłoby zjeść z nią pulpety, napić się wina i porozmawiać. Na pewno zna się na kinie, jest inteligentna i bardzo wrażliwa, skoro lubi Moravię. Poza tym ma uśmiech jak Marysia Jezus, z dwoma dołeczkami. W takie dołeczki łatwo wpaść samotnemu mężczyźnie.

Chowam pulpety do lodówki, niech poczekają na romantyczne spotkanie, do piekarnika wkładam przemoczoną pizzę, a do odtwarzacza film, nazajutrz go dziewczynie opowiem. Ale gdy zaczynam oglądać, dopada mnie zwątpienie.

Zamiast ważkich kwestii społecznych, jak to u Moravii, widzę takie porno, że w domu robi się gorąco. Na ekranie śliczna blondyneczka, nomen omen miss Dąbrowy Górniczej, gra ofiarnie całym ciałem, a szczególnie nagimi biodrami i wymarzonym przez każdego górnika biustem w rozmiarze konkursowych karbinadli. Przez większość filmu ofiarnie daje się fedrować, wielokrotnie ukazując nie tylko tyłek, lecz także przodek, którego złoża zdają się niewyczerpalne. A jak udaje się do restauracji, to sama sobie fedruje w przodku, w wyniku czego dochodzi jak górnik do ściany. Szyb ukazywany jest kilka razy, ale w środku ciemno.

Z zaskoczeniem zauważam, że przyjemne wrażenie robi na mnie intymne owłosienie aktorki – blond futerko, dość długie, ale bardzo schludne, jak to u dziewczyny ze Śląska. Co więcej, analogiczne jasne futerka występują na obszarze aktorki także pod pachami.

Kto wie, myślę sobie, może ta ekstrawagancja ma być zapowiedzią przyszłych trendów, w których reżyser pokazuje wielkie wizjonerstwo Moravii? Może to jasne owłosienie intymne polskiej aktorki symbolizuje powrót do wartości uniwersalnych – do tradycji katolickich, narodowych i patriotycznych? I to chyba jest najbardziej wstrząsające z całego filmu, a jak wiadomo, sztuka powinna wstrząsać jasnym przesłaniem.

Postanawiam, że nie wyjawię Magdalenie kupna pornosa, tylko opowiem akcję powierzchownie, bez opisu natury. Co najwyżej przyznam, że główna bohaterka ma najpiękniejsze piersi, jakie kiedykolwiek widziałem. Zwłaszcza jak podnosi ramiona do góry i mocno przegina się do tyłu. Gdybym był kobietą, cały czas bym się tak przeginał.

Przed snem sprawdzam pocztę. Krótki list od kobiety o imieniu Miriam.

Przyśnij mi się tak jak wczoraj, proszę.

A jeśli to nie jest żaden chwyt reklamowy?

Trudno mi jednak w to uwierzyć.

Żaba jaka jest, każdy widzi, i nie trzeba jej całować, żeby się rozczarować brakiem zaczarowanego.

3.
Norah Jones i hipnoza stukających kółek

Gdy słyszysz tupot na schodach, możesz się domyślać wszystkiego, ale nigdy nie myślisz o tym, że to czas ucieka. A ja ostatnio coraz częściej mam takie wrażenie. Pewnie dlatego, że ludziom samotnym czas ucieka za dwoje.

Nazajutrz idę do marketu, ale Magdaleny nie ma przy kasie. Rozglądam się i widzę ją w głębi sklepu, pcha przed sobą naładowany do połowy koszyk, a za nią podąża mężczyzna z mikrofonem i nagrywa stukot kółek. Trwa to prawie kwadrans, idą w poprzek sklepu, raz szybciej, raz wolniej, przystają, wracają, znów idą, w zależności od gestów drugiego mężczyzny, który kroczy za nimi i notuje coś w zeszycie.

W końcu przestają się nienaturalnie zachowywać, Magdalena odwozi koszyk w kierunku wyjścia, wtedy podbiegam do niej i udając zaskoczenie spotkaniem, zagajam:

– Dzień dobry.

– Dobry wieczór – odpowiada Magdalena, i słusznie, bo już jest dawno po dwudziestej.

Z kilkudziesięciu kineskopów na półkach przemawia po „Wiadomościach" prezydent kraju, właśnie ogłoszono wyniki wyborów. Na stoisku AGD telewizory stoją dokładnie naprzeciw pralek, każda jest otwarta, bo w bębnie ma wyeksponowane dane techniczne. Wygląda to tak, jakby pan prezydent przemawiał do pralek, a każda słucha z otwartą gębą. I poza nimi nikt na niego nie zwraca uwagi,

klienci są jak muszki owocówki, ciągnie ich tylko do słodkich prze-
cen, a prezydent jeszcze nie przeceniony.

– Pójdziemy na kawę? – moduluję głos tak, by jak najbardziej
przypominać aktora Adamczyka.

– W porządku, mam przerwę – zgadza się Magdalena i robi zmę-
czoną minę. – Co za wariactwo – dodaje – całkiem im już odbiło! Ach.

– Ale co? – pytam mało inteligentnie, jakbym nie miał za sobą
studiów filozoficznych i doświadczenia czterdziestu lat życia pełnego
pomyłek.

– Ci od sprzedaży, z merchandisingu, znowu szaleją! Sklep ma
nie takie obroty, jakie zaplanowali, więc przyjechał ktoś z zarządu,
żeby sprawdzić. I okazało się, że pozornie wszystko jest jak trzeba.
Szef nawet zapach kawy rozpylił w powietrzu, jak w podręczniku,
żeby konsumenckie pożądanie wzbudzić! I kicha! I na nic! Aż się
dopatrzyli!

– A czego? Czego się dopatrzyli? – Rozglądam się podejrzliwie.

– Płytek. Z płytkami jest kłopot. W projekcie sklepu były wyraźnie określone. Pracował nad nimi sztab ludzi w Berlinie lub
w Paryżu, sama już nie wiem. A położyli nie takie.

– Skąd wiesz? Skąd pani wie? – poprawiam się natychmiast.

– Daj spokój, mów mi po imieniu. W końcu to zaszczyt być na
„ty” z samym Piotrem Adamczykiem – Uśmiecha się przekornie.
(Ach, te dołeczki!) – Będę tu pracować za biurkiem, dlatego prze-
niosłam się z Empiku. Na kasie byłam przez miesiąc, żeby się wcią-
gnąć, a teraz zabrali mnie do marketingu, taka tam jestem „przynieś,
wynieś, pozamiataj”, ale to na początek.

– Gratuluję. A płytki zwyczajne przecież, z Castoramy chyba, kupione po sąsiedzku.

– Właśnie, po sąsiedzku, jak to w Polsce, byle bliżej, byle prościej,
a może u kumpla po znajomości. A były dokładnie opisane. Przez spe-
cjalistów! Takich, którzy dostają za to kupę kasy i mają służbowe mer-
cedesy, a u nas koleś wali to, bo zarabia trzy pięćset i wszystko psuje.

– A jakie to ma znaczenie? Pękają te kafelki czy co?

– Nie pękają, są nawet mrozoodporne, jakby miało przyjść zlodowacenie.

– To co z nimi?

– Źle dźwięczą.

– Co robią?

– Źle dźwięczą!

– Kafelki?

– Po prostu fatalnie.

– Nie zauważyłem.

– Wydaje ci się, że ich nie słyszysz, ale twoja podświadomość słyszy. Ten z mikrofonem to geniusz muzyczny, ma niesamowitą intuicję muzyczną, sprowadzili go z końca świata. Dźwiękowiec samej Norah Jones! Rozumiesz?

– Norah Jones?

– On prowadzi eksperyment. Takie badanie na skalę całej Europy, a nawet i rynku chińskiego. Wytypowali nas i wyłożyli jakąś potworną kasę, nie wiem nawet ile, na udowodnienie, że w hipermarketach wpływ na sprzedaż może mieć nawet wielkość płytek podłogowych. Bo większe płytki powodują, że kółka pchanego przez klienta wózka wydają odgłosy z mniejszą częstotliwością, a to uspokaja, kołysze i koi.

– Coś jak hipnoza?

– Właśnie. Monotonny dźwięk omamia naszą czujność i wtedy trochę poza świadomością sięgamy po to, co się nam podpowie. Ach, jakie to podniecające!

– I tak jest rzeczywiście?

– Powinno być. A tu kicha ponoć jest. Podłoga nie hipnotyzuje, klient nie kupuje. Płytki są za małe, nie powodują odpowiedniej wibracji. Ten od płyt Norah Jones ma właśnie to sprawdzić.

– Dziwne, w życiu bym nie pomyślał, że człowiek, który nagrywał płyty Norah Jones, nagrywa też płytki podłogowe w sklepie.

– Powiem ci jedno. Jeszcze nie wiadomo, co na końcu okaże się największym przebojem.

– À propos płyt, oglądnąłem tego Moravię, o którym wczoraj mówiłaś. – Zmieniam temat, chociaż to „à propos" wydaje się nieco naciągane.

– O, przyszedłeś, żeby opowiedzieć?

– Jasne.

– Pamiętałeś? Jak miło... To mów, proszę, mów.

– Więc tak... – Biorę głęboki oddech. – Film jest oczywiście krytyką społeczeństwa konsumpcyjnego. Mieszczaństwa i jego zakłamania. Jest to wielki film o buncie. Przeciwko narzuconym normom społecznym, nieodpowiadającym naturze człowieka.

– Naprawdę? – Magdalena nie kryje rozczarowania. – To brzmi strasznie nudno. Na okładce goła cycatka, myślałam, że to o seksie.

– To główna bohaterka. Ona się nie depiluje. Pokazuje łono i włosy pod pachami; reżyser chce nam powiedzieć, że w ten naturalny sposób eksponuje swój buntowniczy manifest...

– To ona się nie depiluje?

– Nie.

– Ach, to ciekawe. A już myślałam, że nudy.

– Trochę nudy, chociaż może ja tak nudno opowiadam.

– No co ty. Ciekawie mówisz, ale ja myślałam, że to jest po prostu jakieś fajne porno. Widziałam, że reżyserem był Tinto Brass, ten od „Kaliguli". A masz w domu jakiś dobry erotyk?

– Coś się znajdzie. Kupiłem ostatnio na DVD „Cząstki elementarne" Houellebecqa. Nie widziałem jeszcze, ale książka ponoć ostra. Mówią, że porno. Może byś wpadła, obejrzymy razem?

– A, na studiach pisałam analizę „Platformy". Bardzo mi się podobała, ostro, po męsku napisana. Czytałeś?

– Tak, oczywiście – kłamię, bo nie doszedłem nawet do połowy, i żeby nie zdążyła mnie zapytać o opinię, od razu zadaję wyprzedzające pytanie: – A co teraz czytasz?

– Ostatnio czytałam głównie koszyki. Przez ten miesiąc, gdy siedząc przy kasie, miałam poznawać zachowania klientów.

– Koszyki czytasz? Jak to koszyki?

– Patrzę, co kto kupuje, i wyobrażam sobie, kim jest.

Przypomniała mi się pani nocna, opiekunka, którą miałem w domu dziecka. Była panną, więc najczęściej zostawała z nami na noc. Gdy w piątki przychodzili dorośli, by zabrać nas na weekend i być może upatrzyć sobie kogoś do adopcji, radziła nam, żeby nie słuchać tych wszystkich ciepłych słów, którymi do nas mówią, tylko uważnie rozglądać się po ich domach. „Po przedmiotach ich poznacie", powtarzała nam pani nocna, „a nie po słowach; słowa bywają złudne, dla niepoznaki lub dla zmylenia, albo dla świętego spokoju, a przedmioty są do zaspokojenia potrzeb, powszednich lub wyuzdanych, nie mówią o nas wszystkiego, ale z pewnością wiele".

Pani nocna chyba rozumiałaby się z Magdą.

– Muszę lecieć – mówi Magda. – Przerwa mi się skończyła.

– To co z tym Houellebecqiem? Może wpadniesz w weekend?

– Wolałabym tak od razu nie wpaść. – Uśmiecha się, puszczając oko. – Ale odwiedzić cię mogę. Przyjedź po mnie. – Zamyśla się na chwilę. – Houellebecq! Co za okropnie trudne nazwisko! Jeśli u nas, na polonistyce, ktoś wie, jak się je pisze, to dostaje tytuł magistra literatury, a jeśli jeszcze wie, jak to się czyta, to może mieć doktorat.

– Tak, to okropnie trudne nazwisko – przyznaję. – Nie mam pojęcia, jak poprawnie się je pisze.

*

W domu pies wita mnie merdaniem ogona, klepię go po karku i to wszystkie pieszczoty, jakie nam się na ten wieczór należą. Nie wiem, czy on się do naszej samotności przyzwyczaił, ja czuję się z nią coraz gorzej; samotność nie jest naturalnym stanem, wszystko wokół występuje w parach, poduszki w sypialni, palniki w kuchence, a nawet baterie w latarce.

Od czasu Marysi Jezus nie udało mi się być prawie z żadną kobietą dłużej niż kilka miesięcy, z jedną spotykałem się przez rok. Zawsze coś było nie tak, trudno powiedzieć. Zupełnie jakbym płacił za to, że pozwoliłem jej odejść.

Czasami śni mi się tamten dzień. Otwieram drzwi sypialni i patrzę na rzeczy, które po sobie zostawiła. Szczotka do włosów, kilka frotek, jedwabna koszulka z oberwanym ramiączkiem. To nie ja byłem tym mężczyzną, który je oberwał. Przypomina mi się powiedzenie, że los jest ślepy. Nigdy nie sądziłem, że to mogłoby działać na moją korzyść. Ale dzisiaj tak myślę i proszę: „Losie, który jesteś ślepy, nie otwieraj oczu mojej następnej dziewczynie, niech będzie na mnie ślepa jak ty, ślepy losie, gdy się z nią kiedyś spotkam".

Z łazienki zabrała wszystkie swoje rzeczy, zniknęły tuziny słoiczków i tubek z kremami do czarowania czasu i buteleczki z płynami do mącenia w głowach mężczyzn. Smutno wygląda łazienka bez śladów obecności kobiety.

W całym domu było jej pełno. Nic mnie w niej nie złościło, nie nudziło, nic mi w niej nie przeszkadzało. Rozczulała mnie jej porozrzucana garderoba, stanik dwa dni temu zostawiony na klamce, zabłocone buty na środku przedpokoju, zapomniany pod łóżkiem kubek po herbacie. Rozczulała mnie, gdy używała mojej maszynki do golenia, szczoteczki do zębów, szalika. Chodziła w moich koszulach, które odnajdywałem potem na dnie szafy, poplamione winem, jogurtem lub sosem. Boże, jakie to było rozczulające!

Jest wiele sposobów na to, aby poznać, czy mężczyzna naprawdę kocha. Podejście do domowego rozgardiaszu jest jednym z najprostszych wskaźników miłości. Postrzeganie codziennego bajzlu jako uroczego nieporządku oznacza całkowite zauroczenie i miłość ślepą. Jeśli mężczyzna zaczyna mówić, że widzi pobojowisko, kram lub stajnię Augiasza, to też jest jeszcze na etapie dobrotliwego droczenia się. Nieład zaczyna brzmieć groźnie, to pierwsza oznaka buntu, niezgody, początku znudzenia. Bałagan to już równia pochyła; mężczyzna, który narzeka na bałagan w domu, powoli przestaje kochać, za chwilę powie, że nie może żyć w tym bajzlu, a to będzie oznaczało, że prawdopodobnie ma kochankę, do której odejdzie wkrótce po tym, jak zacznie przeklinać panujący wszędzie burdel. „Zostawiam ten chlew", powie w końcu i sobie pójdzie, chociaż ten chlew wygląda dokładnie tak samo, jak wyglądał uroczy nieporządek, może jedynie rozmiar 36 zmienił się na 40.

*

Wieczorem wychodzę z psem i patrzę na niebo. Gdy jest taki wiatr jak dziś, zazwyczaj spadają gwiazdy, wtedy wymyślam sobie różne życzenia. Wczoraj miałem takie, że aż gwiazda, która spadała, zatrzymała się w połowie, jakby ze zdumienia ją zatkało. Powiedziała: „O pardon, monsieur" i taka była zaskoczona, że nie tylko nie spadała dalej, ale po chwili wróciła i przykleiła się ponownie do nieba. Ale kiedyś wezmę patyk i strącę skubaną, niech mi się spełni.

*

Biorąc przed snem prysznic, postanawiam pójść do fryzjera i o siebie jakoś doraźnie zadbać, może nawet zrobię sobie manicure; Marysia mówiła, że kobiety zwracają dużą uwagę na dłonie. Kosmetyczka pewnie zaproponuje mi też pedicure, ale to już wydaje mi się przedwczesną inwestycją, przecież na pierwszej randce raczej nie dojdzie do ściągania skarpetek.

W łóżku sprawdzam jeszcze pocztę na laptopie.

Wiesz, zrobiłam sobie wczoraj manicure i przy okazji pomalowałam paznokcie u stóp na tęczowo. Każdy jest w innym kolorze. Podobałoby Ci się. Miłych snów. Twoja tęczowa Miriam.

Kim jest Miriam? Może to jakieś biuro matrymonialne? Takie jak z tych filmów science fiction, gdzie czytają w myślach.

*

O świcie, gdy wychodzę z psem, w parku, między drzewami, dwoje starych ludzi zbiera chrust. Odkąd tu mieszkam, widzę ich niemal codziennie – ona ściąga spod drzew gałęzie, a one je łamie i układa równo na szarej płachcie, którą potem zarzuca na plecy. Pamiętam, jak chodziłem do piątej albo szóstej klasy, mieliśmy narysować, jak wyobrażamy sobie nasze miasto, naszą okolicę w XXI wieku. Narysowałem poduszkowce unoszące się nad ziemią i uśmiechniętych ludzi, wszyscy byli młodzi, bo wymyślono już tabletkę na nieśmiertelność. Nie sądziłem wówczas, że powinienem narysować staruszków, którzy w moim dumnym mieście przez cały rok zbierają chrust na zimę.

Ranek jest chłodny, więc po powrocie rozpalam w kominku; najpierw układam brzozowe polana, palą się najszybciej i są najwonniejsze; ich zapach słodko otula całą okolicę. Dębinę i grab zostawiam na zimę, to twarde drewno, tli się spokojnie i powoli, nie to co młoda brzoza, frywolnie strzelająca iskrami. Drewno brzozy przypomina zapał nastolatki lub co najwyżej dwudziestoletniej dziewczyny; zajmuje się chętnie i płonie pospiesznie. Zanim świat wokół się rozgrzeje, zostaje z niej kupka stygnącego popiołu. Jej ogień jest jasny, piękny i beztroski, ale od początku skazany na słomianą miłość. Dębina lub grab, w odróżnieniu od brzozy, to polana z drzew rosnących długo i powoli, dorosłe, niekiedy wręcz stare. Mocne, gęste i oporne. Ich słoje nawarstwiały się latami, są jak skóra na dłoniach spracowanego mężczyzny. Grab jest twardszy od dębu, nigdy go obok płonącej brzozy nie kładę; wydaje mi się, że jest jak pustelnik, który najlepiej czuje się w samotności.

Ewentualnie dąb mógłby być kochankiem brzozy, jak czterdziestoletni mężczyzna kochankiem dwudziestolatki. Lubię patrzeć, jak brzoza w oczekiwaniu na nadejście dębu rozpala się radośnie. Jak wdzięczy się wiotką smugą dymu i stroi w czerwone klipsy płomyków. A wtedy powietrze zaczyna nad nią falować, zupełnie jakby tańczyła. Kiedy jest już gotowa i pali się tak, że zaraz serce w niej z żaru pęknie, przynoszę polano dębu. Początkowo jest oziębły i na zaloty nieczuły. Ale brzoza płonie. Płonie tak, że nie sposób jej się oprzeć. Twardy dąb powoli, jeszcze nieufnie, skręca ku niej pierwszą drzazgę, a odprysk jego kory iskrzy w powietrzu. Brzoza jest już żagwią, gdy na dębowym polanie budzą się ogniki. Są jak gorący dreszcz przed pożarem zmysłów. Dąb czuje wielkie gorąco brzozy, więc zapomina o tym, jaki jest twardy, mocny i oporny. Ale trwa to tak długo, że gdy zaczyna wreszcie płonąć, brzoza jest nim już znużona. Dąb spopiela ją natychmiast, nawet nie spodziewała się, że jest tak gorący. Nagle opuszczony, traci swój dopiero rozbudzony ogień, ale nie gaśnie. Jego żar trwa w nim i cały czas jest taki sam – ani większy, ani mniejszy. Tli się do końca, długo i gorąco – wciąż gotowy na powrót brzozy jest jej wierny aż do ostatniej iskry, która się w nim dopali.

Trzeba wiedzieć, kiedy brzoza może się z dębem spotkać; od tej ostatniej, słabej już iskry brzozy dąb się nie rozpali, ale iskra dębu może rozpalić brzozę. Czasami żal mi tęsknie tlących się polan dębowych, wtedy dla ich radości przynoszę im brzozę. Patrzę, jak szybko obejmują się płomieniami, jak wokół nich robi się jasno, radośnie i ciepło. Myślę wówczas, że wielu mężczyzn, podobnie jak ja, to takie wciąż żarzące się polana dębu, które boją się tego dnia, w którym od iskry, jaka im zostanie, żadna brzoza już się ogniem nie zajmie.

*

Nie tylko skarpetek, ale nawet butów nie ściągnę u Magdaleny w ten weekend, bo odwołuje spotkanie, co znaczy, że mój niepotrzebny manicure zostanie ze mną w domu. Magda mówi, że awansowała i jest specjalistką od drgań podłogowych, z pensją dwukrotnie wyższą. Chodzi po innych marketach i nagrywa stukot kółek. Potem to porównują.

Dźwiękowiec Norah Jones wyjechał, więc zatrudnili na zlecenie rektora Akademii Muzycznej. Dyrygent i profesor światowej sławy, ale nie może już występować, bo mu wypadł staw barkowy. Terapia jest trudna, w dodatku sporo kosztuje, a NFZ refunduje ją jedynie w przypadku sportowców, i to tylko tych od podnoszenia ciężarów. Więc zaproponowali dyrygentowi, że sobie dorobi i się naprawi za swoje, byleby po tych Mozartach i Bachach ze zrozumieniem wózków sklepowych wysłuchał. Wahał się z początku i mówił, że nie wypada, ale mu żona wyjaśniła, że staw barkowy na co dzień też nie wypada. A córka pocieszyła, że w marketingu pracują dziś największe gwiazdy; Nina Simone śpiewała u Diora, Andrea Bocelli w koncernie Fiata, a w reklamie Nescafé zagrał Siergiej Prokofiew, co prawda pośmiertnie, ale i sam mistrz Paganini ponownie stał się popularny, gdy koncern Toyota zdecydował się na jego „Capriccio per violino solo n. 24".

„I dał się rektor przekonać", cieszy się Magda. Teraz słuchają wózków, prowadzą zapiski, analizują. Rektor mówi, że jest na dobrej drodze. Płacą mu dwanaście tysięcy miesięcznie. Zgodziłby się i za połowę, a nawet za jedną trzecią, ale to w sprawozdaniu, które Magda pisze, świadczyłoby o małej staranności w doborze kadr fachowych, a tak, jak polski zarząd napisze w raporcie do niemieckiego zarządu, że to geniusz, bo bierze tyle pieniędzy, to wszyscy będą zadowoleni. Jak ktoś kosztuje, to musi być dobry.

Zatem Magda nagrywa te wózki, porównuje odgłosy z wpływami do sklepów, a profesor układa algorytm. Po kwadransie wiem już wszystko na temat muzyki z płytek podłogowych. Magda, udzieliwszy mi wykładu, odkłada słuchawkę, a ja dumam, co zrobić, żeby jej się jakoś spodobać. Samemu może i dobrze się mieszka, ale zasypia fatalnie.

Sięgam po książkę, którą przeczytała, wiem, że nic tak ludzi nie zbliża jak wspólne zainteresowania, a mnie na zbliżeniu coraz bardziej zależy.

Nie znam się na literaturze, gust mam anachroniczny, przestarzały. Objawia mi się to głębokim niezrozumieniem kilku współczesnych gwiazd i widzę już, że także Houellebecqa. Zwyczajnie nie mam pojęcia, dlaczego jest wielki. Kilka lat po wydaniu „Platformy" ponownie ją czytam, wcześniej mi się nie podobała, ale teraz mam nadzieję, że przez ten czas zmądrzałem i ulegnę intelektualnym wzruszeniom. Ale nic z tego, jak głupi byłem, tak jestem, Houellebecq nadal mi się nie podoba, nie wzrusza mnie ani nawet nie irytuje, jedynie okropnie nudzi.

Wiem, że nie ma obowiązku, żeby się podobał, ale jakoś czuję z tego powodu dyskomfort, mając wrażenie, że mój rozwój nie jest prawidłowy. No ale czytam: „Zamknęła oczy; wytrysnąłem na jej twarz. Myślałem w tym momencie, że poleją się z jej oczu łzy; ale w końcu nie, tylko zlizywała spermę spływającą po policzkach". Czytam obrazami i skoro on tak pisze, to ja widzę, jak ona oblizuje sobie policzki i ma przy tym język jak kameleon; normalnie zbudowany człowiek nie potrafi przecież lizać sam siebie po policzkach. Poza tym nie rozumiem, dlaczego ona miałaby ronić łzy? Są bardziej wzruszające widoki niż penis po wytrysku.

I ani odrobiny uczucia w tym wszystkim nie ma. Ja zaś lubię, gdy przy seksie jest uczucie. Jak byłem w liceum, polonistka postawiła dwóję jednej z moich koleżanek, bo ta napisała w wypracowaniu o Romeo i Julii: „Między kochankami miała miejsce wielka miłość". Cztery ostatnie wyrazy nauczycielka podkreśliła na czerwono, że niby tak się nie pisze. Miłość to nie staruszka w tramwaju, żeby miała mieć miejsce. Ale większość z nas i tak nie zrozumiała, dlaczego miłość nie może mieć miejsca.

4.
Człowiek, który znika

Weekend był nudny jak pomidorowa z ryżem piąty dzień z rzędu. Natomiast poniedziałek od razu zaczął się ciekawie.

W poczcie czekał na mnie list od Miriam.

Śnił mi się dzisiaj dwudziestoletni klon z dojrzałą czeremchą. Ja byłam tą czeremchą, a Ty byłeś klonem. Miałeś twarz chłopca, który jest na drugim roku studiów. We śnie byłam od Ciebie starsza, ale w snach często wszystko jest odwrotnie, z wyjątkiem kart do gry, które odwrotne są na jawie. Tak naprawdę to jestem brzozą. Pyk i mnie nie ma. Ciekawa jestem, czy znajdziesz po mnie ślad w swojej pościeli.

Przyglądam się leżącym na łóżku poduszkom. Od kilku miesięcy nie spała tu żadna kobieta, a mimo to przy każdej zmianie pościeli na obie poduszki nakładam świeże powłoczki, zamiast tę niepotrzebną schować do szafy. Kiedyś pachniała słodko – perfumami, szamponem, odżywką do włosów, kremem na noc i pudrem; całym tym kobiecym zestawem do upiększania męskich snów. Dziś pachnie tylko proszkiem do prania i płynem do płukania, który już dawno spłukał ostatni ślad miłosnej nocy.

Wstaję, nastawiam wodę na parówki, idę do łazienki i biorę szybki prysznic, jednak nie na tyle szybki, żeby parówki nie popękały. Wyglądają okropnie, jakby cały zawarty w nich glutaminian sodu rozerwał je od środka, wrzucam je psu do miski i od razu mam wyrzuty sumienia. Cholera, psa nie powinno się karmić glutaminianem.

*

– Znika pan, panie Piotrusiu, znika nam pan – wita mnie smutno sekretarka.

– Znikam?

Robi mi się gorąco. Jednak zwalniają? Kilkanaście lat pracuję w jednej gazecie, dostałem wiele nagród za reportaże, od czterech lat jestem redaktorem naczelnym, zrobiłem najlepszą gazetę na Dolnym Śląsku, a oni mnie teraz zwalniają?

– Jak to znikam? – Nie mogę uwierzyć.

– Pan prezes tak powiedział. Szukał czegoś o panu w internecie, jakiegoś tekstu czy coś, i nie mógł znaleźć. Złościł się bardzo i powiedział, że nie może być tak, żeby naczelny z internetu znikał.

– Nie rozumiem, pani Wando. Co to znaczy, że znikam z internetu?

– Nie wiem, prezes to panu pewnie wytłumaczy, będzie po południu.

Pełen złych przeczuć wchodzę do gabinetu, włączam komputer, nie mogę się zalogować. A więc to już? Już zmienili hasła? Ale się pospieszyli. Nikt ze mną nawet nie porozmawiał, nie negocjował, nie uprzedził. Kurwa, co ja teraz zrobię? Kto zatrudni czterdziestoletniego faceta, skoro dookoła pełno absolwentów po trzech fakultetach, gotowych pracować na ćwierć etatu?

Otwieram okno, a na zewnątrz słońce, ptaki beztrosko śpiewają, wzdłuż Podwala fosą leniwie płynie Odra. Jakiś idiota próbuje zaparkować tyłem, wstrzymując całych ruch jednokierunkowy. A nie mówiłem, że idiota? To auto prezesa. Idzie, niski, krępy pięćdziesięciolatek w garniturze szytym na miarę, w którym i tak wygląda, jakby kupił go w Tesco. Samochód zaparkował w poprzek całego pobocza, jak krowę na tej swojej wsi białostockiej. Siedział tam sobie, kierował zakładem mrożonek i dobrze było, ściągnęli go tu nie wiadomo po co, a teraz idzie, brzuch o metr go wyprzedza, pewnie się śpieszy do bufetu.

– Witaj, prezesie! – mówię, bo oto nagle już mi się tarabani do pokoju.

– Cześć, Piotruś!

– Co nowego?

– A ty co, własnej gazety nie przeczytałeś jeszcze, że nie wiesz, co nowego?

Pyszny żart – nic, tylko boki zrywać.

– Nie, bo ktoś mi hasło zmienił, nie mogę się zalogować. A z drukarni jeszcze gazety nie przywieźli.

– Pokaż, przecież nikt haseł nie zmieniał. – Gmera po klawiszach grubymi paluchami. – Fakt, coś nie działa.

– No właśnie.

– Wando! – woła przez zamknięte drzwi. – Pani Wando! Ratunku, pomocy, ludzie, ratujcie!

Przechodnie pod otwartym oknem podnoszą głowy. No debil, kompletny debil i pajac.

– O Boże przenajświętszy! – Wpada sekretarka. – Co się, panie prezesie, stało?

– Naczelny się nie może zalogować, niech no pani Bartka, technicznego, zawoła.

– Akurat jest w sekretariacie, już go proszę. O Boże, ale mnie pan przestraszył, panie prezesie.

Wchodzi Bartek. Chłop jak dąb o tym samym imieniu; wielki, rozłożysty, ale mniej spróchniały, widać, że pasty z fluorem używa. Zresztą we Wrocławiu od dawna woda jest fluorowana. Jak ktoś oszczędza, to nawet pasty nie kupuje. Pewnie ja zaraz do nich dołączę. Bezrobotni i bezdomni z naszego miasta mają najładniejsze zęby w całym kraju. Dzięki inicjatywie władz miejskich wystarczy teraz tylko jamę ustną wodą z kranu przepłukać.

– A co ty znowu tak na ludowo? – czepia się go prezes.

Bartek milczy, wszystkich ma za idiotów, więc nigdy nie odpowiada. Poza tym jest administratorem sieci, a wiadomo, że żaden administrator sieci nie odpowiada na pytania. Uczą ich tego albo od razu taką mają zasadę.

Jego ojciec jest Szkotem, a on został neofitą dokładnie w dniu, w którym do sejmu znów weszła Młodzież Wszechpolska, a potem do radia, do telewizji i do całego AGD. Przychodzi więc do pracy po szkocku, w podkolanówkach i wełnianej spódnicy, a na jajach ma skórzaną torebkę. Taką małą, czarną, trochę jakby kobiecą. Ale do tej spódnicy to nawet pasuje. Pytaliśmy, co tam trzyma, ale zwyczajowo nie odpowiedział. No więc ktoś w Wikipedii wyczytał, że to tradycyjna ochrona przed atakiem wroga, jeszcze z czasów, gdy Szkoci walczyli z Anglikami. A że biedni byli, ci Szkoci, to w ten oto sposób jedyne klejnoty przed utratą chronili. Dokładnie tak to jest napisane: „Wybrali więc chociaż małą ochronę na najcenniejszą część ich ciała – sporran, torebkę ze skóry, specjalnie usztywnioną". Rzeczywiście, torebka Bartka zawsze wygląda tak, jakby coś sztywnego tam trzymał. I głowy też tradycyjnie przed atakami w pracy nie chroni, tylko to, co najcenniejsze. W sumie wcale mu się nie dziwię. Naszą gazetę przejęła norweska spółka, Orkla, ta sama, która kupiła „Rzeczpospolitą", a to przecież dzikie i nieobyczajne plemię, ci Wikingowie.

– Caps Lock pod modułem się wyłamał, tylko drukowanymi można pisać – orzeka Bartek, po czym odwraca się na pięcie i odchodzi, kołysząc małą torebką.

– Drukowanymi? – dziwi się sekretarka. – Jak to drukowanymi?

– To czemu, chłopie, tego nie naprawisz? – pyta prezes.

Ale Bartek nic nie mówi, gdyż tradycyjnie, jak każdy administrator sieci, nie odpowiada na pytania. A może po prostu pytanie do niego nie dociera, bo już słychać ciężki tupot stóp na schodach. Tak tupać może tylko wielki chłop w spódnicy, który ucieka przed najazdem Wikingów.

I rzeczywiście.

– Ty, Piotrek, coś trzeba zrobić z tą gazetą – mówi prezes. – Sprzedaje się fatalnie. Za miesiąc mamy zarząd w Oslo. Jak im nie pokażesz planu wyjścia z kryzysu, to grób, mogiła i wieczne potępienie w CV.

Więc jeszcze mnie nie wyrzucają. Mam miesiąc. Cały miesiąc! Pan Bóg stworzył świat w tydzień, to znaczy, że mam cztery razy więcej czasu.

*

W sobotę budzi mnie Kinga Rusin, ta prezenterka. Jest miło, Kinga uroczo się uśmiecha i już mam ją zaprosić pod kołdrę, gdy widzę, że nie przyszła sama. Przecieram oczy, tak, to Jolanta Kwaśniewska, żona byłego prezydenta RP. Automatyczny budzik włączył telewizor i tak powitał mnie magazyn „Dzień dobry TVN".

– Dzień dobry – witam się z telewizorem.

Dziś do pracy nie idę, bo na szczęście w niedziele gazety nie wychodzą; mam czas, żeby pomyśleć nad lepszą sprzedażą swojej.

Na razie, póki pies nie domaga się wyjścia na spacer, oglądam telewizję, wstawać mi się nie chce. Kinga pyta o rady dla żon następnych prezydentów. Jolanta Kwaśniewska zaczyna ostrzegać przed trudnymi warunkami lokalowymi.

– Otóż – powiada była pierwsza dama – w prywatnej część Pałacu Prezydenckiego okna są pancerne i w dodatku się nie otwierają. Poza tym osadzono je tak, że w komnatach brakuje słońca i przez cały dzień trzeba mieć włączone światło. Jest ciemno i brakuje powietrza, dla mnie przez dziesięć lat było to bardzo trudne – zwierza się prezydentowa, a Kinga kiwa ze współczuciem głową.

No tak, nie ma nic gorszego niż światło włączone na koszt podatników. Ale to nie koniec pałacowego horroru. Okazuje się, że kuchnia ma tam zaledwie kilka metrów kwadratowych i nie mieści się w niej stół.

– Przez dziesięć lat jedliśmy w niej śniadania na stojąco – żali się niegdysiejsza lokatorka, a ja się zastanawiam, czy na rzecz remontu pałacowej podłogi nie przekazała piątej klepki. Zwłaszcza gdy dodaje, że czasami na podłodze w kuchni kładły się ich dwa olbrzymie owczarki i wtedy w ogóle nie można było się dostać do lodówki. „Co za męczarnia", myślę sobie, chociaż dostatni wygląd byłego prezydenta wskazywałby na to, że zbyt długo psy przed lodówką jednak nie leżały.

I przypomina mi się reportaż Marzenki. Marzenka to nasza najlepsza reporterka, czasami prowadzimy razem wydania gazety. Napisała o znanej malarce z Wałbrzycha. Weszła do mieszkania, a tam ciasno, odpadający tynk, słoma wystająca z sufitu. Wilgoć nie pozwala zaschnąć farbie na obrazach. Wśród posępnych pejzaży sparaliżowana matka. Ta malarka nigdy nie napisała podania o zamianę mieszkania. Z przyzwyczajenia mogła tak żyć, mogła tak umierać. Podanie wysłała dopiero za namową Marzenki. Przyszła komisja, złapała się za głowę, przydzieliła mieszkanie komunalne. Razem pojechaliśmy je zobaczyć, w końcu gazeta zrobiła coś pożytecznego. Malarka ogląda mieszkanie uradowana i mówi: „Cała jestem w ciarkach". I z niedowierzaniem dodaje: „Boże, jaka jestem szczęśliwa, na ścianach grzyba nie ma".

Nigdy nie zapomnę tej definicji szczęścia: „na ścianach grzyba nie ma".

Tak mi się to teraz skojarzyło przy tej telewizji. Bo co oni pokazują? To ma być prawdziwe życie? Plotki ze świata celebrytów? A może właśnie ludzie mają dość prawdziwego życia? Może nie chcą go też w gazetach? To może taki dziennik z samymi głupotkami zrobić? Że UFO, kręgi w zbożu, telepatia i seks. Najlepiej pozamałżeński, a przynajmniej przed. Może gazeta też powinna być jak ten supermarket Magdaleny. Dużo byle czego, może być z Chin, tylko ładnie opakować, dać dobry tytuł, ciekawe zdjęcie, ludzie to kupią.

Rozbudzony wstaję i zaglądam do szafy, jestem w dobrym humorze, chętnie bym założył jakiś ulubiony ciuch. Przeglądam i grzebię, po czym uświadamiam sobie, że moja garderoba jest bardzo uboga. W jednej części szafy dżinsy i T-shirty, w drugiej dwa tanie garnitury, których nie zakładam, bo garnitury noszą teraz głównie akwizytorzy. Wyleją mnie, to będę je nosić. W czym pojadę to tego Oslo? Cholera, nawet butów porządnych nie mam, nie mówiąc już o walizce.

*

Buty koniecznie muszę kupić, buty mogą zaprowadzić człowieka, gdzie chce, a czasem także z powrotem. Jestem obuwniczym rasistą – po butach klasyfikuję ludzi, zupełnie jak Magdalena po koszykach. Nie ufam mężczyznom w adidasach zakładanych do marynarki, nie mam o czym rozmawiać z człowiekiem noszącym skarpetki do sandałów, nie lubię facetów w aktualnie modnych lakierkach zakończonych tępym szpicem, mam wrażenie, że ta tępota dotyczy także głowy. U kobiet przerażają mnie kozaki na wysokim i cienkim jak lanca obcasie, zakończone długim, ostro zakrzywionym czubem. Nie daj Boże jeszcze z frędzlami przy łydkach. Albo szpilki o nosach długich jak u Pinokia; jak zaufać kobiecie, której nawet buty kłamią?

Idę ulicą i patrzę, jakie te wrocławianki są ładne. Zwłaszcza gdy upał jest taki jak dziś, a one z odkrytymi ramionami, z dekoltami, ciałem pięknie obnażonym tak z tyłu, jak z przodu, i w krótkich sukienkach. No pięknie, po prostu pięknie jest na ulicy, wiosna i lato to moje ulubione pory roku.

Trochę niektórym dziewczynom współczuję, bo mimo upału modnie noszą kozaki do kolan, ale cóż z tego, że wydaje się to nielogiczne, absurdalne, a nawet głupie, skoro akurat to zestawienie – wysokich butów z letnim negliżem – daje seksualnie porażający efekt i nawet jeśli mam świadomość, że noga w bucie z pewnością jest spocona, to w rozmarzeniu nie przeszkadza mi to ani trochę. Nawet te w spodniach mi się dzisiaj podobają, w takim dobrym jestem humorze. W leginsach albo w dżinsach ze stretchem tyłeczki mają zgrabne, okrąglutkie jak piłki, tak się ładnie odbijają, wszystkie przede mną podskakują.

Rozmarzam się i rozmarzam, patrzę na te nogi wszystkie, stópki i kolanka. Lubię szpilki o proporcjonalnych kształtach, klasyczne, takie, które budzą skojarzenia z kieliszkiem do wina i z tymi radosnymi historiami, w których kobiety, polewając z bucika, upijają swych kochanków. Lubię delikatne pantofelki, uwielbiam japonki – od razu budzą we mnie chęć pieszczenia stóp.

Oczywiście obuwie chodzi swoimi drogami. Pamiętam buty mojej pierwszej dziewczyny, Marysi Jezus. Naprawdę na pierwsze imię miała Marysia, a na drugie Jezus. Niektórych bardzo to dziwiło, ale tak wszyscy z rodziny na nią wołali: Marysia Jezus. Była biedna i kupowała byle co – gdy w tajemnicy przed jej rodzicami po raz pierwszy spotkaliśmy się w hotelu, z przedpokoju czuć było charakterystyczną woń jej plastikowych adidasów z supermarketu. Ale zupełnie mi to nie przeszkadzało.

Byłem wtedy studentem drugiego roku filozofii, Marysia nie miała jeszcze siedemnastu lat. Kiedyś, w drodze ze szkoły, zapytała mnie, na czym polega dialektyka. Tłumaczyłem jej pierwsze prawo dialektyki Hegla, a ona nie potrafiła pojąć, że jedna rzeczywistość może płynnie przechodzić w drugą, dopóki nie podałem jej przykładu.

– Jesteś szczupłą dziewczyną – powiedziałem – ale codziennie zjadasz trzy pączki, po tygodniu nadal jesteś szczupła i po dwóch tygodniach też, ale przychodzi taki dzień, w którym najlepsza przyjaciółka mówi ci, że okropnie przytyłaś, i to się właśnie nazywa prawem przechodzenia ilości w jakość.

Zrozumiała od razu:

– Ta suka, Alicja, tylko na to czeka.

Suka, Alicja, to była jej najlepsza przyjaciółka.

Zrozumiała, jednak nie do końca:

– A ile ważył ten Hegel?

Potem, w tamtym hotelu, trafiła się sposobność zaprezentowania innego przykładu. Był to przykład na żywym organizmie, a ściślej mówiąc – na dwóch organizmach ożywionych niskoprocentowym alkoholem.

Przyszedłem na jej studniówkę, którą szkoła zorganizowała w sali balowej pobliskiego hotelu. Biegając po korytarzach, trafiliśmy na niedomknięte przez sprzątaczkę drzwi. Wkradliśmy się do pokoju, z minibarku wyciągnęliśmy malutkie buteleczki i piliśmy szampana, ona po raz pierwszy w życiu. Była śliczna jak z obrazka. I od razu powstał między nami dylemat dialektyczny. Gdzie jest ten moment, w którym czułość dwojga ludzi przechodzi w seks?

– Ale pamiętaj, obiecałam rodzicom, że nie będę uprawiać seksu.

– Nie bój się, nie będziemy uprawiać seksu. – Pocałowałem ją w usta.

– To dobrze, bo mama by się gniewała.

– To byłoby straszne. – Zacząłem całować ją za uchem.

– A czy to nie jest seks?

– No coś ty, to tylko całus. – Wsunąłem dłoń pod jej bluzkę. Była bez stanika. Poczułem dotyk małych piersi.

– A to, czy to nie jest już seks?

– Nie, to tylko dotyk – uspokoiłem ją, głaszcząc stroszące się sutki.

– Ojej, a to?

– To tylko mały masaż. – Pchnąłem ją lekko w stronę kanapy. Chciała usiąść, lecz położyłem się na niej, rozpiąłem guzik jej sukienki.

– No, a to?

– To twój guzik. Jeden rozpięty guzik nie jest seksem.

– A to? Czy to już seks?

– Dwa też nie są.

– A to?

– To tylko cztery rozpięte guziki.

– A to? To już chyba…

– Nie, to jest nagość. Nagość też nie jest seksem.

– O Jezu, a to?

– To tylko lizanie.

– Ale to? To przecież już chyba jest seks?

– Nie, to pieszczoty.

– Ale mi jest tam mokro.

– To wzruszenie.

– Boże, co ty robisz! Czy to nie jest…?

– Tak, to już jest. Sam nie wiem. Może powinniśmy przestać.

– Nie przestawaj. To przecież tylko takie drżenie.

*

Często ją wspominam, bardzo często. Ale teraz wchodzę już do sklepu z walizkami. O rety, co za wybór, co za bogactwo toreb, walizek i walizeczek. Pani urocza, od razu gotowa coś doradzić. „Bardzo proszę", powiada, „tu mamy najnowsze modele Samsonite, te są po tysiąc pięćset, za średnią pensję aż dwie można kupić, a wtedy jeszcze dostanie pan taką damską torebeczkę na kosmetyki". Mówię, że nie potrzebuję dwóch walizek, tylko jedną, a z damskimi kosmetyczkami się nie przemieszczam.

– No to taką walizeczkę panu proponuję, grafitowa, elegancka i superodporna.

Hyc, i już z półeczki ściąga i przede mną stawia.

– O Chryste Panie, ale ona prawie za tysiąc sześćset!

– Ale wie pan, te z materiału nie wytrzymują dłużej niż trzy sezony, bo producenci walizek płacą pracownikom na lotniskach, żeby tak nimi rzucali!

– Co pani powie…

– Tak, w gazecie takiej nasza szefowa czytała, na pierwszej stronie! Wszystkim nam pokazywała, bardzo ciekawa gazeta.

– Ciekawa taka? A pamięta pani tytuł?

– Chyba jak słońce, „The Sun" się nazywała, jaka szkoda, że u nas takich ciekawych gazet nie ma. Tylko o tej polityce piszą i o polityce.

A więc intelektualnie jestem na dobrej drodze! Tak trzeba, w tym kierunku!

– Więc radziłabym panu jednak tę z plastiku. Ma gwarancję na 5 lat i wytrzymuje uderzenie z siłą 200 kilogramów, tu jest egzemplarz testowy, może pan sobie skoczyć.

– Żartuje pani?

– Nie, jeden pan już skoczył i był zadowolony.

Więc skaczę. Hop, do góry. Zaledwie 72 kilogramy. No dobrze, zimą 75, ale teraz jest lato. I jeb! A w walizce dziura.

– Ojej! – krzyczy urocza pani.

– O, kurwa! – odpowiadam jak echo.

– Widocznie w jakieś słabsze miejsce pan trafił.

– Tak, widocznie. Taki film był nawet „Czułe miejsca". Chyba właśnie o walizkach.

Decyduję się na walizkę z materiału. Tylko 300 złotych, bo z zeszłego sezonu.

Idę tak ulicami i idę, trochę niewyraźnie się czuję, bo to głupio wędrować przez miasto z pustą walizką. Jakbym to dla szpanu jakiegoś robił albo dla niepoznaki, że niby zaraz wakacje, więc się gdzieś wybieram, może nawet do ciepłych krajów. W dodatku mam wrażenie, że wszyscy na tę walizkę patrzą i widzą, że jest z zeszłego sezonu. Ale ja chyba też jestem.

*

W poniedziałek pędzę od razu do prezesa.

– Chłopie, zrób coś ze sobą, bo coraz bardziej znikasz – radzi na powitanie.

Cholera, zupełnie zapomniałem zapytać, o co mu chodzi z tym internetem. Ale nic, odkładam to na potem, a teraz relacjonuję wyniki pracy domowej. Chodzi po gabinecie i kiwa głową, czyli słucha ze zrozumieniem. Widzę, że pomysł mu się podoba, bo zaczyna chodzić coraz szybciej, podekscytowany jest tym moim pomysłem, pewnie zaraz zacznie biegać.

– Chodź – mówi w końcu – idziemy na kolegium, przedstawimy koncepcję kierownikom.

Kolegium jakieś niemrawe dziś, osowiałe, jak to po niedzieli, na kacu. Ale prezes już przemawia, już peroruje i opowiada, i głowę dumnie trzyma, wysoko, już o przeniesieniu do Warszawy myśli, już tam na upatrzonym fotelu zasiada, do awansu się mości. Tylko chodzić nie może, bo miejsca za mało, w klitce siedzimy. Gabinety tylko mamy duże, ja i prezes, do reprezentacji.

– Więc teraz gazetę jak supermarket będziemy robić! – kończy wywód i opierając się dłońmi o blat stołu, patrzy na nas dumnie, tak jakby to on sam wszystko przed chwilą wymyślił.

Cisza zaległa, nikt się nie odzywa, słychać brzęczenie much na uchylonym oknie.

– W zasadzie pomysł mi się podoba – odzywam się jako pierwszy, bo wszyscy na mnie patrzą, przecież jestem naczelnym.

– No… ale tak konkretnie. Tak konkretnie, to o co chodzi, panie prezesie? – pyta Marzenka dociekliwie, jak to szefowa działu reportażu, absolwentka Princeton University, [NJ 08544, Stany Zjednoczone (609) 258–3000].

– Konkretnie to wam naczelny zreferuje, ja nie mam czasu na detale – mówi prezes.

– Ale dlaczego jak supermarket? – dopytuje Marzenka. – Ja nie lubię supermarketów, nie chodzę tam nawet.

– A ja lubię! – ogłasza szef działu sportowego. – Ale też nie rozumiem, jak z gazety zrobić supermarket.

– Ja chyba wiem, o co chodzi! – Zrywa się szef działu politycznego.

– Chodzi o to, żeby się gazeta sprzedawała tak jak towary w supermarketach. Ale jak to osiągnąć, panie prezesie?

– Musimy zrobić burzę mózgów – zapowiada prezes.

Zawsze, gdy czegoś nie wie, to mówi o tej burzy. Cholerny meteorolog. Często robimy burzę mózgów, ale nie po każdej płyną potoki myśli.

– To może zacznijmy od podstaw – mówię. – Markety stosują prawdy powszechnie znane w marketingu. Na przykład ważny jest kolor. Coca-cola i marlboro mają czerwone opakowania, bo czerwony najbardziej przyciąga wzrok…

– I dlatego czerwone wino sprzedaje się lepiej niż białe – mądrzy się prezes.

– To dlaczego białego nie opakują w czerwone butelki? – nie dowierza Marzenka.

– Bo wtedy czerwone gorzej by im się sprzedawało – wyjaśnia prezes.

– A ja jednak wolę biały – nieśmiało wtrąca Marzenka.

– Ale spróbuj zrobić z białego kolor rozpoznawczy – szydzę. – Biały nadaje się jedynie na suknie ślubne dla dziewic, to zdecydowanie kolor jednorazowy.

I nagle spada na mnie olśnienie. Już wiem! Mam! O burzo mózgów, która dotknęłaś mnie swą krynicą! O mądrości, która teraz na mnie spływasz! Znak! Trzeba ludziom dać znak, czytelny znak! Czerwoną figurę geometryczną na pierwszej stronie, przy samym tytule! Każdy zatrzyma wzrok, jak przy sygnalizacji świetlnej!

Ale jaki znak, jakiego kształtu? Może koło? Nie, bo będzie wyglądać jak nakrętka z coca-coli. Trójkąt? Ale podstawą do dołu to jak znak drogowy, do góry zaś też niedobrze, bo jak wejście do męskiego WC. Mam! Czerwony kwadrat! Damy przy tytule czerwony kwadrat.

– Zaraz, ale czerwony prostokąt ma już przy tytule „Gazeta Wyborcza" – przytomnie zauważa Marzenka. – Prostokąt to jak kwadrat.

W ogóle nie przyszło mi do głowy, że „Wyborcza" też hipermarketowe techniki stosuje. Wydawała mi się zawsze taka delikatesowa.

– Mam jeszcze jeden pomysł podpatrzony w hipermarkecie. – Nie daję się zbić z pantałyku. – Do klimatyzacji wpuszczają tam aromat kawy, ponoć pobudza do zakupów. Nasączymy papier gazetowy tym aromatem!

Prezes zachwycony, kolegium zadowolone, że na dziś koniec, bo wyjść przecież trzeba, zapalić, napić się czegoś, na miasto skoczyć, różne sprawy załatwić.

– Aleś to wymyślił! – Klepie mnie prezes po plecach.

Mija kilka dni i jest jak w filmie „Dzień świstaka". Wszystko trzeba zaczynać od początku. Prezes wpada z samego rana i od progu krzyczy:

– Cholera, spóźniliśmy się! Wszystkie gazety są jak hipermarkety! Albo mamy szpiega i im o wszystkim doniósł! Powąchaj! – Rzuca mi na biurko najnowszy numer „Rzeczpospolitej".

Wącham z niedowierzaniem. Nie, to niemożliwe. Kawa. Papier nasączono aromatem kawy.

5.
Licho nie śpi w byle czym

Pani nocna mówiła, że w męskim ubiorze najważniejsza jest bielizna. Gdy przywiezie cię karetka do szpitala, bo miałeś zawał, wypadek lub pecha pod postacią zazdrosnego męża swojej kochanki, i z noszy przełożą cię na stół operacyjny, nikt tak od razu nie będzie oglądał twoich ran, może się im przyjrzą później.

Nikt nie będzie podziwiał kroju twojego potarganego garnituru, raczej nie będzie już czego podziwiać, i nikt nie będzie patrzył na twoje buty, bo chociaż buty mówią o człowieku wiele i nawet niespecjalnie trzeba je w tym celu ciągnąć za języki, to tym razem będą nieme, nie licząc ich poturbowanego wyrazu.

Nikt nie będzie patrzył na to, czy masz obrączkę na palcu, czy krzyżyk na szyi, bo jedno i drugie jest równie pospolite, na nikim też nie zrobi wrażenia to, czy masz krawat albo koloratkę, bo to jest zewnętrzna warstwa stroju, pod którą starałeś się ukryć, może dlatego, aby udawać kogoś innego, a tak naprawdę jesteś taki jak pod wewnętrzną stroną swojej skóry i swoich spodni. Jedyne, co cię może zdradzić, to bielizna. Możesz się z tym nie zgadzać, możesz się na to obrażać, możesz pogorszyć swoje zdanie o ludziach, ale jak zsuną cię z noszy, to wszyscy spojrzą najpierw na twoje majtki. Lekarz pogotowia, pielęgniarka, anestezjolog. Dlaczego? Tego pani nocna tak do końca nie wiedziała, jedynie coś przeczuwała, ale przez wiele lat pracowała w szpitalach i testu majtek jest pewna.

Może to taki odruch, może ciekawość albo płciowy imperatyw, ten sam, który kusi mężczyzn, aby zaglądać pod spódnice. A może to też próba odczytania losu lub oceny uczynków; w brzydkiej bieliźnie nie idzie się na randkę, brzydka bielizna nie szuka miłości, co najwyżej wyszła z domu, żeby coś wypić, poszwendać się bez celu, a może nawet dać komuś w mordę. Bielizna brzydka wyszła z domu w brzydkim celu, bielizna byle jaka wybrała się pewnie w celu byle jakim – nie szła ani na maturę, gdyż byłaby czerwona, ani na korty, basen lub żeby zagrać w piłkę, wszak wtedy trzeba pokazać ją w szatni; w brzydkiej lub byle jakiej bieliźnie w ogóle nie powinno się wychodzić z domu, bo jak przytrafi ci się coś złego, to właśnie po niej brzydko lub byle jak cię ocenią. Złodziej, gdy idzie włamywać się do czyjegoś domu, nie myśli o tym, żeby wybrać najbardziej zawadiackie ze swoich majtek. Osiedlowy żul, wybierający się na piwo, nie będzie szukał seksownych bokserek, tak jak osiedlowy amant kalesonów. Męska przeciętność nie przyłoży wagi do marki, gatunku i jakości; jeżeli ktoś nic nie wie o fasonie życia, to niby dlaczego ma się zastanawiać nad fasonem majtek.

Pani nocna powtarzała, że po przedmiotach ich poznacie. Więc dlatego na ostrym dyżurze, zanim przyłożą ci maskę tlenową do twarzy, zanim sięgną kolejno po tampon, lancet i nici, spojrzą na twoje majtki. Może spojrzeliby w oczy, gdyby nie były zamknięte. Ale nie łudź się, z oczu i tak można tu zawsze wyczytać to samo. Ból, strach i potrzebę wiary, że jesteś ważniejszy niż twoje majtki. Ale tak nie jest, właśnie dlatego najpierw patrzą na nie. Tyle o majtkach pani nocna. Nigdy nie wiadomo, po czym ocenią cię ludzie. Dlatego zawsze przed wyjściem z domu zakładam najlepsze ze swoich majtek. Licho nie śpi w byle czym.

Dziś wybór pada na bokserki z czerwonego jedwabiu, wybieram się z wizytą do Magdaleny, może ta czerwień działa też pod spodniami i dziewczyna podświadomie się skusi. Tym bardziej, że mam przywieźć ten film nakręcony na podstawie książki Houellebecqa, bardzo – jak wynika z opisu – skandalizujący. I, co tu ukrywać, też mam ochotę trochę z nią poskandalizować.

Życie samotnego faceta miewa urok tylko dlatego, że jeszcze mogą mu się zdarzać zupełnie legalne randki.

*

Magdalena mieszka na Osiedlu Kosmonautów. Nie wiem, skąd taka nazwa, może budowano je perspektywicznie, bo na razie żaden kosmonauta tutaj nie mieszka. Wielkie blokowisko, łatwo się zgubić, mgławica, a klatki schodowe jak czarne dziury. Ciemno, głucho, nie wiadomo, czy jak człowiek wejdzie, to go coś na zawsze nie pochłonie, może siła astrofizyczna, a może po prostu zwykły menel da w mordę.

Mleczna droga z parteru na piętro, komuś mleko z zakupów kapało. Gwiazda polarna na suficie świeci, przebija zza obtłuczonego klosza. Fetor śmieci kosmicznych zmieszany z resztkami po obiedzie. Administracja lewituje; widać, że dawno nikt tutaj nie zszedł na ziemię.

Jadę windą do nieba, wśród mocnych turbulencji. Wychodzę na dziesiątym piętrze, wita mnie olbrzymi napis WKS PANNY. Zazwyczaj jest PANY, a tu inaczej, może mieszkają tu feministki.

Biorę głęboki oddech i naciskam dzwonek, Magda otwiera niemal od razu i widzę, że jest ruda, chociaż w sklepie miała włosy koloru kasztana. Bardziej podobał mi się tamten kolor, wyglądał na naturalny i skrzył niczym drobinami miedzianych drucików, nawet miałem ochotę jej to powiedzieć, ale nie wiem, czy to dobrze wyznać kobiecie, że ma fryzurę, która lśni jak uzwojenie silnika. Domyślam się, że z tym rudym to nadal o magię czerwonego chodzi, zwłaszcza że bluzeczka też jest czerwona, ładnie od jasnobłękitnych dżinsów się odcina. Rozglądam się po mieszkaniu – czyste, pachnące, pełne kwiatów, wazoników, książek. Potem uważnie rozglądam się po Magdalenie i też jestem z tych oględzin zadowolony. Zadbana i bardzo apetyczna, dostatkiem ciała smakowitym, jędrnym i przytulnym. Ma delikatny makijaż, błękitny cień na powiekach, ładnie komponujący się z jej niemal białą cerą. Z głębokiego dekoltu jasne piersi wschodzą jak dwa słońca, przy których się zaraz rozgrzeję.

Sadza mnie na kanapie z czerwonej skóry. Obok, na stoliku, stoją resztki jakichś przystawek oraz trzy szklanki, jedna ze śladami piwa, druga wina, tak jakby ktoś stąd przed chwilą wyszedł. W trzeciej jest wino, jeszcze nietknięte, zupełnie jakby już dla mnie przygotowane.

– Magdaleno, jesteś feministką? – pytam o ten napis na ścianie.

– Mąż, to znaczy mój były przyjaciel, jest kibicem, ale tak à propos, to opowiem ci, jaka straszna chryja dziś w pracy była i każą nam ochronę przy stoiskach z piwem postawić, i to taką całodobową – mówi na jednym oddechu, jakby chciała czym prędzej niefortunną kwestię męża lub byłego przyjaciela zagadać.

– Żartujesz? Przy piwie? – W ogóle nie mam ochoty rozmawiać na temat jej mężczyzn.

– Masz, napij się, proszę. – Podaje mi szklaneczkę z winem. – Zaczęło się od tego, że wiesz, Tyskie z piwem Piast strasznie rywalizuje – relacjonuje zadowolona z tematu. – I ci z Tyskiego wygrali jakąś prestiżową nagrodę za działanie prospołeczne, bo wymyślili taki patent, że jak już butelka robi się pusta, to się pojawia na niej taki błyszczący napis: „Nigdy nie jeżdżę po alkoholu". Duży, na pół etykiety. No to ci z Piasta wymyślili taką nieuczciwą konkurencję, że nadrukowali wlepek, ogłosili to w internecie i wszyscy z klubu kibica, który Piast sponsoruje, przyszli w tajemnicy po te wlepki i nakleili je na wszystkie butelki Tyskiego, we wszystkich supermarketach. I afera zrobiła się jak przy Rywinie, bo na tych wlepkach było napisane „Nigdy nie jeżdżę przed alkoholem". I wyobraź sobie, że przez cały tydzień nikt tego nie zauważył! Ludzie czytali, ale się specjalnie nie dziwili, bo treść była jakby ta sama. Kto tam zobaczy taką małą zmianę.

– Może pomyśleli, że na trzeźwo to i tak mało kto jeździ, bo kto trzeźwy wyjeżdżałby na wrocławskie ulice? – Próbuję być dowcipny.

– Słuchaj lepiej dalej. Odlepić tych wlepek się nie dało, bo klejem takim jak ten do cen były posmarowane, niczym nie zetrzesz. Więc do zwrotu całe piwo poszło, na co poznańscy kibice drużyn, które z kolei Tyskie sponsoruje, wydrukowali swoje wlepki i okleili, ile się dało butelek Piasta: „Wrocławianie, psy nie ludzie, piją piwo w byle budzie". No i teraz wojna między nimi na całego, nawet w „Wiadomościach" mówili, że trzy mecze zostały już odwołane!

Przyglądam się jej, jaka jest podekscytowana, jak macha rękami, zupełnie jakby mi już ten film opowiadała, który zaraz ze mną zobaczy. A wtedy, kto wie, chociaż to nasza pierwsza randka, może jednak pozwoli mi dotknąć swoich drgających emocjami piersi, a potem może zdejmę z niej bluzeczkę czerwoną, a ona włoży mi ręce pod koszulę. Przytulę się nieco mocniej, żeby dziewczynę położyć na sofie, i wtedy wsunę dłonie za pasek jej spodni, żeby dotknąć brzegu majteczek. To bardzo ekscytujący moment, coś jak pierwszy brzeg w czasie podróży, brzeg majteczek, nowy ląd, który za chwilę będzie można zdobyć. Oto ja, Krzysztof Kolumb nowego świata, nadpływam swoim flagowym okrętem, oto moja Santa Maria z podniesioną rufą, dumny żaglowiec, który w zatokę ud zawita. Albo lepiej będzie, jeśli ją mocno przytulę i wstanę nadal z rękami pod jej bluzką, wtedy ona będzie mu-

siała wstać ze mną, ale ja nie pójdę z rękami do dołu, tylko odwrotnie
– nieoczekiwanie ku górze, będę głaskał jej plecy, ramiona i obojczyki
i całował ją w ucho, a potem zanurzę palce we włosach, tuż nad jej
końskim ogonem, a ona to doskonale zrozumie, tę gorącą mowę dłoni
i intonację oddechu, więc zacznie sunąć dłońmi po moim ciele niżej,
aż to ona poczuje dotyk brzegu bokserek, pierwszy brzeg w czasie jej
podróży, a za nim nowy ląd, za chwilę przez nią odkryty. Rety, jak
dawno nie miałem dziewczyny! A Magdalena ma takie urocze dołeczki, zupełnie jak Marysia Jezus.

*

Wiem już, że lubi odpowiedni nastrój, więc podchodzę do wieży
z DVD, wszystko ustawiam, ale ręce już mi się trzęsą, pilot wypada
na podłogę, a z niego dwie baterie i turlają się pod łóżko. Magdalena schyla się po nie i wtedy widzę, że jest bez majtek, bo pod ściśle
przylegającymi spodniami nic się nie odciska z wyjątkiem wąskiej
zatoczki. Chwilowo oddaję więc inicjatywę, Magdalena sprawnie
wszystko ustawia i film się już zaczyna, a my siadamy obok siebie,
zupełnie jak w kinie, ale na szczęście popcornem nie czuć.
    – O, Franka Potente. Nie wiedziałam, że gra w erotykach – dziwi
się Magdalena. – Patrz, jak się zestarzała, a miesiąc temu oglądałam
ją w „Biegnij Lola, biegnij", taka tam młoda była.
    Oglądamy film, mija pięć minut, dziesięć, nudy okropne, mija już
chyba godzina, główny bohater onanizuje się nad wypracowaniem
swojej uczennicy, ale to cały seks w tym filmie, a i tu szczegółów przy
tym nie widać. Magdalena, wyraźnie znudzona, ziewa.
    – Ale ten film w ogóle nie jest erotyczny – zauważa w końcu.
    – W dodatku niemiecki albo austriacki. Raz tylko kupiłam nie-
mieckojęzycznego pornosa, ale jak taka rozłożona pani w erotycznej scenie poganiała swojego ogiera: „Schnell, Werter, schnell!", to
poczułam się, jakbym film o drugiej wojnie oglądała.

– Myślałem, że film ci się spodoba, dostał w Berlinie Srebrnego Niedźwiedzia.

– Należało mu się, rzeczywiście ciężkawy.

– I nawet na okładce napisali, że skandalizujący.

– Wiesz, jak u nas w markecie chleb wieczorem czerstwieje, to przybiega szef marketingu i mówi, żeby też napisać: „Skandalizująco niska cena".

*

Rozmawiamy o czerstwym chlebie i tym podobnych kwestiach nieromantycznych. Nie ma nastroju nawet na przyciemnienie światła, a co dopiero mówić o wkładaniu rąk pod bluzkę. Widzę, że Magdalena rzeczywiście jakichś mocniejszych bodźców potrzebuje, bo co się trochę przysunę na sofie, to ona się trochę odsuwa. Ale gdy w końcu mam ją już pod ścianą i myślę, że jest zapędzona w kozi róg, ona wstaje i siada z drugiej strony, a ja w kozim rogu zostaję jak baran.

– Wiesz, odebrałam taki telefon – opowiada, usadowiona bezpiecznie z drugiej strony. – Dzwoni facet i pyta, czy to numer agencyjny, czy prywatny. Odpowiadam, że prywatny, bo przecież dzwoni mi do domu. A on mówi, że bardzo mu się spodobałam, jestem dokładnie w jego typie i przypominam mu aktorkę z filmu o perle, zwłaszcza na tym zdjęciu przy oknie. Nie mam pojęcia, o jaki film mu chodzi, o jaką perłę i o jakie okno, ale ma tak miły i ciepły głos, że biorę to za dobrą monetę i domyślam się, że on mówi o zdjęciach, które wiszą na korytarzu w biurze marketu. Takie ze szkolenia dla agencji reklamowych, dziewczyny z marketingu owijały się tam na plaży papierem toaletowym, żeby łamać uprzedzenia komunikacyjne w grupie, to i mnie ktoś owinął i tak się znalazłam na zdjęciu. On mówi, że ma urodziny i chciałby do mnie przyjechać z butelką wina, bo właśnie ją otworzył, a jedzie na rowerze, więc mu się wylewa. Ale śmieszny podryw. Domyślam się, że to ktoś z firmy szkoleniowej albo z naszych gości, tak czy owak byle pętak ani przypadkowy przechodzień po tym korytarzu się nie kręci. Które to urodziny, pytam, a on mówi, że okrągłe i że jest zdołowany, bo został sam. Rower? Rozumiem, że land rover. Widziałam, że land roverami jeżdżą ludzie z tej firmy szkoleniowej. Gadamy tak kilka minut, głównie o samotności, rowerach i czasie, facet robi na mnie coraz lepsze wrażenie i gdy w końcu pyta o mój adres, myślę sobie: „Co będziesz, głupia cipo, cały sobotni wieczór sama siedziała, w końcu wolna chata ci się trafiła, raz kozie śmierć" i mu ten adres podaję. I wtedy, słuchaj, co się dzieje. Facet mówi, że będzie za pół godziny i że fajnie by było, gdybym nie miała na nogach tych szpilek, które mam na zdjęciu, bo on nie jest za wysoki. Rozłącza się, a ja czuję, jak mi się w żołądku robi gorąco z przerażenia. Przecież na plaży nie byłam w szpilkach! Rozumiesz, Piotrek? Wcale nie o zdjęcia z naszego korytarza mu chodziło! On do jakiejś dziwki dzwonił, którą pewnie wyczaił w internecie, i numery mu się popieprzyły! Co robić? Uciec, jasne, że uciec. Ale zamiast zamknąć mieszkanie i uciekać, gdzie pieprz rośnie albo przynajmniej do McDonalda naprzeciwko, to ja stoję jak wryta i myślę tylko o jednym: „Rety, zaraz przyjedzie ten facet i za pieniądze będzie chciał mnie posuwać. Obce ciało, niegadające o wspólnej przeszłości i niesnujące obietnic na przyszłość. Obcy facet będzie chciał dobierać się do mnie z oczekiwaniem, że obsłużę go jak ultrakatolicka żona w czasie postu – niech już się chłop spuści, jak musi, bylebym ja z tego nieprzyjemności nie miała". I nagle czuję, że właśnie tego chcę. Wiesz, jak spełnienia fantazji erotycznej. I nie zamierzam uciekać. A nawet jest jeszcze gorzej. Ta myśl tak mnie nakręca, że telepię się cała z podniecenia, po stokroć bardziej niż przed studniówką, gdy umówiłyśmy się z kumpelą, że stracimy tej nocy cnotę, choćby nie wiem co.

– Przepraszam, to bardzo ciekawe, ale muszę na chwilę do toalety – przerywam jej w pół zdania i idę krokiem nienaturalnym, sztywnym jak pal Azji, który mi zaraz majtki przebije.

„Co za dziewczyna", myślę w łazience, opuszczając pospiesznie spodnie. „Zbliżyć się do siebie nie pozwoliła, a teraz takie historie opowiada, że z podniecenia wytrzymać nie mogę. Może ona mi czegoś do tego wina dosypała? Ponoć niektóre tak robią, bawią się w kotka i myszkę, chcą, żeby je gonić, ale nie dają się złapać. Zupełnie jak autobusy do Mławy".

Stoję, spodnie opuszczone, nad nimi bokserki w kolorze, który miał pomóc. Wytrysk mam niby kontrolowany, ale nie do końca, trochę za muszlę leci, na kafelki, więc biorę papier toaletowy i wycieram. Ale jeszcze większe smugi zostają, ściana jest porowata, z czarnych płytek, drobiny papieru na biało mój występek znaczą, widać od razu, że coś tu zostało nabrojone. Biorę gąbkę i wycieram, ale wygląda to jeszcze gorzej, jakbym na ścianę nasikał. Fatalnie.

Wracam do pokoju, siadam koło dziewczyny, a o tej ścianie myślę.

Gdyby mężczyźni sikali na siedząco, świat wyglądałby zupełnie inaczej. Po pierwsze, w wielu domach nie zdarzałyby się kłótnie o nieopuszczoną klapę. Po drugie, konstrukcja muszli byłaby całkiem inna.

Niepotrzebna byłaby dolna klapa sedesu, muszle mogłyby mieć od razu jakieś wygodne siedziska. Rezygnacja z dolnej klapy spowodowałaby jednak redukcję zatrudnienia w fabrykach armatury sanitarnej, spadek zapotrzebowania na surowiec, a co za tym idzie – wzrost bezrobocia oraz obniżenie kursów wielu spółek giełdowych. Wynika z tego, że sikanie na stojąco przyczynia się do utrzymania gospodarczej równowagi na światowych rynkach. Więc nie ma powodu do wstydu, byleby tylko nie chlapać na ścianę.

– No więc słuchaj – kontynuuje wątek Magdalena. – Ten facet, no nie? Co mi może zrobić? Najwyżej powiem, że pomyłka. Jak będzie jakiś obrzydliwy albo jak spękam w ostatniej chwili, to powiem, że pomylił drzwi. Zastanawiam się, w co się przebrać, nurkuję w szafie bez zaczerpnięcia powietrza, odbijam się od dna, dopiero gdy słyszę dzwonek do drzwi, otwieram na bosaka, w staniku i w dżinsach, ubrana wpół drogi donikąd. Patrzę, za drzwiami stoi długowłosy chłopiec i przygląda mi się z niedowierzaniem. To znaczy, na ten przezroczysty stanik patrzy, w którym a priori prężą się ku niemu moje cycki. A ja się gapię na niego i czuję, że w mojej głowie ktoś gra w squasha. „To ja", mówi. „Pani mnie nie poznaje?", pyta nieskończenie zdziwiony. „Nie, nie kojarzę". – „Na pewno?" – „No, chyba na pewno". Więc przypomina mi. Jest z serwisu, instaluje w naszych kasach nowe oprogramowania. Mówi, że nie mógł oderwać oczu od tego zdjęcia, na którym jestem tym papierem owinięta. Ma butelkę odkorkowanego wina. Pyta, czy może wejść. I czy nikomu nie będzie przeszkadzał stojący na korytarzu rower. Bo on rzeczywiście mnie na tamtym zdjęciu widział, a nie w żadnym porno shopie. Ale wiesz, wtedy zrozumiałam, że człowiek sam nie nie ma pojęcia, co w nim siedzi. Patrz, byłam gotowa bzykać się z zupełnie obcym facetem. To znaczy, wydaje mi się, że byłam, bo przecież może bym w ostatniej chwili uciekła.

Przez moment mam wrażenie, że opowiedziała mi to wszystko po to, żebym wiedział, że nic nie jest zakazane, ale te nieszczęsne kafelki wciąż chodzą mi po głowie.

– Magdaleno, a z czego są te płytki w łazience?

Boję się, że wejdzie tam zaraz i zobaczy, pomyśli, że na ścianę nasikałem, i to przy pierwszej wizycie.

Jest zdumiona. W życiu nie widziałem nikogo tak zdziwionego. Aż ją zatkało. Usta otworzyła szeroko i patrzy na mnie. I oczy też ma szersze od tego zdumienia. Gdyby nie ta ściana wcześniej, może bym pomyślał nawet, czy nie skorzystać z okazji i tych ust nie pocałować, skoro tak otwarte jak w prowokacji.

– Co? O co ty pytasz? – Nie może uwierzyć.

– Te płytki. Czym czyścisz te płytki w łazience?

– To taki kamień, naturalny. Preparat jest do tego nabłyszczający, z olejem chyba.

– A gdzie go masz?

– W kuchni koło zlewozmywaka stoi. Dlaczego pytasz?

– A tak z ciekawości.

Idę do kuchni i wyciągam spod zlewozmywaka preparat, biorę leżącą obok szmatkę, wracam do łazienki i ponownie próbuję usunąć ślad występku. Tym razem idzie świetnie, idealnie wręcz, wszystkie kafelki do wysokości sedesu już wyczyściłem, gdy nagle w drzwiach staje Magdalena.

– Czy cię popierdoliło, chłopie? Przychodzisz do dziewczyny, przynosisz smętny film, a gdy ona próbuje zrobić jakąś sprzyjającą atmosferę do seksu i opowiada ci pikantne kawałki ze swojego życiorysu, ty się zamykasz w łazience i myjesz klop dookoła?

Klęczę złapany na gorącym uczynku, w jednej dłoni preparat, w drugiej szmata. A przecież miało być tak miło. Miały być piersi w tych dłoniach, a nie środki czystości.

– Bo próbowałem samą gąbką, ale się nie dało…

– Kurwa, Sanepid się znalazł! – ryczy Magdalena. – Wypierdalaj z naszego domu! Co za oszust! Akwizytor jebany!

Dlaczego mówi, że dom jest „nasz"? Z kim ona tu mieszka? Czerwony ze wstydu, obolały z żalu, wychodzę. Na schodach na chwilę przystaję. Oszust? Dlaczego oszust? Ale przecież nie będę wracał z tak dziwnym pytaniem.

*

Wsiadam do samochodu, jadę przez miasto, już puste, senne, jakby do łóżka położone. Nie chce mi się spać, jestem roztrzęsiony i rozczarowany. W domu czeka na mnie tylko pies, a ja chętnie bym się komuś wyżalił albo o czymkolwiek porozmawiał. Przejechałem przez centrum i już jadę drogą wylotową z miasta, ulicą Brücknera, jak na Warszawę, i tu powinienem skręcić w kierunku domu, ale widzę, że na przystanku autobusowym siedzą dwie dziewczyny. Młode, ładne, patrzą na przejeżdżające samochody, ale ich nie zatrzymują. Może wierzą w rozkład jazdy MPK, chociaż tyle się pisze o kryzysie wiary. Hamuję, wysiadam i pytam, czy je podwieźć. Odpowiadają, że nie, nie trzeba, nigdzie nie chcą już jechać, w ciągu dnia to co innego. Ale ja w to wątpię, bo jak ktoś nigdzie nie chce jechać, to nie stoi na przystanku autobusowym i nie patrzy w siną dal, nie wypatruje, co stamtąd nadjeżdża. Więc tłumaczą, że podobnie jak inne dziewczyny z bloków przychodzą tu w ciągu dnia i patrzą na przejeżdżające samochody. Mężczyźni pędzą w kierunku Warszawy, każdy spieszy się, trąbi, wyprzedza. To nawet ciekawe, tak się przyglądać i zastanawiać, kto kim jest i dokąd jedzie, zgadywać po samochodach, z kim chciałoby się pojechać. Po paru minutach jedna z dziewczyn zmienia zdanie i pyta, czy mogę ją podwieźć do Długołęki, to przecież blisko. No to jedziemy. Cieszę się, chociaż przez kwadrans nie będę sam.

Po drodze opowiada, że tak właśnie to wygląda, czasami któraś z dziewczyn daje się porwać pędowi świata, macha ręką i łapie stopa. Różnie wtedy bywa, często jest to stracony czas i nuda, facet śmierdzi i się prawie nie odzywa albo nie umie zagadać, nie zna żadnego bajeru, rzadko zdarza się cola na stacji CPN albo randka w kawiarni. Zazwyczaj dziewczyny wysiadają kilka miejscowości dalej, znów stopem wracają i jest z tego opowiadania przynajmniej na kilka godzin, o czym rozmawiali, jaki był, przystojny czy nie, co miał na sobie – markowe ciuchy czy takie z Tesco, czy puszczał modną muzykę, czy częstował papierosem i czy się próbował dobierać. Najfajniej jest, jak się tak trochę dobiera, łapie za kolano lub udo albo robi propozycję. Wiadomo, że i tak mu się odmawia, bo pewnie jest żonaty albo w inny sposób nieuczciwy, ale przynajmniej jest o czym mówić do końca dnia, a niekiedy jeszcze i przez sen.

– Chciałbym, żebyś dzisiejszej nocy o mnie szeptała przez sen – mówię, gdy po kilkunastu minutach wysiada z samochodu.

W dłoni zamykam ciepły dotyk jej uda.

6.
Gdzie się czają czary-mary

Obudziłem się, ale lenistwo wstało przede mną i zajęło łazienkę. Pies jeszcze śpi, więc słucham w radiu wiadomości – same afery, korupcja, molestowanie, prostytucja, terroryści.

Nie rozumiem, po co Immanuel Kant napisał „Krytykę czystego rozumu", skoro bardziej by się przydała „Krytyka brudnych rąk". Dzieło pionierskie o korupcji, zdrowym rozsądku i czystej polityce. Nie rozumiem, dlaczego lekkie obyczaje są potępiane, w przeciwieństwie do ciężkich. I dlaczego, w takim razie, nie jest potępiany przemysł lekki, który opiera się na takim samym wyzysku kobiet. Nie rozumiem, dlaczego dobre uczynki są nudne, podczas gdy złe są przyjemne i ciekawe. I dlaczego jak mężczyzna spotyka kobietę przy kasie w hipermarkecie, to najpierw patrzy na jej biust, a potem rzadko z biustem się żeni.

Za godzinę powinienem wyjść do pracy, gazetę przerabiać na supermarket. Pozornie w każdym markecie jest to samo, i w każdej gazecie, a jednak są takie, które bankrutują, i takie, które odnoszą sukcesy. Gdzieś czają się te czary-mary skuteczne, magia, sposoby i zaklęcia; muszę je znaleźć, odgadnąć i wypowiedzieć.

Pies już wstał i przeciąga się jak kot, widocznie stosuje mimikrę, bo ciągle podgląda koty przez okno. Mówię mu, że już idziemy na spacer, i jak zwykle kłamię, bo najpierw sprawdzam jeszcze pocztę w internecie. Pisze do mnie viagra oraz fundusz emerytalny. Ale jest też list o bardzo dziwnej treści.

Mam wrażenie, że nosi Cię gdzieś niepotrzebnie, mój miły, a przecież niebawem się zobaczymy, już się na to szykuję. Wiesz, z tym szy-

kowaniem się to chodzi mi także o takie z pozoru błahe rzeczy, na przykład peeling całego ciała, najlepiej o jakimś pobudzającym zapachu (ja najczęściej używam pomarańczy z cynamonem, tak jak lubisz), i kąpiel z olejkami, malowanie paznokci (zwykle wybieram banalną krwistą czerwień, ale wiosną zdarza się fuksja albo turkus). Z chęcią poszłabym też do fryzjera, ale to już takie luksusowe przygotowania, chyba tylko raz mi się zdarzyło iść przed randką, zazwyczaj farba do włosów i pędzelek muszą wystarczyć. Lubię też kupować ubrania z myślą o kimś albo na konkretną okazję; stojąc w przymierzalni i patrząc w lustro, wyobrażam sobie, jak on będzie na mnie patrzył, jaki lubi kolor, czy zdarzy się tak, że przypadkiem mnie dotknie, i czy to będzie otarcie się ramieniem, czy przepuszczenie mnie w drzwiach. Sama sprawdzam, czy materiał jest odpowiednio przyjemny w dotyku, zastanawiam się, czy wolałby, żebym odsłoniła dekolt czy nogi, czy może powinnam zapiąć się pod samą szyję? Czasem robię test, czy sukienka nie będzie krępować ruchów, gdybym tak chciała usiąść na nim i objąć go nogami (lubię się kochać na siedząco, na wygodnych fotelach albo na szerokich parapetach), a jeśli nie mam kasy, to wybieram jakiś drobiazg z biżuterii; coś nowego sprawia, że czuję się jeszcze bardziej wyjątkowo. Wiem, że lubisz sukienki z odsłoniętymi plecami, więc od dziś kupuję tylko takie, w przeróżnych wariacjach. Twoja Miriam.

Rzeczywiście lubię sukienki z odsłoniętymi plecami. I podoba mi się zapach pomarańczy z cynamonem.

Miriam, kim Ty jesteś? – wystukuję szybko na klawiaturze i naciskam enter.

Dzwoni telefon. Może Magdalena? Biegnę, podnoszę słuchawkę.

– Dzień dobry, Piotrek z tej strony.

– Kto? – Słyszę kobiecy głos.

– Piotrek. A pani?

– Pomyłka – mówi i odkłada słuchawkę.

Dziwne imię jak na kobietę – Pomyłka.

*

Jadę do pracy ulicą Brücknera, to jedna z dwóch głównych dróg wiodących z kierunku Warszawy do centrum. Lubię Wrocław za takich patronów ulic, za to całe kulturowe pomieszanie, dzięki któremu na przykład Brückner akurat w tym mieście mógłby się czuć jak u siebie w domu, w połowie drogi między polskim niegdyś Lwowem a Berlinem. Wykładał w obu tych miastach i pisał w dwóch językach, wydając, paradoksalnie, najpierw „Geschichte der polnischen Literatur", a dopiero później „Dzieje literatury polskiej".

Dla mnie granica polsko-niemiecka zawsze przebiegała przez Wrocław, siedziałem na niej okrakiem, a dopiero teraz mam wrażenie, że spadam i nawet nie wiem, na którą stronę. Po prawej stronie ulicy supermarket niemiecki, po lewej dealer niemieckich samochodów, a dalej już tylko Meble Polonia z chińskiej sklejki.

W centrum miasta mijam wielki neon „Słowo Polskie". To gazeta, którą kieruję od czterech lat, nie ma w kraju drugiej o tak bogatej tradycji. Gdy Brückner krążył między Lwowem a Berlinem, wychodzące wówczas we Lwowie „Słowo Polskie" drukowało w odcinkach początki powieści „Chłopi", dwadzieścia lat później uhonorowanej literacką Nagrodą Nobla. Obok Reymonta swoje teksty przywozili do publikacji w „Słowie" Kasprowicz, Makuszyński, Sienkiewicz, Tetmajer, Staff, Żuławski, Zapolska. (Co by nie powiedzieć o Zapolskiej, lista takich współpracowników i tak może być powodem do dumy). Po wojnie domy wypędzonych Niemców zajęli w dużej części wysiedleni lwowianie. Przywieźli ze sobą miękki, śpiewny akcent i szereg przyzwyczajeń, także intelektualnych, a jednym z nich była właśnie ta gazeta.

Wchodzę do budynku po szerokich granitowych schodach, skręcam w prawo, na piętrze mieści się nasza redakcja, wyżej „Wieczór Wrocławia", popularna popołudniówka, niegdyś sprzedająca w piątki ponad sto tysięcy egzemplarzy. Też wykupiona przez Norwegów, którzy postanowili sprzedawać w kioskach popołudniówkę z samego rana, co okazało się równie trafionym pomysłem, jak proponowanie kolacji przy śniadaniu. Nie mam pojęcia, dlaczego akurat Norwegowie wykupili kilkanaście tytułów prasowych w Polsce. Może dlatego, że nikt się ich nie bał, tak jak bano się Niemców, a może dlatego, że nikt oprócz nich nie wierzył, że niektóre z gazet dadzą się przehandlować w zamian za stare, ściągnięte z Europy, maszyny drukarskie.

Nie zdążyłem jeszcze wejść do gabinetu, a już podbiega prezes, łapie mnie za rękaw, ciągnie do siebie.

– Nie jedziemy już do Oslo! – krzyczy zaaferowany. – Norwegowie sprzedają nas Niemcom!

– Jak to sprzedają Niemcom? – Nie mogę uwierzyć. – Przecież walizkę kupiłem.

– Ano normalnie. Dogadali się. Ludzie nie chcą kupować „Wieczoru" rano, pomysł okazał się niewypałem, więc Norwegowie obie gazety sprzedają Niemcom.

– Niemcom?

– Tak, ale ponoć stoi za tym jakiś kapitał z Azji. Może nawet z samych Chin.

– Mówisz serio?

– Niestety. Sprzedają wszystkie gazety w jednym pakiecie, jak coca-colę z chipsami.

– Ale jaja. Magdalena miała rację.

– Magdalena?

– Taka dziewczyna z supermarketu.

– A co ona ma do tego?

– Nic. Mówi, że reguły stosowane w hipermarketach są uniwersalne. Tak jak wartości chrześcijańskie.

– Coś w tym chyba jest – potakuje prezes. – Między religią a hipermarketami widzę wyraźne podobieństwo. Mój syn chodzi do podstawówki. Jak uzbiera pięć podpisów katechetki za obecność na mszy świętej, dostaje w szkole bonus w postaci szóstki z religii.

– To się nazywa program lojalnościowy – mówię.

– Ciekawe, ile dobrych uczynków trzeba dziś zebrać za odpuszczenie grzechów? – kalkuluje prezes.

– Ostatnio, gdy byłem u spowiedzi, za używanie brzydkich słów, nadmierną skłonność do alkoholu, a także za korzystanie z prezerwatyw musiałem przez miesiąc odmawiać po dwie zdrowaśki przynajmniej raz dziennie.

– To i tak ulgowo cię potraktowali – ocenia prezes.

– Poszedłem tuż przed świętami i w kościele były zniżki dla grzeszników.

Drzwi się otwierają i wpada pani Wanda, sekretarka.

– Czy to prawda, że nas sprzedają?

– Na to wygląda.

– Komu?

– Niemcom – mówię ponuro.

– A potem oni Chińczykom – dopowiada prezes. – To się nazywa krążenie kapitału.

– O Boże, to ja już wolę Niemca! – Załamuje ręce sekretarka.

– Oto Wanda, co nie chciała Niemca – ironizuje prezes.

– Widocznie tamta nie znała Chińczyków – dodaję.

– Nie chcę Chińczyka! – protestuje pani Wanda. – Ja się zabiję!

Prezes podchodzi do okna, patrzy na przepływającą Odrę.

– Pani Wando, nie można dwa razy skakać do tej samej rzeki, jak powiadał Heraklit z Efezu.

– Tamta rzeka to była Wisła, panie prezesie – odpowiada zimnym tonem i trzaska drzwiami.

Chwilę milczymy.

– W tym biznesie musisz być cyniczny – mówi w końcu prezes. – To jedyny sposób, żeby nie zwariować. Chodź, zobaczymy, co tymczasem da się zrobić.

Na korytarzu podbiega do mnie pan Jerzy, nasz ponadosiemdziesięcioletni fraszkopisarz.

– Sprzedajecie gazetę Chińczykom?

– Na razie Niemcom – przyznaję z ponurą miną.

– Panie Jerzy, czy ja wyglądam na człowieka, który cokolwiek sprzedaje? – dodaje prezes, zaciągając lekko na koszerny sposób.

Fraszkopisarz zastanawia się przez kilka sekund i improwizuje:

Gdybym miał samolot lub skrzydła jak gąska,
odleciałbym szybko, hen, z Dolnego Śląska.
Niestety, kur... zapiał, nie mam możliwości,
żeby gdzieś odlecieć z tej rzeczywistości.
Siedzę więc na tyłku, piszę dyrdymałki,
wystarcza mi za to na sól i zapałki.

Boże, jak ja bym chciał mieć tak bystry umysł w jego wieku.

*

W pokoju zebrań otwieram okno na oścież, robię minę, która zapowiada defenestrację, i pytam, kto zdradził nasz pomysł o nasączaniu papieru gazetowego aromatem kawy.

Wszyscy milczą, oczy pospuszczane, wzrok utkwiony w blacie. Może ktoś nieopatrznie coś komuś powiedział? Może bez złych intencji, jedynie z nadmiernego gadulstwa? Ale nie, nikt się nie przyznaje, a i ja rozmawiałem na ten temat tylko z Magdaleną. Trochę zaniepokoiło mnie teraz wspomnienie tamtej rozmowy, Magdalena akurat wtedy jechała do Warszawy, już jako pomoc szefa marketingu, niemal asystentka. Wiem, że spędzili dwa dni w biurze ogłoszeń „Rzeczpospolitej", i kto wie, jakie promocje tam były, jakie wyprzedaże, przyjęcia i poczęstunki, jakie uzgodnienia i jakie rozmowy. Kto wie, może to Magdalena nasz pomysł w pakiecie ze sobą sprzedała podczas jakiejś barterowej nocy? A może po prostu reguły sklepów wielkopowierzchniowych są uniwersalne i istnieją obiektywnie, bez naszej woli i poza nami, dlatego korzystają z nich wszyscy, w tym Kościół katolicki i prestiżowe gazety.

– Nie do końca jeszcze wiemy, jak z gazety zrobić hipermarket – zaczynam zebranie.

– Zwłaszcza z takiej, która do tej pory opierała się na delikatesach – wtrąca Marzenka. – Tych z tradycji Staffa, Makuszyńskiego, Tetmajera, Reymonta, Sienkiewicza, Zapolskiej.

– Już dobrze, dobrze – przerywa prezes.

– Albo Kasprowicza – nie daje sobie odebrać głosu Marzenka i recytuje: – „Salome kłęby włosów rozwiawszy miedziane, niby wieków pożaru krwawiące się łuny, w złocistej harfy uderzyła struny i śpiewa…".

„Wieszcz i profeta", myślę, „zupełnie jakby Magdalenę zobaczył".

Na razie mamy pomysły najprostsze. Na pierwszą stronę damy prognozę pogody. Na ostatnią wyniki losowania totolotka i horoskop. Bo ma być tak jak w każdym supermarkecie, gdzie mleko stoi z jednej strony sklepu, a chleb z drugiej, żeby ludzie codziennie przez cały sklep przelecieli, może po drodze coś kupią.

– Dla czytelnika ważne jest tzw. wyczytanie, odpowiednik udanych zakupów – tłumaczę. – Ludzie muszą mieć poczucie, że znaleźli w gazecie wystarczająco dużo interesujących ich informacji, więc trzeba poukładać je tak, żeby przynajmniej zahaczyli je wzrokiem.

– Kiedyś w piekarniach były takie karteczki: „Chleb dotknięty uważa się za sprzedany" – wtrąca szef działu politycznego.

– O właśnie! – cieszę się, że zespół zaczyna rozumieć. – Z gazetą jest podobnie. Informację dotkniętą wzrokiem uważa się za sprzedaną. Wystarczy, że nasz klient, zwany czytelnikiem, zwróci uwagę na tytuł, przeczyta pierwszy akapit, zobaczy zdjęcie. Nie musi się wczytywać dokładnie; jego podświadomość i tak odnotuje, że coś znalazł, poznał, dowiedział się, kupił. Im więcej znajdzie dla siebie, tym częściej z zadowoleniem wróci.

Padają pierwsze propozycje. Felietony profesora Miodka, wrocławskiego językoznawcy, który od lat do nas pisze, przesuwamy ze strony drugiej na piątą od końca, tam, gdzie w Auchan są już mrożonki i kupuje je tylko ten, kto po nie specjalnie przychodzi. Codzienne komentarze lokalnych polityków przestawiamy ze strony piątej od końca na trzecią. Blisko wejścia, jak w Carrefourze, bo politycy są jak to całe AGD, telewizory LCD i inne notebooki za wielkie pieniądze – robią w supermarketach dobre wrażenie, ale rozsądny człowiek tu ich nie kupuje. Listy od czytelników, głównie z prośbami o pomoc, przesuwamy ze strony trzeciej na przedostatnią, blisko wyjścia, w E. Leclercu przyjmuje się tam reklamacje. Natomiast reklamę biura ogłoszeń wyciągamy ze środka i umieszczamy na pierwszej stronie, przy samym wejściu, bo tam w Realu znajduje się biuro obsługi klienta. Za to cotygodniowy fotoreportaż z wrocławskiego zoo zostawiamy, wzorem stoisk mięsnych w Tesco, mniej więcej w połowie drogi, pośrodku gazety, widocznie przynajmniej w tym przypadku mieliśmy wcześniej jakąś intuicję.

Prezes zapewnia, że pomysł hipermarketyzacji gazety na pewno spodoba się Niemcom, bo oni zrobili to już dawno. Żadne tam powieści Reymontowskie, żadne poezje Staffa, misje społeczne Zapolskiej i patriotyzm Sienkiewicza. Kto widział patriotyzm na półkach wśród artykułów pierwszej potrzeby? Albo na chemii lub kosmetykach? A może w dziale AGD, pośród telewizorów SONY 32 cale w rewelacyjnej przecenie z 3011 na 2999 złotych?

– O, to jest dla nas wzór do naśladowania – mówi prezes, kładąc na stole niemiecki „Bild", najlepiej sprzedającą się bulwarową gazetę w Europie. W środku intelektualna chińszczyzna, a na pierwszej stronie czerwony kwadrat.

– Ale oni o samych głupotach tam piszą! – oponuje Marzenka. – Skandale polityczne i kryminałki!

– W zasadzie to w naszym rządzie też same skandale polityczne i kryminałki – próbuję racjonalizować. – To chyba można jakoś pogodzić z opiniotwórczą rolą gazety...

– O nie! – unosi się nagle prezes. – Trzeba nam konsekwencji!

Dość tych delikatesowych tekstów w gazecie! Hipermarket ma być! Tesco, Real, Auchan, a nawet Biedronka!

I koniec dyskusji. Zamykamy delikatesy.

*

– Głowa do góry, stary. – Prezes po kolegium obejmuje mnie ramieniem. – Damy radę.

Mam ponad czterdzieści lat i kredyt do spłacenia, a ostatnio doszedłem do wniosku, że w ogóle nie korzystam z życia. Nic, tylko praca i praca. Chcę nadrobić zaległości i poczuć dotyk młodych kobiet. Nie mogę zostać bez pracy.

Patrzy na mnie, tak jakby chciał coś powiedzieć, ale jeszcze się waha.

– Mówiłem ci, że znikasz z internetu?

– Sprawdziłem stronę internetową redakcji, wszystko już w porządku. Po prostu zdjęcie było za ciężkie i nie chciało się otwierać.

– Ale ja nie o tym.

– Nie o tym?

– Piotrek, kiedy ostatnio wpisywałeś swoje nazwisko do wyszukiwarki internetowej?

– Nie wiem, po co miałbym wpisywać?

– Bo ludzie wpisują. Zwykli ludzie wpisują, nasi szefowie wpisują. Wpisz swoje nazwisko do wyszukiwarki, a dowiesz się, kim jesteś. Pokaż mi liczbę linków o sobie, a powiem ci, ile jesteś wart.

– Pełno powinienem mieć linków. Do moich reportaży chociażby.

– To spróbuj je znaleźć. Nie chcę cię martwić, ale to nie może być tak, że naczelnego największej gazety na Dolnym Śląsku nie ma w internecie.

– Ale ja jestem! Dziesiątki razy!

– Tak? To zajrzyj. W internecie wygląda to tak, jakby cię nie było. Jakby ktoś wziął gumkę i wymazał cię z całej sieci.

Patrzę przez okno. Na zewnątrz pociemniało. Ciężkie krople rozbijają się o rozgrzaną jezdnię. Chłopiec chowający się pod parasolem odtwarza z płyt chodnikowych deszczową piosenkę. Miasto pachnie mokrym kurzem. Czerwony autobus łapie uciekających przed deszczem i odpływa jak arka Noego miejskiej komunikacji. Chmury ocierają się o siebie, niebo trzeszczy, jakby się miało zawalić. Grzmoty, świsty, huki, świat wydaje się nietrwały.

7.
To nie ja grałem papieża

Deszcz idzie do nieba, parując znad rozgrzanych asfaltów i ciepłych kałuż. Wniebowstąpienie pary wodnej, cud powszedni, do którego każdy już się przyzwyczaił. Między zadymionym niebem a brudnymi ulicami miasta musi gdzieś być czyściec, tam deszcz po drodze się myje.

Przemoczoną kurtkę zrzucam w przedpokoju i wchodzę do kuchni. Wczoraj przywieźli piekarnik Boscha, oglądam go z niedowierzaniem. Nie mam pojęcia, po co mi taki kosztowny wynalazek, do tej pory pizzę odgrzewałem w mikrofalówce i dobrze nam z psem było.

Przeciętny człowiek pracuje po to, żeby otaczać się przedmiotami, a tak mało potem poświęca im uwagi. Pani nocna powtarzała, że po przedmiotach ich poznacie, a nie po słowach, słowa bywają złudne, dla niepoznaki lub dla zmylenia, albo dla świętego spokoju, a przedmioty są do zaspokojenia potrzeb, powszednich lub wyuzdanych, mówią o nas na pewno nie wszystko, ale z pewnością wiele. Mówiła też, że jest za biedna na to, aby kupować rzeczy byle jakie, pieniądze należy wydawać raz a dobrze; kiedyś za dwie pensje kupiła lodówkę, która miała pracować bezawaryjnie przez dwie dekady. I tak było, a nawet lepiej, niestety... Pani nocna wręczyła mi ją w prezencie, gdy wyprowadzałem się z internatu, lodówka miała już wtedy 25 lat i była wciąż na chodzie. I przez kolejnych 5 lat nie mogłem się rupiecia pozbyć, bo nie dawał pretekstu, aż w końcu moja dziewczyna, prześliczna Marysia Jezus, zamordowała ją w afekcie rozmrażania, niby niechcący przebijając nożem rurkę z freonem.

Piekarnik nie byłby wart wzmianki, gdyby nie różnice kulturowe, które wyczytuję teraz z ciekawością z instrukcji obsługi. Otóż producent wyposażył go w specjalny „program szabatowy, dzięki któremu urządzenie utrzymuje wewnątrz temperaturę 85 stopni do 72 godzin bez przerwy". Po to, oczywiście, żeby tuż przed szabatem ortodoksyjni Żydzi mogli sobie upiec, co im tam trzeba, a potem przez 3 dni spożywać z godnością religijną, nie robiąc nic ponadto. W szabat praca jest zakazana, w tym sprzątanie, gotowanie, a nawet pełne herezji zdejmowanie pokrywek, o czym wyraźnie mówi następująca zasada: „Nie ruszaj niczego podczas szabatu, nie przenoś, nie odkrywaj garnka. Jeśli byłeś na tyle nieostrożny, żeby zdjąć pokrywkę, nie możesz jej z powrotem odłożyć na garnek".

Teraz mógłbym na weekend zaprosić sobie nawet dziewczynę z Izraela, zwłaszcza że rabini zalecają im właśnie w soboty czerpanie samych przyjemności; pokrywkami ruszać nie wolno, ale lędźwiami jak najbardziej, a ja jakoś wygłodniały jestem, nie tylko w sferze funkcjonowania piekarnika.

Historia z Magdaleną rozbudziła mój apetyt, dziś jednak przyjdzie zaspokoić wyłącznie ten kulinarny. A zatem do piekarnika wkładam pizzę. Mam dziesięć minut, więc idę do pokoju i włączam komputer – chcę zobaczyć, na czym polega wymazywanie mnie z sieci gumką. Ale najpierw sprawdzam pocztę, a tam znów list od Miriam.

Kochany! Nigdy tak do Ciebie nie mówiłam. Może to słowo czekało na moment, w którym moja ręka wypisze je i zdam sobie sprawę z tego, że do tej pory nie pojawiło się między nami. Nawet wtedy, kiedy oboje zgrzani, pulsujący, odrywaliśmy się od siebie i opadaliśmy na łóżko albo podłogę. *Nawet wtedy. Nie nazywaliśmy siebie tym całym zodiakiem znaków, które są przypisane kochankom. Nie byliśmy dla siebie rybkami, pieskami ani niedźwiadkami. Ja to ja, a Ty to Ty. Czemu piszę? Czemu teraz? Bo życie poleciało swoją drogą, a ja zostałam z tyłu. Wcale o tym nie wiedząc. Nie mówię o wydarzeniach zaistniałych u mnie. Mam na myśli nas. Tamtych nas. Tamtych nas siedzących jeszcze plecami do słońca. Piszę teraz. Bo nadal jestem tam. Nadal patrzę na Twoje ramiona i udaję, nieco nadrabiając miną, że nie jesteśmy od siebie tak oddaleni. Widzisz, Kochany, życie naprawdę poleciało własną drogą. Nie mogę za nim nadążyć. Może nawet już nie chcę. Jestem dalej z Tobą. Płaczę z bezsilności, jak wtedy, gdy przestałeś się ze mną spotykać. Jako inna ja krzyczę i wiję się pod Tobą, w oczach mając czerwone plamy złości. Kolejna ja biegnę na spotkanie z Tobą, klnąc w duchu, że w dwudziestostopniowy mróz nie założyłam bielizny. Następna ja zastygam nieruchomo z oczami pełnymi zdziwienia i urwanym zdaniem, jak wtedy, kiedy nagle pocałowałeś mnie po raz pierwszy. Nie w usta. Nie w dłoń. W szyję. Około czterech centymetrów poniżej prawego ucha. Nadal tak siedzę zaskoczona. Miriam.*

Zdumiewające. Jestem pewien, że to nie jest e-mail marketing, ale nie znam dziewczyny o imieniu Miriam. A szkoda, bo to piękna wiadomość – jak dobrze ją dostać. Ale na taki list na pewno trzeba sobie zasłużyć. Trzeba za dziewczyną chodzić, kupować kwiaty, wysyłać gorące spojrzenia i miłe uśmiechy, być zawsze w pobliżu, gdy potrzebuje, z parasolem, torbą na zakupy lub chociażby z pompką do roweru, stać pod oknem i patrzeć, czy już poszła spać, a wtedy gonić wszystkie bezpańskie psy i koty, żeby jej nie przeszkadzały, i czuwać do świtu, przebierając wśród nadchodzących dni i przepuszczając najsłoneczniejsze.

Ktoś to wszystko robił i zakochana Miriam pisze teraz do niego swoje piękne listy. Chcę dziewczynie odpisać, że zrobiła jakiś błąd przy wpisywaniu adresu, ale w ostatniej chwili zmieniam zamiar. Zobaczymy, co z tego wszystkiego wyniknie.

Potem wpisuję do wyszukiwarki swoje imię i nazwisko, żeby wreszcie zobaczyć, co z tym wymazywaniem mnie gumką. Ekran błyskawicznie zapełnia się drabiną linków, ale żadnej gumki nie widzę.

Siebie też tu nie widzę.

Ostatnio szukałem tekstu, który opublikowałem w „Newsweeku", i znalazłem od razu, był na pierwszej stronie wyników wskazanych przez wyszukiwarkę, a tuż za nim wywiad, który przeprowadziłem z Dalajlamą. „Jestem mnichem, lecz także człowiekiem", powiedział wtedy. „Niekiedy śnią mi się spotkania z kobietami. Ale od razu, w tym samym śnie, uświadamiam sobie, że jestem mnichem. Natomiast kobiety ze snu tego nie wiedzą. To zawsze mnie dziwi, bo to by znaczyło, że nie mieszkają w mojej głowie, lecz przychodzą do snów z zewnątrz".

Kilka zdań, a tajemnic na cały wszechświat.

Kiedy to było? Kilka miesięcy temu. Linki prowadziły przede wszystkim do mnie i do aktora o takim samym imieniu i nazwisku, a poza nami do: piłkarza, właściciela firmy budowlanej, nauczyciela gry na pianinie, sprzedawcy drewna kominkowego. I wszyscy mieściliśmy się na pierwszej stronie wyników wyszukiwarki. Na drugiej było kilku następnych Piotrów Adamczyków. Jakiś fizyk jądrowy, nauczyciel salsy, a na samym dole instalator kolektorów słonecznych. To był dobry dla mnie poziom identyfikacji.

Przypominam sobie słowa prezesa: człowiek istnieje na tyle, na ile można go znaleźć w wyszukiwarce. „Cholera, może to racja?", zastanawiam się, przeglądając kolejne linki. Człowiek jest coraz częściej wirtualny niż realny, lepiej sprzedają się jego wizerunki niż on sam. Na przykład taki piłkarz Piotr Adamczyk lub aktor Piotr Adamczyk: mecz i film trwają po półtorej godziny, a potem cisza. Ciszą źle się handluje, nie można powiesić na niej żadnej reklamy ani wymienić w barterze. Musi się zacząć życie po życiu, karmione nową kreacją, plotką; życie telewizyjne oraz gazetowe, wirtualne i blogowe – dziś politycy nie występują już na wiecach, tylko piszą w internecie blogi, cytowane później w głównych wydaniach wiadomości. Na blogach liczniki rejestrują liczbę odwiedzających, specjalne portale codziennie aktualizują liczbę cytowań – w poniedziałek premiera cytowano w mediach 120 razy, wzrost o 20% w porównaniu do poniedziałku z ubiegłego tygodnia, prezydenta tylko 50, o 10 mniej niż tydzień temu; popularność głowy państwa spada, powoli wycofują się polityczni sponsorzy, trzeba szybko nadrobić stratę, więc prezydent jedzie do Niemiec i wypowiada kilka obraźliwych kwestii pod adresem kanclerza, od razu ma z tego 150 cytowań dziennie w samej telewizji plus dwa razy tyle w pozostałych mediach. Antyniemieckie młodzieżówki w Polsce urządzają owacyjne pikiety, wszystkie transmitowane w najlepszym czasie antenowym, politycy odnotowują to na swoich blogach, popularność prezydenta radykalnie rośnie, sondaże idą w górę – połów zakończył się sukcesem, wirtualna sieć jest pełna.

Człowiek istnieje na tyle, na ile można go znaleźć w wyszukiwarce; jeśli nie wie o tobie wyszukiwarka, nie wie nikt. W sieci nie do mnie prowadzą linki: „Piotr Adamczyk w roli papieża", „Nowa kreacja Piotra Adamczyka", „Piotr Adamczyk – najlepszy polski aktor", „Adamczyk uwodzicielski jak James Bond", „Piotr Adamczyk zagrał Chopina", „Adamczyk i jego o siedemnaście lat młodsza narzeczona", „Czy aktor, którego pokochaliśmy za rolę Jana Pawła II, ożeni się z Miss Nastolatek?". I tak przez kilkadziesiąt stron internetowych. Gdzieś w połowie jest informacja, że w wieku trzydziestu sześciu lat złapał ospę wietrzną. Ja złapałem wcześniej, ale kogo to obchodzi?

Prezes miał rację – zaczynam znikać, nie ma mnie w tym kosmosie. Ktokolwiek będzie chciał się czegoś o mnie dowiedzieć, nie znajdzie nic. Może pierwszą wzmiankę na setnej stronie. Wstaję zza biurka, podchodzę do lustra. W lustrze jeszcze jestem. Ale jakiś taki inny niż do tej pory. Bledszy, zupełnie jakbym rzeczywiście znikał.

Dziwnie się czuję jako osoba internetowo anonimowa. Ogarnia mnie niepokój i smutek. Tak pewnie zaczyna się depresja. Być może będę jednym z wielu pacjentów cierpiących na depresję z powodu znikania z internetu. Nawet jak się ożenię z dziewczyną o dwadzieścia lat młodszą, nikogo to nie zainteresuje. Musiałbym wystąpić w „Tańcu z gwiazdami" albo odbić narzeczoną filmowego papieża. Oj, tak, wtedy wszyscy by o tym napisali! „Piotr Adamczyk, redaktor wrocławskiego dziennika, ma romans z narzeczoną gwiazdy polskiego filmu – Piotra Adamczyka". Albo: „Adamczyk kontra Adamczyk – którego wybierze piękna miss?".

Ale żeby wygrać z gwiazdą, najpierw musiałbym wygrać ten „Taniec z gwiazdami". Nie miałem pojęcia, że życie wśród gwiazd jest tak przyziemne.

*

Może powinienem zmienić zawód i codzienne zainteresowania zastąpić niecodziennymi. Mógłbym zostać na przykład odkrywcą. W ciągu dnia będę odkrywać różne tajemnice oraz prawidłowości rządzące światem, a jak będę miał dobry dzień, to nawet wszechświatem. Wieczorem odkryję nowe smaki win, bezkarnie uderzających do głowy. W nocy będę odkrywać piękne i mądre kobiety. Odkryję drogę powrotną do mojej Marysi Jezus. A nad ranem będę odkrywać kołdrę, aby się przekonać, że to był tylko sen. Chociaż odkrycie kołdry chyba już nastąpiło, pewnie jakiś arystokrata po raz pierwszy odkrył nad ranem swoją kołdrę samodzielnie, gdyż pokojówka nie przyszła do pracy.

Takie głupoty tłuką mi się po głowie, gdy wyciągam pizzę z piekarnika, odłamuję kawałek i wychodzę z domu. Muszę się przejść, zebrać myśli, może gdzieś tam leżą.

*

Jutro do Polski ma przyjechać papież, ale ten prawdziwy; to znaczy niby prawdziwy, bo już przecież nie nasz, lecz ten niemiecki, od którego to już nawet Piotr Adamczyk był lepszy. Niebo w podłym nastroju, nadęte i zachmurzone, mimo zbliżającej się wizyty, która przecież powinna cieszyć, a jego dziwnie nie cieszy. W końcu w chmurach przebiera się miara i deszcz ponownie wylewa się na ziemię. Ciemne ptaki uciekają pospiesznie, boją się wody jak ognia.

Nici ze spaceru, spruła się przechadzka. Wsiadam do samochodu i jadę, wszystko jedno gdzie, byle dalej. Jazda samochodem mnie odpręża, muszę gdzieś pojechać, chociaż na kilka godzin uciec. Widzę, że wzdłuż Brücknera ostatnie autobusy podjeżdżają pod Real, kasjerki wracają do domów. Magdalena mówiła, że to głównie podmiejskie dziewczyny, można im płacić najniższą stawkę. Rozglądam się za nią, ale pewnie dawno już w domu siedzi, może jakieś porno ogląda; ciekawe, czy sama.

Przyglądam się wychodzącym dziewczynom. Mają na sobie króciutkie spódniczki lub bardzo obcisłe dżinsy. Różowe bluzeczki, małe torebki z różowego plastiku. Kuse kurteczki z błyszczącymi klamerkami pasków. Stukają wysokimi obcasami. Ich białe buty z lichej skóry są poprzecierane. Tanie perfumy, tipsy w serduszka, błyszczyk o zapachu landrynek. Wszystko z promocji, upolowane wśród półek w hipermarkecie. Te serduszka i zapachy nastawione są na niego; tego, który przyjdzie, weźmie do kina, potem na tańce, a tam zetrze błyszczyk pocałunkiem. Pójdą do łóżka, jemu będzie jak w raju, kupi pierścionek. Potem ciąża i wesele, telewizor na raty, w końcu może nawet miłość lub przynajmniej samochód.

Podmiejskie dziewczyny wiedzą, że czas nie stoi po ich stronie. Bo chłopakom do niczego się nie śpieszy, z wyjątkiem wiadomo czego, a inne dziewczyny już smarują dla nich usta słodkim błyszczykiem. Skoro każdemu chłopakowi jedno w głowie, na to jedno trzeba go złapać, zanim będzie za późno, zanim złapie go inna, zanim wszyscy zostaną wyłapani albo, co gorsze, wyjadą do miasta. Więc podmiejskie dziewczyny zastawiają na chłopaków swoje szczupłe uda, a ci raczą się ich gościnnością, po czym idą dalej, bo tam do spróbowania czeka kolejna gościnność, może lepsza, może słodsza, na pewno podniecająco tajemnicza, przynajmniej do czasu, w którym się okaże, że i w tych majtkach żadnej tajemnicy nie ma.

Co rusz którejś dziewczynie się udaje, bywa, że nawet trafi się uczucie. To budzi nadzieję w pozostałych, lecz także panikę, bo przecież czasu jest coraz mniej. Matki niestrudzenie odliczają go liczbami pobliskich wesel i przyrostem naturalnym za sąsiedzką ścianą. Czas biegnie odmierzany też wskazówkami ojców – niespokojnych, że im córki w domach pozostaną. To straszna perspektywa, z powodu której piją wieczorami, by – umęczeni alkoholem oraz wizją staropanieńskiego wstydu córek – paść na łóżko i czekać, aż obudzi ich budzik, koszmar senny albo żona, co już teraz dla nich na jedno wychodzi.

*

Po dwóch godzinach jazdy, gdy jestem już niemal pod Łodzią, w samochodzie zacina mi się wycieraczka. Zjeżdżam do serwisu, gdzie mówią, że od ręki naprawią, ale naprawa się przeciąga, pytam więc, czy ręka jest lewa. Ale nie, odpowiadają, że dzieje się tu coś ważniejszego, mianowicie do serwisu przyjechała pani poseł Małgorzata Bartyzel, przygnębiona zrządzeniem losu, który zastosował prawo jedności akcji, miejsca i czasu, wyrzucając z okna na czwartym piętrze mężczyznę w wieku trzydziestu jeden lat wprost na jej nowiutkiego chevroleta.

„Co za pech, że spadł na pani samochód", martwią się wszyscy w serwisie. Przecież mógł sobie spaść pół metra dalej, na twardy bruk, a nie na miękki dach ślicznego autka w kolorze czerwonym, które jest przez to jeszcze bardziej czerwone i nie jest to kolor fabryczny. W ostateczności mógł spaść na kogoś innego; kogoś, kto by się tak nie przejął, a nie na własność osoby tak zacnej, odznaczonej Krzyżem Kawalerskim Orderu Odrodzenia Polski.

Pogruchotane kości samobójcy nikogo tu nie interesują, w przeciwieństwie do pogruchotanego dachu, który jest obiektem zainteresowania wszystkich, na czele z prasą, radiem i telewizją, skupioną jedynie na wypowiedzi motoryzacyjnego rzeczoznawcy.

Nazajutrz sprawdzam, o czym pisze konkurencja. Dobrze wiedzieć, dzięki jakim informacjom gazety najlepiej się sprzedają. W Łodzi liderem rynku jest „Express Ilustrowany", przeglądam pobieżnie, trzy lub cztery roznegliżowane panienki, a na pierwszej stronie tekst z olbrzymim tytułem „Koszmar posłanki", pełen współczucia dla zniszczonego mienia oraz jego właścicielki, która przeżywa właśnie tytułowy koszmar, gdyż uszkodzeniu uległ nie tylko widziany wczoraj przeze mnie dach jej auta, lecz także błotnik i dwa migacze. Samobójca żadnego koszmaru nie przeżywa, jest nieprzytomny i nie wiadomo, czy jeszcze cokolwiek przeżyje, zwłaszcza swój upadek.

Koszmar posłanki natomiast się pogłębia, jako że urazy odniesione przez samochód wskutek upadków samobójczych nie podlegają naprawom gwarancyjnym, o czym ze smutkiem donosi gazeta. Oczywiście nie ma tu mowy o prawie i sprawiedliwości, bo samobójczy lot był cywilny, w dodatku całkiem nielegalny, nie było go w wykazie lotów.

Patrzę, o czym tak ważnym dla czytelników piszą inni. Lider rynku krajowego, „Super Express", pisze o drzwiach obrotowych, które uwięziły klientkę banku. Była przerażona przez całe dwie minuty i teraz domaga się czterdziestu tysięcy złotych odszkodowania, dwudziestu tysięcy za każdą minutę. Kolejna prasowa potęga, „Fakt", donosi zaś, że podczas inwazji kosmici w pierwszej kolejności zjedzą grubasów.

„No, no", zastanawiam się, „wygląda na to, że inni też postanowili zrobić z gazet hipermarkety". Natomiast zupełnie nieoczekiwaną

PIOTR ADAMCZYK

dla mnie wiadomość przynosi „Rzeczpospolita", dziennik niemal rządowy, bo jego udziałowcem jest Skarb Państwa: „Miss Nastolatek odeszła od znanego aktora. Powód? Piotr Adamczyk nie pozwolił jej wziąć udziału w wyborach Miss Mokrego Podkoszulka".

Dziewczyna rzuciła Piotra Adamczyka. Skoro dla rządu jest to informacja strategiczna, to tym bardziej dla mnie.

8.
Miła brunetka, lat trzydzieści, biust dwójeczka

Kupiłem dwa bilety do kina, ale to nie miał być wieczór kulturalny, tylko noc pełna wina, rozmów i może nawet przytulania. Nareszcie, nareszcie, po niezasłużenie długim okresie wstrzemięźliwości, udało mi się ponownie umówić z Magdaleną. Im dłużej jej nie widziałem, tym bardziej wydawało mi się, że jest podobna do Marysi Jezus, i tym bardziej chciałem ponownie ją spotkać. Być może ta przeciągająca się nieobecność była jedynym podobieństwem, ale nad tym się nie zastanawiałem.

Po kilku moich telefonach w końcu uwierzyła, że incydent z łazienką był nieporozumieniem; nie jestem akwizytorem środków czystości, tylko zabrudziłem wtedy ścianę i chciałem umyć. Nawet się zaniepokoiła, czy nie zaszkodziły mi przystawki, które wówczas przygotowała, a ja nie wyprowadzałem jej z błędu; z dwojga złego bardziej naturalna podczas wizyty jest niestrawność niż onanizm.

Umówiliśmy się na niedzielę, ale nie na tyle dokładnie, żeby skończyło się miło. Nie odbierała telefonów, w końcu zadzwoniłem do jej biura, ale i tam nie odzywała się nawet automatyczna sekretarka, jakby na weekend wyjechała z faksem.

W smętnym nastroju poszedłem do kina sam.

Przede mną usiadła dziewczyna. Miała spięte do góry włosy. Przez dwie godziny próbowałem obserwować ekran, ale ta długa, wąska szyja i odkryte ramiona… Nie mogłem się skupić na filmie. Szyja mnie rozpraszała. Szyja była ciekawsza. Piękna, smukła, delikatna, o lekkim zapachu, który przypominał o niej, ilekroć próbowałem odwrócić wzrok. Nawet już nie wiem, na jaki film się wybrałem, pamiętam tylko tę prześliczną szyję. Szkoda, że na takie szyje nie sprzedają biletów.

*

Wracam do domu z uczuciem tęsknoty. Takiej dziwnej tęsknoty, nie wiadomo ani za czym, ani za kim. Takiej tęsknoty chyba metafizycznej, na którą pomagają tylko ciepłe dłonie. Nie chcę sam spędzić reszty tego wieczoru. Po drodze kupuję gazetę i przeglądam ogłoszenia towarzyskie. Jeśli nie teraz, to kiedy? Jestem wolny, nikt na mnie nie czeka. Nigdy jeszcze nie byłem w agencji, ale nie z powodów moralnych, lecz higienicznych. Dziś jednak jakieś złe we mnie siedzi i kusi, a ja czytam: „Klasyk w cenie, za dopłatą wykonuję pieszczoty oraz pocałunki, oral gratis". Nie jestem pewien, czy rozumiem. Co to znaczy, że klasyk w cenie? Ze studiów pamiętam, że Karol Marks to był klasyk, ale on już chyba nie jest w cenie. Za dopłatą dziewczyna wykonuje pieszczoty. Nie wiem, jak można wykonać pieszczotę. Kiedyś na zajęciach technicznych wykonałem karmik dla ptaków. Ale pieszczotę? Pieszczoty na zajęciach technicznych chyba bym nie wykonał. I widzę, że pocałunki też za dopłatą. A jakbym chciał, żeby mnie raz pocałowała? Ciekawe, ile kosztuje jeden pocałunek. Chyba dużo, widocznie nie każdego stać, bo przecież by nie pisała. Ale przynajmniej oral gratis, to dobrze, widocznie jest promocja. U dziewcząt też jak w hipermarkecie.

Czytam dalej, ale: „Trzecia godzina gratis", „Nastka zaprasza do gniastka", „Zabójcza blondyna" nie interesują mnie. Boję się blondyny o morderczych inklinacjach. Dyslektyczna małolata też mnie nie podnieca. A ta od trzech godzin wydaje się męcząca. Ale kolejne ogłoszenie mnie zaintrygowało: „Ciepła dziewczyna przytuli, pocieszy, seks wykluczony". Dziewczyna do przytulania? Taka wąska specjalizacja? Dzwonię.

– Słucham? – słyszę miły głosik.

– Źle mi dziś. Chciałbym się przytulić.

– Jasne. Chcesz przyjechać?

– A jaka jesteś?

– Miła brunetka, nieco ponad 30 lat, 165 centymetrów wzrostu, 56 kilo, biust dwójeczka.

– Jak wygląda spotkanie z tobą?

– Jak z bardzo bliską przyjaciółką. Możemy wypić kilka drinków, położyć się do łóżka, ty mi będziesz mówił, o czym zechcesz, a ja cię będę przytulać. Zrobię ci masaż, kąpiel, kolację.

– A seks?

– Żadnego seksu. Od seksu masz w tym mieście pięćset dziewcząt. Ja jestem jedyna. Rozłożyć nogi to składane krzesełko potrafi. Ja daję więcej. I biorę za to więcej. Każda dziewczyna z ogłoszenia da ci swoje ciało, ja część duszy. Jestem troskliwa, umiem słuchać i pocieszyć, gdy zechcesz mi się wypłakać.

– Jak masz na imię?

– Mariola.

– Mariola?

– Tak. Nigdy żadnej Marioli nie znałeś?

– Chyba nie.

– To będziesz tak tam stał sam czy przyjedziesz?

– Nie wiem jeszcze. Zadzwonię potem.

– Aha. Więc pójdziesz rozkładać krzesełka. Uda rozłożone, uda na chwilę złożone, uda rozłożone. Mają na imię Patrycja, Nikola lub Roksana. Baw się dobrze.

– Przepraszam, że zająłem ci czas.

– Nie przepraszaj, idź rozłóż krzesełko.

Dziewczyna ma bardzo zmysłowy głos, długo słyszę go w sobie, ale zniechęca mnie ta zapora stawiana na początek. To tak jakbym miał się spotkać z dziewczyną, która od razu mówi:

– Będzie ci ze mną dobrze, tylko mi ręki do majtek nie wkładaj.

Wydaje mi się, że gdyby pan Bóg chciał stworzyć świat pozbawiony wsadzania ręki do majtek, to by taki stworzył.

Dzwonię do „dwudziestoletniej ślicznotki". Zaprasza. Mam być za pół godziny.

Otwiera tleniona blondynka, mniej więcej trzydziestoletnia, w szpilkach i samych majtkach.

– Cześć, Misiu – mówi, a ja od razu czuję się jak w zoo. – Pójdziesz pod prysznic? – pyta, jakbym w ciągu sekundy z misia przemienił się w skunksa.

Daje mi sprany ręcznik i wskazuje drzwi łazienki. Z prysznica leci tylko zimna woda. Mydło ma zapach jabłka i nie chce się spłukać. W wannie zatyka się odpływ i po minucie chłodna woda sięga powyżej kostek. Nade mną wisi sznur suszących się staników i tanich majtek oraz szary podkoszulek, który z przodu ma napis „Dolce Gabbana", a na metce „Made in China".

Nie sposób stanąć tak, żeby twarzą nie dotknąć wilgotnej bielizny. W kącie łazienki sterta zaległego prania, obok pralka z rozbebeszonym programatorem. Na półkach jednorazowa maszynka do golenia, nosząca ślady wielokrotnego użycia. Dwie szczoteczki do zębów, szczerbata szczotka do włosów i pozbawiony kilku zębów grzebień.

*

Przypomniało mi się, jak chodziłem do Marysi Jezus. Mieszkaliśmy w tej samej kamienicy, jej matka była Polką, a ojciec Hiszpanem; gdy się urodziła, koniecznie chciał, żeby drugie imię miała po jego ojcu. W Hiszpanii imię Jezus jest tak popularne, że nosi je wielu mężczyzn, a na drugie często nadaje się je dziewczynkom.

Dostrzegłem ją na ostatnim roku studiów, miała łobuzerski uśmiech, mały tyłek i piersi w zarysie. Ciut wyższa ode mnie, płowe włosy, które potem podfarbowała na rudo, zielone oczy z iskierkami złota. Szczupła, zawsze w za dużym T-shircie, zza którego wystawały smukłe łuki obojczyków. Nie nosiła biustonosza, na cienkiej bawełnie rysował się domyślny zarys sutków drobnych jak dziesięć groszy. Śliczna była. Marzyłem o niej po nocach, aż w końcu kupiłem pozłacaną bransoletkę. Wręczyłem jej i wyznałem, że śni mi się bezustannie. Powiedziała: „Phi" i schowała podarunek do kieszeni dżinsów.

Przez kilka tygodni w ogóle nie zwracała na mnie uwagi, a ja wysyłałem jej przepisywane z książek wiersze. W końcu sama mnie zaczepiła. Nie miała z kim pójść na studniówkę. Kupiłem jej elegancką suknię i poszliśmy. (Nie pomyśleliśmy o butach, więc była w balowej sukni i w adidasach). To wtedy, uwalniając ją później od guzików, pokazywałem praktyczne zastosowanie dialektyki.

– Ale pamiętaj, obiecałam rodzicom, że nie będę uprawiać seksu.

– Nie bój się, nie będziemy uprawiać seksu.

– To dobrze, bo mama by się gniewała.

– To byłoby straszne. – Zacząłem całować ją za uchem.

*

Jej rodzice byli biedni, a ja miałem stypendium, którym dzieliliśmy się po połowie. Przez trzy lata dawałem jej poczucie złudnej stabilizacji materialnej, w zamian otrzymując poczucie stabilizacji seksualnej. Po roku mówiliśmy nawet o miłości, chociaż nadal najbardziej lubiłem, jak dosiadała mnie na jeźdźca; nie klęczała jednak przy tym na kolanach, jak zazwyczaj robią dziewczyny, lecz kucała oparta na całych stopach, tyłek mając cały czas w powietrzu. Podnosiła go powoli i wysoko, tak, że widziałem swojego członka, który niemalże cały już z niej wychodził, po czym równie powoli opadała, chowając uszczęśliwionego w swoim ciepłym wnętrzu.

Dziesiątki razy opierałem dłonie o jej materac, przygniatałem do łóżka drobne ciało dziewczyny, patrzącej na mnie oczami otwartymi szeroko jak okna na świat, którym dla niej byłem. Czasami śmiałem się z jej zachwytu, przepełniony zarozumiałą pewnością mężczyzny, który poznał już kilka ścieżek przez ciało i teraz prowadzi nimi kogoś, kto nic poza nim nie widzi i z wiarą osoby ociemniałej trzyma się wystawionej do przodu laski.

Uczyliśmy się siebie jak trudnych wyrazów, powtarzając po wielokroć każdy dotyk, każdą pozycję, każdy pocałunek. Leżąc na sobie mówiliśmy, że czekamy na koniec świata, bo tylko dzięki niemu moglibyśmy jeszcze zostać razem, to on mógłby odsunąć czas naszych powrotów. Ale koniec świata nie nadchodził, w progu za każdym razem stawał dzień, gestem pokojówki ścielił nas jak łóżko.

Do dziś widzę jej drobne piersi. Czuję ciepło i niepokój nieodkrytych jeszcze przez nikogo ud. Patrzę na nią, gdy wygina się w mały pałąk i cichutko jęczy: „Mamusiu, mamusiu".

Do dziś wyrzucam sobie, że tą złotą bransoletką to ja nauczyłem ją przyjmować pieniądze od mężczyzn. Nawet nie zauważyłem, kiedy zaczęła brać nie tylko ode mnie. Przyznała się podczas jakiejś awantury. Nazajutrz tłumaczyła, że zarabia w ten sposób dopiero od tygodnia i zazwyczaj ma tylko trzech klientów dziennie.

Mnożyłem ich przez te siedem dni, w które przecież i tak nie mogłem uwierzyć, mnożyłem ich przez jej dłonie, przez ich dotyk, mnożyłem ich dupska przez jej wklęsły brzuszek. Za każdym razem wychodziło za dużo.

Nie potrafiłem wybaczyć tych wszystkich facetów, którzy przetaczali się przez nią w odmierzanym przez zegarek godzinowym rytmie.

Nie rozumiała mnie, a ja jej. Tłumaczyła, że teraz czuje się samo-dzielna, po raz pierwszy w życiu. Chce się tym nacieszyć. I podoba jej się to, co robi. A ci obcy faceci, których dotyka? To tylko ciała. Lekarz też dotyka obcych ciał. Wystarczy, że potem umyje ręce. Ona musi po prostu umyć trochę więcej.

Ani przez chwilę nie była speszona tamtą rozmową. Opowiadała, jak rano poszła do lekarza, bo ją cipka strasznie piekła. Bała się, że coś już zdążyła złapać, ale ginekolog uspokoił ją, że to tylko podrażnienie.

– Jak pani będzie suchą dłonią długo trzeć po ścianie, dłoń też się tak zaczerwieni – powiedział i zalecił używanie środków nawil-żających.

– Przetarta jestem jak dżinsy na dupie, nie mogę iść dziś do pracy – śmiała się wówczas moja Marysia Jezus.

Wtedy kochaliśmy się po raz ostatni. Wracałem do domu, rycząc na schodach. Nie wiem, co bolało bardziej. Poczucie utraty czy wy-rzuty sumienia.

Wszędzie widziałem mężczyzn, którzy ją biorą. Widziałem, jak jeden po drugim rozpakowują ze stanika te drobne prezenty, które przedtem dostawałem tylko ja. Jak nadzy idą drogą bezmyślnie wy-tyczoną przeze mnie.

Pamiętam, jak szedłem się z nią pożegnać. Powtarzałem sobie, że podziękuję za tych kilkadziesiąt spędzonych razem miesięcy i po-wiem, że nie chcę oceniać tego, co robi; każdy ma prawo do bezgra-nicznego decydowania o sobie, o swoim ciele też, a prostytucja nie brzydzi mnie ze względów moralnych, tylko higienicznych.

Tak sobie to wszystko w głowie układałem, zdanie po zdaniu, na różnych półkach, żeby się nie pomieszały. Słowa z pretensjami wci-snąłem na półkę najwyższą, żebym, nawet wspinając się na palce, nie mógł po nie sięgnąć. Wiedziałem, że nie mam prawa robić jej wyrzu-tów; nie ja, człowiek, który nauczył ją brać pieniądze od mężczyzn.

Ale słowa z tamtej półki same mi wypadły, a ja nawet nie wie-działem, że jest ich tam aż tyle. Gdy tylko otworzyła drzwi, wszystkie się na nią posypały. Nie potrafiłem ich złapać, nie zatrzymałem ani jednego, było ich między nami pełno, latały jak sępy nad upatrzoną ofiarą, a Marysia tylko machała rękami, jakby jeszcze starała się bronić. Sępy były jednak zbyt wygłodniałe, za długo musiały czekać na swoją ofiarę, nadlatywały z różnych stron, spadając z nieuchronnością już wyprowadzonych ciosów. W końcu przestała się przed nimi zasłaniać, a ja widziałem, jak się poddaje, bezradnie zwiesza ręce i zaczyna płakać.

Wtedy zrobiło mi się głupio, bo przecież wcale jej smutku nie chciałem; nie chciałem zwłaszcza, żeby płakała; przy pożegnaniach nie ma nic boleśniejszego niż płacz kobiety. Wszedłem do jej pokoju i wściekły na siebie zacząłem się pakować. Spodziewała się tego, bo wszystko leżało już na wierzchu – dwie koszule, para spodni, skarpetki, bielizna – wyprane, wyprasowane i równo ułożone jak przed wyjazdem na wakacje, a nie jak przed odejściem na zawsze.

Marysia chlipała w przedpokoju i pociągała nosem; miałem ochotę podejść i wytrzeć jej smarki jak małej dziewczynce, której tato spuścił lanie, a teraz czuje, że wystarczyłoby zakazać oglądania bajek. Jednak to ona podeszła pierwsza, już nie płakała, tylko była bardzo smutna i oczy miała wciąż szkliste. Odbijały światło nocnej lampki i pomyślałem, że wyglądają teraz jak dwa okrągłe akwaria i w każdym pływa złota rybka, „mam razem sześć życzeń, jedno wykorzystam na zapomnienie tego, co zrobiła, a resztę zostawię na potem".

– Jestem w ciąży – powiedziała. – Nie bój się, niekoniecznie z tobą.

Słowa o ciąży zabrzmiały ciężko jak wagon pełen kamieni. Zwłaszcza dla mnie, chłopaka, który pół życia spędził w szkołach z internatem, a nawet już przedszkole, bo rodzice uciekali przed sobą tak, że sam zostawałem pośrodku. Przestraszyłem się i pozwoliłem, aby Marysia Jezus odeszła.

Wyjechała z miasta, a ja zacząłem tęsknić. Z tygodnia na tydzień coraz bardziej. Po kilku miesiącach zrozumiałem, że nie potrafię o niej zapomnieć, co więcej – pamiętałem ją coraz bardziej, wspominałem, przypominałem sobie, marzyłem, uczyłem się jej na nowo jak wiersza, którego kilka wersów zdążyło już ulecieć. Broniłem się przed tą myślą, odrzucałem ją, ale ciągle wracała: „Kocham Marysię Jezus, ja ją naprawdę kocham i jak idiota pozwoliłem jej odejść". Nie mogłem tylko pojąć jednego: dlaczego poczułem to dopiero teraz, jakby ta miłość była bombą z opóźnionym zapłonem.

Potem szukałem jej w innych kobietach. Czasami się w nich podkochiwałem. Ale wtedy przypominały mi się słowa pani nocnej, która opowiadała nam o fantomach. Bałem się, że każde moje następne uczucie nie będzie prawdziwe, że to tylko fantom tej pierwszej miłości. I odchodziłem.

*

Mój świat zatoczył koło i znów jestem u kobiety za pieniądze. Teraz jednak już wiem, a przynajmniej mam takie wrażenie, że bardziej niż seksu potrzebuję kobiecego ciepła. Wychodzę z łazienki ponownie ubrany, daję dziewczynie pieniądze i mówię, że to za kąpiel, bo z ciągu dalszego rezygnuję. Jest tak zdumiona, że wciąż trzyma w powietrzu wyciągniętą rękę z pieniędzmi, kiedy bez słowa otwiera mi drzwi na klatkę schodową.

Ponownie dzwonię do Marioli, na szczęście jeszcze nie śpi. Podaje mi adres – parter, ostatnia klatka po lewej stronie, ulica Kościuszki 20, a mnie robi się gorąco. To właśnie tam mieszkałem na studiach, na pierwszym piętrze, pode mną Marysia Jezus, której rodzice wyjechali wtedy do Hiszpanii, zostawiwszy jej mieszkanie na parterze. Kiedy to było? Piętnaście lat temu? Czy to możliwe, żeby nadal tam mieszkała?

Jadę i rzeczywiście – ta sama ulica, ten adres, ale już nie taki sam dom. Taksówkarz mówi, że wykupiła go polsko-niemiecka spółka deweloperska, trzy klatki wyburzyli, jedną wyremontowali. W części wyburzonej stoi nowoczesny apartamentowiec, przyklejony jedną ścianą do tej wyremontowanej klatki. Niczym ubogą krewną wspiera przylegającą do niego starą część z zachowanymi mieszkaniami komunalnymi, widocznie nie było dokąd ludzi stąd wyprowadzić. Na dole jest sklep z parkietami, obok mieszkanie Marioli. Tak jak wtedy, tyle tylko, że tynk jest świeży, przy bramie wisi domofon, a brama nie śmierdzi moczem.

Naciskam guzik i mówię, że ja do komputera, tak jak sobie, dla niepoznaki, życzyła. Czuję, że koszula lepi mi się od potu, jestem zdenerwowany, mam mokre ręce. Nie jestem pewien, czy Mariola to Marysia Jezus; nie wiem, czy mnie pozna, czy nie wyrzuci. To trochę jak podróż w czasie, przy czym wiadomo gdzie, ale nie wiadomo do kogo.

Wchodzę w głąb klatki schodowej, tak samo ciemnej jak kiedyś. W skrzynce na listy spod numeru trzy wystają ulotki. Mam ochotę po nie sięgnąć, jakby nadal był to mój numer. Drzwi do mieszkania Marioli są niczym wrota fortecy – ciężkie, dębowe, z mosiężnymi okuciami. Pukam i ktoś za nimi ukryty wpuszcza mnie do środka. Ciemno, widzę tylko światło sączące się zza zaułka; pamiętam, że była tam sypialnia, idę ku niej odruchowo.

– Tak od razu do łóżka? – śmieje się stojąca za drzwiami dziewczyna. – Pokój gościnny jest tu. – Wskazuje jaśniejący obok kontur drzwi. – Dzień dobry. – Wyciąga rękę na powitanie.

– Dzień dobry, Marysiu, jestem Piotr. Mieszkałem piętro wyżej, pod trójką, pamiętasz?

Przez kilka sekund nie dzieje się nic. Żadnego słowa, żadnego gestu z jej strony. Robię krok do przodu, deski podłogi skrzypią dokładnie jak wtedy. To przedwojenny modrzew, nie do zdarcia, jedynie gwoździe z tym starczym skrzypieniem powoli wychodzą na inny świat.

– Jestem Mariola, nie Marysia. Jaki Piotr? – Słyszę w końcu zdziwiony głos i nagle przedpokój zostaje zalany oślepiającym światłem białych halogenów.

Poprzez zmrużone powieki widzę sylwetkę kobiety jeszcze trzymającej rękę na włączniku. A jeśli się mylę? Jeśli to nie Marysia?

– Aż tak się zmieniłem, że mnie nie poznajesz?

Ona też się zmieniła. Trochę przytyła od tamtego czasu, zafarbowała włosy. Na ulicy mógłbym jej nie poznać. Dziewczyna przez chwilę się waha.

– O Boże, Piotr, ty się nic nie zmieniłeś!

Rzuca mi się na szyję, a ja czuję jej wilgotne po kąpieli włosy, lekki zapach balsamu do ciała i – przede wszystkim – ulgę, że oto znów jestem w tamtym domu, że po latach wróciłem do tego miejsca jak do swojej młodzieńczej kryjówki. Ale co teraz? Co dalej?

Patrzę w oczy trzydziestoparoletniej kobiety i szukam w nich tamtej siedemnastolatki, która z fantazją mnie dosiadała. Widzę pod bluzką tamte drobne piersi.

Rozgorączkowany, rozkosznie zapadam się w pamięć jej ciała. Gapię się na nią z natarczywością szczeniaka, którym wtedy byłem. Chociaż wiem, że to nieuczciwe i głupie szukać nastolatki w twarzy dojrzałej kobiety, może nawet niestosowne zestawiać pierwsze zmarszczki z gładkością odległych obrazów, lecz już nie potrafię powstrzymać pamięci oślepiającej mnie fleszami wspomnień. Ale dziewczyna idzie chyba w tym samym kierunku, bo powtarza:

– Jezu, ty się naprawdę nic nie zmieniłeś! Nawet spojrzenie masz tak samo napalone. Ciekawe tylko, czy nadal w ciągu nocy możesz siedem razy?

– No co ty, lata lecą, siedem razy to ja w nocy teraz robię siku – śmieję się, chociaż dziwi mnie nieco jej pytanie, bo nigdy nie potrafiłem siedem razy.

– Onaniści nie mają kłopotów z prostatą – protestuje i ciągnie mnie do pokoju.

Ten sam dom, ta sama dziewczyna. Nawet ta sama podłoga. Mój jest ten kawałek podłogi. Znów jestem na piątym roku filozofii. Razem z przyjacielem, który nawet nie przypuszcza, że kiedyś będzie moim szefem, prezesem wydawnictwa prasowego, czytamy Heraklita, twierdzącego, że nie można dwa razy wejść do tej samej rzeki, i śmiejemy się z głupiego odkrycia, że ta uwaga nie dotyczy kobiety.

Siedzimy z Marysią Jezus naprzeciw siebie, pijemy wino, ona głaszcze mnie po dłoniach. Kilka godzin później wiem wszystko o pozostałych lokatorach, ale nadal nic nie wiem o niej. Czuję, że na razie tak zostanie, bo jest to wiedza, którą nie chce się ze mną dzielić. Mówi jedynie, że pozory mylą, i tak zamykamy ten wątek – grą pozorów.

Na razie o pozory nie wypytuję, jestem upojony czerwonym winem i ukojony ciepłem domu, więc nie stawiam oporu i posłusznie idę, gdy Marysia Jezus bierze mnie za rękę, prowadzi do drugiego pokoju i wskazując tapczan, mówi:

– Dzisiaj śpisz tutaj.

Przytula się na dobranoc, a gdy obejmuje mnie za szyję, jej sukienka unosi się na tyle, że czuję idealną gładkość jej pończoch, zapraszających dłonie, by po nich wędrowały, więc posłusznie wędrują, wiedzione na miłe pokuszenie.

Gdy próbuję ją pociągnąć w kierunku tapczanu, opiera się lekko, jakby sama nie była swojego oporu pewna, jakby dopiero starała się go zdiagnozować, ustalić warunki skrajne i gesty brzegowe. Nie jest też przekonana, żeby dać oporowi odpór, bo najpierw pozwala sukienkę podciągnąć, potem całować i wtedy sama mocniej mi głowę do swoich ud przyciska, ale gdy oboje czujemy, że za chwilę nie ujdzie jej to na sucho, wtedy odskakuje z krótkim westchnieniem, a ja przed pustym tapczanem klęczę z gębą otwartą i językiem wyciągniętym jak do przyjęcia hostii.

– Na pewno nie dzisiaj – mówi, jakby dzisiejszy dzień nie był w kalendarzu zaznaczony świątecznym kolorem. – Poza tym uprzedzałam przecież, że nie będzie seksu. Mogę się do ciebie poprzytulać, ale nic więcej.

Nie wierzę, że nic z tego nie będzie, nawet po starej znajomości, i kilka razy próbuję jeszcze wkładać jej rękę do majtek, ale cierpliwie ją wyciąga, aż w końcu zasypiam. Przed snem zastanawiam się jeszcze tylko nad jednym. Dlaczego mówiła o nocach, w których kochaliśmy się po siedem razy?

*

– Lubisz pierniki? – pyta rano z kuchni.

– Lubię.

Siedzę w wannie, za drzwiami łazienki słyszę poranną krzątaninę z udziałem Marysi Jezus, patelni oraz jajecznicy. Słyszę też, jak ekspres do kawy dozuje dwie porcje, rytmicznie stukając metalowymi miarkami.

Nie zakręciłem kranu, woda leje się szerokim strumieniem, zasłaniam plecami odpływ przelewowy, patrzę, jak lustro wody zbliża się do krawędzi, zaraz przejrzy na drugą stronę. Po raz pierwszy od wielu dni ogarnia mnie uczucie spokoju, teraz ta wanna jest moim Oceanem Spokojnym, który za chwilę wystąpi z brzegów i spłynie terakotową podłogą, a ja razem z nim, pełen łaski spokoju. Już widzę jego leniwe, ciepłe fale, unoszę się na nich lekko, płynę sobie na plecach, w oczy rzędem południowych słońc świecą mi halogeny z sufitu. Mijam półwysep wieszaka w przedpokoju, za nim rafę kaloryferów, po czym opływam wyspę kuchennego stołu i osiadam na przylądku taboretu. Cumuję naprzeciw Marysi Jezus, między nami stoją na kotwicach wysokie szklanki soku pomarańczowego, kubki pachnącej kawy zaraz przybędą z odległych kolonii, na razie zbliża się wielki lotniskowiec z dymiącą jajecznicą. Toster strzela powitalne race, na koniec głos zabierze delegacja korzennych pierników. Kopernik napisał o obrotach ciał niebieskich, a obracał ciała ziemskie ten toruński piernik.

– No wyłaź w końcu – rozbrzmiewa syreni głos Marysi Jezus.

– Wszystko mi stygnie.

Wyobrażam sobie, jak jej stygnie. Jak przestają dymić, niczym hałdy żużlu, jej piersi, potem usta, brzuch, wargi i uda. Wyciągam korek z wanny, rury się zachłystują i krztuszą, powietrze szuka ratunku, płynąc ku górze z bulgotem. „Symfonia hydrauliczna na pięć kolanek z PCV i starą kanalizację", myślę sobie i pospiesznie szukam żelu pod prysznic. Łapię plastikową butelkę, jedną z dziesięciu, stoją jak bateria armat wystawionych w obronie czystości każdego centymetra ciała, ale wybór nie jest najlepszy, bo płyn słabo się pieni. Robię szybkiego nurka i pospiesznie wyskakuję z wanny, bo Marysia za drzwiami już na mnie pomstuje, że nasze śniadanie jest zimne jak trup i czeka na mnie chłodna kawa, stygnące tosty oraz nieżywa jajecznica.

Otwieram drzwi i staję w bezruchu, bo krajobraz, jaki nagle widzę, bardzo przykuwa uwagę – dwa łagodne pagórki o wyrazistych szczytach i jasna, wiodąca ku przytulnej jaskini, dolinka między połami szlafroka.

– Przez pomyłkę użyłem twojego żelu wyszczuplającego zamiast płynu do higieny intymnej – mówię zupełnie bez sensu.

– Nie martw się o skutki, nie zmaleje ci – chichocze Marysia Jezus. – Gdyby to rzeczywiście miało wyszczuplać, miałabym figurę piętnastolatki.

Uspokojony podchodzę do niej i próbuję odwinąć ją ze szlafroka. Odsuwa mnie delikatnie.

– A, jeszcze jedno. Nie jestem Marysią. Mieszkała tu przede mną. Widziałam, że to z nią chciałbyś spędzić ten wieczór, więc starałam się spełnić twoje życzenie. Mówiłam ci, że jestem w tym mieście najlepsza.

Chcę protestować, pytać, powiedzieć cokolwiek, ale drzwi wejściowe się otwierają i w drzwiach staje jakaś kobieta. Tym razem nie mogę się mylić.

– Co ty tutaj robisz, Magdaleno?

PIOTR ADAMCZYK

9.
Rozważania frywolne w piwnicy

U mojej babci do komory wchodziło się z kuchni, drzwiami obok sypialni. Gdy byłem mały, nie zaglądałem tam, bo się bałem – babcia groziła, że jak będę niegrzeczny, zamknie mnie w komorze. Zerkałem tylko z przestrachem. Wiało zimnem jak z piwnicy. Komorę od kuchni oddzielał wysoki próg z kamienia. Składała się aż z trzech części, jak już później odkryłem. Największa była ta na wprost wejścia, ciemna, bez okna. Tam babcia przechowywała domowe kiszonki i weki. Druga część komory znajdowała się po lewej stronie, oddzielona kolejnymi drzwiami, do których wchodziło się po kilku drewnianych schodkach. Ten rodzaj komory odpowiada współczesnym wersjom lodówek *side by side*, tych z dwoma segmentami równoległych drzwi.

Ta druga część wydawała się ciekawsza. Pod drewnianą podłogą była część trzecia, czyli piwnica na ziemniaki, jabłka, cebulę, no i na te strachy, które czekały, aż się poprawię. Schodziło się tam po drewnianej drabince, pachniało mokrą ziemią. W części nadziemnej, tuż pod sufitem, było małe okienko, lufcik, zawsze zakurzony, pełen pajęczyn. Oświetlał kilka półek, na których stały gęsiarki i te wszystkie ówczesne sprzęty AGD, takie jak zapasowe fajerki do pieca. Pudła blaszane, poniemieckie, z zadowolonymi żołnierzami Wehrmachtu na wieczkach. Dziadek trzymał tam książki, które nikomu nie powinny wpaść w ręce. Była tam np. encyklopedia zdrowia pisana gotykiem, dzięki której dowiedziałem się, jak wygląda przewód moczowy kobiety. Pierwsze moje orgazmy tam właśnie się dokonywały, w komorze, nad książką z rysunkami anatomicznymi. Inne książki były nudne, jedna wyglądała jak instrukcja obsługi czołgu, kolejna, opatrzona na okładce blaszaną swastyką, zawierała zbiór nut i pieśni. Leżała tam też książka do musztry wojskowej, z rysunkami „padnij, powstań". I sporo zdjęć Hitlera i jemu podobnych, niektóre z autografami. Swoją drogą dziwne, że po wojnie dziadek z babcią nie bali się takich rzeczy trzymać; może myśleli, że jak w komorze straszy, to nikt tam nie zajrzy.

*

Tak mi się to teraz przypomina, gdy w nowej lodówce Magdaleny układam butelki wina. Trudno byłoby w takiej lodówce mieć orgazm. Chociaż jest wielka, jak dla rodziny złożonej przynajmniej z czterech osób, a nie dla samotnej dziewczyny. Tym razem pomyliłaby się pani nocna ze swoją mantrą: „Po przedmiotach ich poznacie".

– Po co ci taka duża lodówka?

– Może tak naprawdę mam rodzinę? – drażni się Magdalena. Jest poważna, więc chcę dopytać, ale nie pozwala: – Powiedz lepiej, co robiłeś u Marioli.

– Co robiłem? Myślałem, że to moja przyjaciółka z czasów studenckich.

– Bardzo dziwne wyjaśnienie. Spędziłeś z nią noc i się nie zorientowałeś. Spałeś z nią?

– Nie. A co ty tam robiłaś? Skąd ją znasz?

– A czy to twoja przyjaciółka z czasów studenckich?

– Okazało się, że nie.

– A kiedy się okazało?

– Rano.

– Czy ty słyszysz to, co mówisz? Zadzwoniłeś do obcej dziewczyny, bo myślałeś, że to twoja przyjaciółka…

PIOTR ADAMCZYK

– Nie, jak do niej dzwoniłem, to byłem pewien, że jej nie znam.
Dopiero jak przyjechałem na miejsce, to pomyślałem, że to ona.
– I dopiero jak spędziłeś u niej noc, to się okazało, że nie ona.
– Tak, bo dopiero rano mi to powiedziała.
– Mierzyłeś sobie kiedyś współczynnik inteligencji?
– Kiedyś, na studiach.
– Ach. To nie mierz teraz ponownie, bo się załamiesz.

Osaczamy się nawzajem słowami, podejrzeniami w podtekstach,
ale nic otwarcie sobie nie zarzucamy, nie mamy do tego prawa, przecież nie ma między nami takiej więzi, dla której jakaś noc gdzieś prze-
spana mogłaby być teraz problemem, podobnie jak poranna wizyta
w miejscu, w którym nie tylko noce mogą być trudne do wytłuma-
czenia. I tak to na razie pozostawiamy, każde z nas ma jakąś tajemnicę
związaną z tamtym domem, może kiedyś je przed sobą odkryjemy.

*

Sprzątam resztki opakowania po lodówce; osiem metrów kwadratowych styropianu, którym można by ocieplić ścianę partero-
wego domu, niesiemy do śmieci, a wielki karton, gruby na palec,
zwijamy w walec i ciągniemy do piwnicy, gdzie Magdalena trzyma
makulaturę. Niemal całą piwnicę zajmują paczki książek. Nowych,
jeszcze zafoliowanych, spakowanych po kilkadziesiąt sztuk. Kilka tysięcy egzemplarzy. Może więcej. Patrzę na tytuły. Hity i bestsellery
sprzed kilku miesięcy, roku, dwóch lat.
– Co ty tu masz? Magazyn książek?
– To mój magazyn materiałów budowlanych. Kiedyś widziałam taką
instalację, jakby rzeźbę, znaczy się. Ach, to był taki mały dom wysokości człowieka, cały zbudowany z książek. Można było wejść do środka.
Weszłam i poczułam taki dziwny spokój, jakbym znalazła się wewnątrz
tych wszystkich powieści i tylko ode mnie miało zależeć, którą historią
dzisiaj będę. Ach, pomyślałam wtedy, że chciałabym mieć w domu taką

ścianę zbudowaną z książek. A jak zaczęłam pracować w markecie, to zobaczyłam, że zaopatrzenie hurtowo kupuje u wydawców książki, które przez krótki czas są modne, a po miesiącu, dwóch, modne są już inne i tamte trafiają na przeceny. Dzisiaj książkom bardzo szybko kończy się termin przydatności do spożycia. Wtedy odkupuję je w cenie makulatury. Gromadzę na razie tutaj, zbuduję z nich swój dom.

– Dom? – Chyba nie rozumiem. – Co to znaczy? Widziałem dom zbudowany z gliny lub z plastikowych butelek po wodzie mineralnej. Ale domu z książek nie widziałem. Chcesz je z cementem mieszać w betoniarce?

– Ach, kupiliśmy, znaczy kupiłam duże mieszkanie w stanie deweloperskim, takim bez wewnętrznych ścian. I kilka ścian chcę zbudować z książek. Hihi, dziennikarze z czasopism o wnętrzach będą walić do mnie drzwiami i oknami.

Jedną ścianę łazienki chce zbudować z „Samotności w sieci", którą zalane były chyba wszystkie markety z wyjątkiem Castoramy. Na drugą ma paczkę „Domu nad rozlewiskiem" Małgorzaty Kalicińskiej. Magdalena mówi, że wprawdzie powieści nie zna, ale raz znalazła felieton tej autorki w piśmie „Bluszcz" i pojawiło się tam sformułowanie o wacku rozgrzanym do czerwoności.

– Nie spotkałam się nigdy z tym, żeby ktoś na kutasa powiedział, że to wacek – powiada Magdalena.

Też bym nie powiedział, przyznaję. Prawdę mówiąc, sam już nie wiem, jak mówić. No bo co, „ty, członek" nie powiem, bo to pod względem leksykalnym chybione, w dodatku mało funkcjonalne. Zdanie pytające: „Mogłabyś mojego członka włożyć do buzi?" jest absolutnie nieerotyczne. W projekcji tego zdania widzę członka partii pożeranego przez sprawiedliwość dziejową.

– Możesz mówić: prącie – podpowiada Magdalena.

– Prącie? Nie podoba mi się. Mówi ktoś: „Miał bardzo okazałe prącie"? Albo, bardziej romantycznie: „Przeszedł mnie prąd, gdy zaingerował w moją nietykalność osobistą swoim prąciem"? Pierwsze słyszę.

– No to fallus.

– Ale o co chodzi? Mitologia Greków i Rzymian? Oto nadchodzi heros Fallus i wyswobadza z purytańskich więzów Cnotę?

– Laska – sugeruje Magdalena.

– No to, cholera, złam sobie nogę i idąc do przychodni, spróbuj się tym podpierać.

– Ach, ptaszek?

– Pewnie dlatego, że zaraz odleci i będzie bajerować w innym gniazdku. Albo że gil, bo cieknie.

– Przestań, to obrzydliwe! – protestuje Magdalena.

– Jak ci się nie podoba gil, to może dzięcioł, że stuka. Wróbel też może być, jak ktoś ma niefart. Sens jedynie w tym, że ptaszek do dziupli. Tak, to się jakoś trzyma kupy, ale takie mało męskie.

– A interes? – śmieje się Magdalena.

– Tak, państwo preferuje małe przedsiębiorstwa, a ja nie mam pewności, czy akurat w tej kwestii chcę mieć *small business*.

– Kuśka!

– Tu nawet nie ma o czym gadać. Nie podoba mi się i już.

– Trzonek – wylicza dalej Magdalena. – Widziałam kiedyś w słowniku synonimów.

– Trzonek, czyli jakiś rodzaj uchwytu. W tramwaju by mi się podobało. Stałyby panny i trzymały się trzonka, żeby nie upaść. Mogłoby być miło.

– Pała?

– Ale ja nie jestem ze służb mundurowych. Pacyfista raczej. Poza tym ze stopniami w szkole mi się kojarzy. Siadaj, znowu nic nie umiesz, pała. A pała na okres? No to już takie dosadne!

– Grucha. Walić gruchę, tak w męskiej literaturze czytałam – przypomina sobie Magdalena.

– Zupełnie nie wiem, o co chodzi. Z przemocą wobec gruszki się kojarzy.

– Koń.

– Rany boskie! Jaki tam koń? Muł zazwyczaj albo nasza szkapa. Czasami wierzga, prawda, stanie dęba albo coś. Ale żeby tak od razu koń? Patataj? Aha! Podkowiński! Tak, to ma sens. Ten koń z „Szału" Podkowińskiego! Ale która panna zna dziś Podkowińskiego?

– Kapucyn – podpowiada Magdalena.

– To zbyt religijnie. Poza tym kojarzy się, że w kapturze. Ja nie lubię w kapturze. No i Kościół też nie zaleca, żeby w kapturze, bo to źle wpływa na prokreację. Poza tym w kapturze źle widać.

– Ach, no to może fiut – proponuje Magdalena.

– To akurat lubię. Brzmi dość filuternie. Fiu, fiu. Takie śpiewne też. I z graniem na flecie ładnie mi się kojarzy. Fletnia Pana.

– Jest jeszcze kutas.

– Tak, staropolska nazwa frędzelka. Brzmi jednak lepiej niż frędzel.

– No a chuj? Powszechnie używany. Słowny element wielu dekoracji ściennych.

– Dobrze brzmi, ale nie ma krzty romantyzmu. Chuj to zbój. Kutas przy nim to tylko początkujący chuligan.

– Maruda jesteś – podsumowuje Magdalena. – To jak ty do niego mówisz?

– W ogóle nie mówię. Ja się nie odzywam do niego, a on do mnie, i tak sobie wzajemnie milczymy.

– Ach. To strasznie sztywna atmosfera musi być między wami – stwierdza z powagą, zamyka piwnicę i prowadzi mnie z powrotem do mieszkania. Idzie przede mną, patrzę na jej łydki, przed drzwiami do windy jestem już zahipnotyzowany.

*

Magdalena proponuje wino – widzę, że nie tylko mnie rozmowa o lingwistyce kognitywnej wprowadziła w odpowiedni nastrój. Pijemy, rozmawiamy o literaturze, jesteśmy tacy inteligentni i coraz mocniej się sobie podobamy, a im bardziej wina ubywa, tym stajemy się piękniejsi, o mądrości nawet nie wspominając, zresztą chwilowo nie ona jest najważniejsza.

Jest już późno, więc wiadomo, że zostanę na noc, ale nie wiadomo jeszcze, w którym łóżeczku. Magda idzie je przygotować, a mnie prosi, żebym wymienił przepaloną żarówkę w żyrandolu.

Przez cały wieczór żadnych cielesnych podchodów nie było, przypadkowego dotyku lub chociażby muśnięć, w powietrzu wisi wyraźna ochota, ale gdzieś obok jest też jakiś filtr – niepewności lub braku zaufania, który całą ochotę skrapla kropelkami potu we wnętrzach naszych dłoni.

Z pewnością nadszedł już czas nocy, chociaż jeszcze nie wiemy, czy jest to dla nas tylko czas snu, czy może pocałunków. Magdalena bawi się paskiem zdjętym ze szlafroczka, ja wymieniam żarówkę, wszedłszy na stół tylko w bokserkach, ona wyciąga rękę ku górze i coś pokazuje, a ja widzę tylko to, że jest bez majtek, przez jakiś czas prowokujemy się nawzajem, udając jednocześnie oblężone twierdze. W końcu mieszkańcy oblężonych twierdz chętnie by się poddali i sytuacja wygląda tak, że jest dwoje pokonanych, ale ani jednego najeźdźcy.

Magdalena. Stoi w drzwiach łazienki, z rozmysłem na oścież przeze mnie otwartych, patrzy, jak myję się pod prysznicem.

Ja. Udaję, że jej nie widzę, a ona udaje, że nie stoi, tymczasem mnie staje i po chwili nie potrafię udawać, że nie.

Magdalena. Wchodzi do łazienki, bo przecież musi odłożyć na miejsce szczotkę do włosów. Pyta, czy nie widziałem jej koszulki nocnej, bo się gdzieś zgubiła.

Ja. Stoję w progu sypialni, Magdalena leży bez koszulki, którą widocznie uznała za bezpowrotnie zaginioną. Piersi ma przesłonięte książką, wygląda, jakby czytając, zasnęła. Obie są nagie, dziewczyna i książka, ich obwoluty leżą na podłodze, miękka okładka na różowym szlafroczku.

Nocna lampka kusi mnie jak ćmę, podchodzę po cichu i patrzę na odkryte ramiona, przez chwilę zastanawiam się, czy pułapka jest zastawiona celowo, czy może to raczej nieostrożny sen zostawił przynętę w kręgu światła.

Zgaś światło i odejdź, mówi moja wola, ale moje ciało jest nieposłuszne woli. Ciało jest już zniewolone, od woli całkowicie niezależne, i zbliża się do łóżka. Ręka mimowolnie wędruje w kierunku całkowicie przez wolę zakazanym i już czuje ciepło śpiących spokojnie piersi i już się na jednej z nich zamyka, a wtedy dziewczyna otwiera oczy i uśmiecha się do mnie, a moja ręka złapana na gorącym uczynku, moja ręka złapana za rękę, cofa się przerażona.

– Chciałem tylko zgasić światło – mówię zupełnie bez sensu, co Magdalena od razu potwierdza:

– Nie wiedziałam, że światło gasi się, naciskając sutki.

I zaczyna bawić się nimi, pieścić, głaskać opuszkami, budząc je ze snu jeszcze lekkiego, spania przedsennego, tylko o krok dalszego niż drzemka. Lekko unosi się na łokciach, jej idealne obojczyki mają kształt łuku, napina go, odrzucając do tyłu głowę, kolana nieco podciąga ku górze i wtedy widzę, że cięciwa jej nóg jest gotowa na przyjęcie strzały; przez chwilę się waham, ale gdy ona zdecydowanie sięga do moich bokserek, czuję, że kołczan jest pełen.

*

Rano słyszę, jak Magdalena kąpie się w wannie, ale ja nie mam zamiaru wychodzić z łóżka; nie chcę zgubić tego zapachu, muszę go wchłonąć do ostatniej cząstki, nasycić się nim, przesiąknąć. Nocą tarzałem się w nim jak zwierzę w trawie, a teraz smakuję okruchy z tej uczty, zgarniam wszystkie, nawet te najdrobniejsze, najmniej wyczuwalne, jak dotyk rzęs.

Ogarnia mnie rozleniwiające zmęczenie. W drzwiach staje Magdalena.

– Wygląda na to, że mamy romans. – Uśmiecham się, siadając na łóżku.

– O Boże, my i romans – prycha, podnosząc wzrok do góry.

W tej samej chwili Pan Bóg spogląda na dół. Patrzą sobie w oczy. Magdalena się czerwieni.

*

– Chodź na spacer, Magdaleno.

– Nie mam ochoty.

– Chodź ze mną na spacer.

– Nie mogę.

– Dlaczego?

– Bo ze spaceru trudno się potem obudzić.

– Aha. Mówisz o tęsknocie?

– Tak.

– Boisz się tęsknoty?

– Tak.

– To głupie, przecież byliśmy ze sobą w łóżku.

– Tak.

– Kochałaś się ze mną.

– Tak.

– I za tym nie będziesz tęsknić? Za moim dotykiem, ciałem?

– Będę, ale pójść do łóżka to zupełnie co innego, niż pójść na spacer.

*

W domu zastaje mnie wyrzut sumienia.

Gdzie byłeś tej nocy? Chciałabym zasnąć w Twoim łóżku, ubrana tylko w Twój zapach. Bezpieczna. We śnie czekam na Ciebie. W moim śnie o Tobie czekam na Ciebie. W moim śnie o Tobie jestem naga i płonę. Staję się płomieniem, czekając na Ciebie. Otworzyłam okno, przez nie wlatuje wilgoć i chłód nocy, ale i to mnie nie gasi.

Dotknęłam dłonią tak pustego bez Ciebie łóżka, ciaśniej owijając się przześcieradłem i wyobrażając sobie, że to Twoje ramiona oplatają moje ciało.

Rozmyślam więcej, niż bym chciała, wyciągając rękę po kieliszek z winem. Moje usta delikatnie obejmują brzeg szkła... Twoje wargi mogłyby smakować tak jak to wino i zostawiać niewidzialne ślady na moich odkrytych ramionach. Gdzie jesteś tej nocy? Czekam na Ciebie na moście utkanym z myśli, tęsknoty i pragnienia. Jedno Twoje słowo, jedno spojrzenie jest pochodnią, która podkłada ogień pod moje ciało. Kryję się w ciemnościach ze swoją winą i wstydem, czekając na Ciebie. Krew całą i serce tętniące oddałabym za muśnięcie warg, za dotyk dłoni na moich plecach, za jedno zaklęcie miłości, za spotkanie na moście z marzeń. Stałam na tym moście, a Ciebie nie było. Dlaczego? Miriam.

Mój list jest krótki.

Miła Miriam. Dostałem Twój piękny list, ale nie jestem pewien, czy wysłałaś go właściwej osobie. Nie sądzę, żebym ja takiego listu był godzien. Pomyłka? Może mój adres podobny jest do czyjegoś adresu? Nazywam się Piotr Adamczyk, tak jak ten aktor, ale nim nie jestem. Nie wiem natomiast, kim Ty jesteś, czy mogłabyś mi to powiedzieć? Serdecznie pozdrawiam, Piotr.

Chwilę się waham, bo to ekscytujące czytać listy miłosne, nawet pisane do kogoś innego, w końcu jednak naciskam klawisz enter. Po sekundzie pojawia się automatyczna odpowiedź z serwera poczty – odbiorca o wybranym przeze mnie adresie nie istnieje.

PIOTR ADAMCZYK

10.
Nasienie, jak i dni nasze, zostało nam policzone

Albumy zostały spakowane, na podłodze leżą fotografie, które się w nich nie zmieściły. Przyglądam się zatrzymanym na nich postaciom: nomadzi, mieszkańcy jaskiń, ludzie piasku, kapłani wudu, dwunastoletnie prostytutki, łowcy głów – gromadzeni latami bohaterowie moich reportaży, wszyscy tutaj wymieszani, jak w drodze do wieży Babel. Łączy ich to, że różnią się diametralnie, każdy jest inny.

Przypomina mi się moja wędrówka po Zatybrzu. Był upał, zawzięty, chcący nadrobić straty po kilkugodzinnej ulewie; miałem na sobie lniane spodnie podwinięte do kolan i jasną marynarkę z bawełny narzuconą na nagie ciało, w jednej ręce splecione z rzemieni sandały, w drugiej biały kapelusz z szerokim rondem, szedłem boso, z przyjemnością mocząc stopy w ciepłych kałużach. Na placu przed bazyliką św. Marii wysypali się z autokaru japońscy turyści, wszyscy ubrani na ciemno, mężczyźni w granatowych garniturach, kobiety w czarnych spódniczkach, sztywnych żakietach i niepasujących do tego stroju, ale z pewnością wygodnych, sandałach, różnokolorowych jak przegląd motyli. Ten widok zatrzymał mnie w miejscu, patrzyłem zdumiony ich turystycznym uniformem, stojąc pośrodku kałuży. Zobaczyli mnie i to było dla nich równie zdumiewające odkrycie. W Japonii stosunkowo rzadko dość eleganccy mężczyźni zatrzymują się w kałużach.

Kobieta z prostą grzywką i włosami do ramion wyjęła aparat i zrobiła pierwsze zdjęcie. Po niej aparaty wyjęli pozostali. Wszystkie kobiety przyłożyły aparaty do oczu; zauważyłem, że każda ma identyczną grzywkę. Mężczyźni robili zdjęcia w pewnej odległości od twarzy, przeszkadzały im okulary, których ciemne szkła były osadzone w takich samych kwadratowych oprawkach. Kilkadziesiąt razy trzasnęły migawki, nawet nie zdążyłem obronnie założyć kapelusza. Potem kilka osób przyjaźnie pomachało mi ręką, w jednej chwili wszyscy obrócili się tyłem i wycelowali obiektywy w kierunku bazyliki. Ciekawe, kto otwiera te szuflady, na których dnie dzisiaj ja jestem.

*

Od kilku dni przygotowujemy się do przeprowadzki. Prezes stwierdził, że na Podwalu nie możemy zostać, bo pomieszczenia redakcji są za duże i za wysokie, słowem – nieekonomiczne. Niektóre sięgają czterech metrów, przed wojną rezydowali tu Niemcy z wiadomą wszystkim manią wielkości. No, ale to byli w założeniu nadludzie, a jak zwykły człowiek chce wymienić żarówkę i nawet stanie na biurku, to i tak nie może sięgnąć do sufitu.

W centrum miasta Chińczycy wybudowali biurowiec na dwanaście pięter, na jedenastym zmieści się centrala dwóch hipermarketów i nasza redakcja. Mamy miesiąc, żeby się spakować i przenieść. Redakcja powinna się zmieścić w pięciu pokojach, między pomieszczeniami wynajętymi przez Real i Tesco.

– Macie swoją hipermarketyzację gazet – złości się Marzenka, pakując do kartonowych pudeł zawartość biurka. Kilka teczek z dokumentami, biurowe drobiazgi, jakieś bibeloty. I buty. Czerwone szpilki, czerwone klapki, kozaki z czerwonej skóry, czerwone pantofelki na płaskim obcasie. Zielone szpilki, zielone klapki, czarne pantofelki... Nie miałem pojęcia, że w jednym biurku może się zmieścić tyle obuwia.

Otwieram okno i wciągam do płuc powietrze, tyle, ile się da, aż lekko kręci mi się w głowie. Powietrze jest pełne znanych zapachów, woni starych drzew i leniwie sunącej fosy, mokre, rześkie, moje, wrocławskie, od lat takie samo, pachnące tym miastem; bo każde miasto pachnie inaczej, inną ziemią, inną wodą i innym niebem, które nad nim coś górnolotnie obiecuje.

Wzdycham ciężko i czuję, że robi mi się nieco lżej, więc wzdycham po raz drugi i trzeci, aż Marzenka przestaje pakować swoje buty i patrzy na mnie zaniepokojona. To dziwne, że jak człowiek ciężko wzdycha, to robi mu się lżej.

Zaczynam pakować swoje biurko, przeglądam pamiętniki matki, o których miałem napisać, i widzę, jak jestem obciążony genetycznie – po ojcu mam skłonność do złego cholesterolu, ale za to po matce do dobrych manier. To widocznie dzięki jej genom opuszczam deskę sedesową, bo ojciec nie potrafił się tego nauczyć, zupełnie jak języka niemieckiego, mimo że całymi dniami z taśm nagranych przez matkę leciała mantra gramatyki: „Ich – habe, du – hast. Er, sie, es – hat, wir – haben, ihr – habt, sie – haben. Ich – bin, du – bist. Er, sie ,es – ist. Wir – sind. Ihr – seid. Sie – sind".

Po matce, ale co gorsze także po babci, mam również skłonność do grafomanii, osobliwie do pisania wierszy. Z dna szuflady wyjmuję dwa tomiki, pierwszy z poezją wojenną, napisany przez babcię w 1941 roku, gdy dziadek szedł na wojnę, a wydany rok później domowym sumptem, i drugi, z poezją miłosną, napisany przez moją matkę i opublikowany w roku 1967 pod socrealistycznym tytułem „Roboczo będzie po niedzieli".

Dzięki tytułowi zbiorek doczekał się potężnej reklamy w rubrykach literackich niemal wszystkich gazet, bo zapotrzebowanie na poezję proletariacką było dużo większe niż podaż. Miałem wtedy pięć lat, to było tuż przed chorobą matki, rozejściem się rodziców i oddaniem mnie do internatu.

Pamiętam, jak cała rodzina bardzo przeżywała pojawienie się tego zbiorku, chociaż jeszcze nie znałem powodów. Dopiero później dowiedziałem się, że zawierał dość odważne erotyki i trudno było się zorientować, na ile są wydumane.

Poza tym pojawiły się komplikacje z tytułem, bo pierwotnie zbiorek miał się nazywać „Pójdę za moim panem", ale cenzura w ostatniej chwili oprotestowała go jako zbyt religijny. Nie pomogły tłumaczenia, że poetka miała na myśli świecką, a nawet zupełnie bezbożną wiarę w miłość fizyczną, o czym wyraźnie można było przeczytać w otwierającym książeczkę wierszu pt. „Gorące pocałunki królowej śniegu". Cenzor był tuż przed emeryturą, więc dmuchał nie tylko na zimne, lecz także na lodowate, nakazał zmianę tytułu i pewnie obyłoby się bez większych kłopotów, ale książeczka poszła już do druku.

Wydawca w piątek zadzwonił do drukarni z prośbą, aby zmienić strony tytułowe, wyjaśniając, że tytuł należy wpisać roboczo, bo będzie po niedzieli. Tak to mniej więcej powiedział. Tytuł należy wpisać roboczo, bo będzie po niedzieli.

W drukarni źle usłyszeli przecinek, o ile przecinek można usłyszeć. Albo wydawca źle go powiedział.

Tytuł należy wpisać, roboczo będzie po niedzieli.

– „Roboczo będzie po niedzieli"?

– Tak, po niedzieli!

Zecerzy zrobili dokładnie to, co zrozumieli. Ułożyli z ołowianych liter usłyszane słowa i tak na rynku pojawił się zbiór wierszy mojej matki pod bardzo zaskakującym tytułem.

*

Dziwne rzeczy ludzie trzymają w swoich biurkach. Ich porządkowanie jest jak remanent wspomnień. Na przykład ten pusty flakon po brązowym Borsalino. Mam go od czasu, w którym po raz pierwszy zobaczyłem Marysię Jezus.

Marysia Jezus zdarzyła mi się wówczas na skutek zagapienia się Pana Boga; miłym, chociaż niezasłużonym przeze mnie przypadkiem. Byliśmy gośćmi na tej samej imprezie sąsiedzkiej, nie trafiliśmy jednak na siebie w tłumie, nie zdążyliśmy się nawet poznać.

O północy schowałem się w sypialni gospodarzy, chciałem się trochę przespać, nazajutrz o świcie miałem pociąg i w perspektywie wyjazd na wakacje. Hałasy z parteru nie pozwoliły mi jednak zasnąć, godzinę wierciłem się w cudzej pościeli, w końcu, gdy do pokoju weszła szczupła, długowłosa dziewczyna i zapytała, czy jest tu gdzieś wolne łóżko, rozglądając się dookoła, jakby rzeczywiście w sypialniach małżeńskich zazwyczaj istniały czwarte wymiary z dodatkowymi kompletami łóżek, wstałem i powiedziałem: „Proszę bardzo, to jest wolne, na mnie już czas". Czas jednak nie był o tym przekonany; dziewczyna zasnęła, zanim zdążyłem się ubrać, a ja, wiążąc buty, zobaczyłem, że ma stringi pod krótką spódniczką, i był to widok tak godny uwagi, że wiązanie i rozwiązywanie butów zajęło mi dobrych kilka minut, aż w końcu nabrałem ochoty, żeby je jednak zdjąć, skoro te sznurowadła są takie niezdecydowane.

Spotkałem ją ponownie tuż po powrocie z wakacji. Biegła do szkoły. „Cześć", powiedziała, zatrzymując się na chwilę. „Wiesz, jak się obudziłam rano w tamtym łóżku, nie mogłam oderwać nosa od poduszki, leżałam tak dwie godziny i ją wąchałam, w życiu niczego tak nie pragnęłam jak tego, by zapach, który zostawiłeś, wciąż trwał i był przy mnie, może nawet we mnie. Jestem Marysia, ojciec mówi do mnie Marysia Jezus, ale nie przejmuj się tym. Poznajmy się i jeżeli dzisiaj też tak pachniesz, to chcę się w ciebie wtulić". Ale nie pachniałem tak, więc powąchała mnie psim zwyczajem i pobiegła dalej. Od tamtego czasu minęło ponad dziesięć lat. Leżąca w biurku butelka po brązowym Borsalino od dawna jest pusta. Ale w mojej łazience podobna stoi na honorowym miejscu, chociaż nigdy po nią nie sięgam. Miała czekać wraz ze mną na powrót Marysi Jezus.

*

– Nie mam pojęcia, co zrobić z książkami – zastanawia się Marzenka.

Przy jej biurku stoi kilka paczek przysłanych z wydawnictw. Książki miały być nagrodami dla czytelników, ale prezes orzekł, że się nie nadają; w nowoczesnej gazecie nagrody w konkursach też muszą być nowoczesne. Książka nie jest nowoczesna, bo młodzi ludzie czytają głównie esemesy. Dlatego w naszych konkursach będziemy oferować doładowania do telefonów komórkowych. Codziennie pakiet stu bezpłatnych esemesów. No, po prostu – jak twierdzi prezes – rewelacja!

Biorę jedną z paczek i wrzucam do bagażnika. Może się przyda Magdalenie, zawsze to kilka cegieł więcej w jej literackich ścianach.

Po przyjeździe do domu zostawiam paczkę w garażu, biorę z niej dwie książki, które napisała Zeruya Shalev, chyba najlepsza pisarka współczesnego Izraela. To „Życie miłosne", mocno erotyczna historia romansu młodej mężatki i jej starszego kochanka. Odkąd spotkałem Marysię Jezus, historie miłosne, w których młoda dziewczyna zakochuje się w mężczyźnie starszym o kilka lub kilkanaście lat, należą do moich ulubionych. To tak, jakbym do rąk własnych otrzymywał piękne rozgrzeszenie w formie usprawiedliwienia na piśmie.

Boże, jak Shalev o tym opowiada, jakby siedziała na klawiaturze naga i z rozchylonymi nogami wierciła się niecierpliwie, zdanie po zdaniu odtwarzając zakazane uczucie. Rety, jak ja ją lubię czytać! Wyobrażam sobie, że to ja byłem tym kochankiem, zamykam oczy i znowu jesteśmy razem, wtedy nie przeszkadza mi nawet, że na zdjęciu z wewnętrznej strony okładki ona wygląda jak izraelski transwestyta, ale jak mam zamknięte oczy, to nie widzę liter i po pewnym czasie napięcie seksualne opada, więc ponownie oczy otwieram i czytam dalej, i znów robi mi się gorąco, odczuwam rosnący niepokój, więc zaciskam na nim dłoń i czuję, jaki jest ciepły i pulsujący, chcę się z nią natychmiast kochać, ale żeby mówiła do mnie słowami ze swojej książki, rozedrgana jak wówczas, gdy ją pisała; co za dziwne doznanie – onanizować się na skutek miłości do literatury pięknej.

*

Nie wiem, czy pani nocna podejrzewała, że w wieku dojrzewania byłem niemal zawodowym onanistą. Tyle razy mawiała przecież, że po przedmiotach ich poznacie, a półki w moim pokoju pełne były książek w stylu Charles'a Bukowskiego. Ileż razy zamykałem się z nim w łazience!

Nie bez powodu ksiądz katecheta przestrzegał nas, chyba czternastoletnich wówczas chłopców, przed ponurymi tajemnicami naszych pryszczatych ciał i odciągał od zainteresowania własną cielesnością, wskazując na smutny koniec Onana, biblijnego syna Judy. Jakoś dziwnie często przywoływał tę tragiczną postać z 38. rozdziału Księgi Rodzaju, lubił opowiadać o grzechu Onana, siejącego swe nasienie bezowocnie, samodzielnie i samowolnie, za co spotkała go straszna, ale słuszna kara boska, albowiem człowiek stworzony jest do miłości i prokreacji, a nie do jałowego walenia konia. Zapędzał się czasami nasz katecheta, mówiąc, że od samego patrzenia na nagie ciało może w wieku dorastania dojść do niekontrolowanych objawów emocji, wstydliwych, upokarzających i przykrych, w dodatku nachodzących nas w najmniej oczekiwanym momencie, bo za karę spóźnionym, na przykład podczas szkolnego apelu albo rezurekcji. Straszył, że uleganie podszeptom Onana może doprowadzić do tego, że zabraknie w nas nasienia, gdyż nasienie, tak jak i dni nasze, jest dla każdego policzone, a nad limitem czuwa wielki rachmistrz, który nie pozwoli, by przebrała się miarka.

Nawet nas to nie dziwiło, że w niebie pilnują naszych kutasów; z religii wiedzieliśmy już, że grzech pierworodny nie polegał na zjedzeniu jabłka, a domyślaliśmy się, że prawdopodobnie na przeleceniu Ewy. Próbowaliśmy więc ograniczać młodzieńczy onanizm, ale rzadko nam się udawało, a ksiądz właśnie głównie o to dopytywał podczas kolejnych spowiedzi. Siłą rzeczy do tematu wracał więc na katechezach regularnie, podobnie jak i my do swoich grzesznych czynności, co w sumie dawało pewną siłę napędową, sens i znaczenie misji katechety.

Obok dni i nasienia mieliśmy mieć policzone także słowa, o czym przypominał za każdym razem, gdy nasze niesforne szepty przeszkadzały mu w dawaniu nam lekcji. Wyobrażałem sobie, jak pewnego dnia rozgadany dochodzę do granicy przydzielonych słów, jak wyczerpują się wszystkie odliczone mi na całe życie wyrazy, jak wymawiam ostatnią głoskę i nagle milknę w pół zdania bez kropki. I tak zostaję przypadkowym kamedułą, mimowolnym członkiem zakonu o wymownej regule milczenia, na zawsze pozbawionym możliwości dyspensy i szansy wtrącania trzech groszy. Pamiętam, jak przez cały tydzień w domu prawie się nie odzywałem, jakbym chciał sprawdzić, ile słów można odłożyć na zapas. Nikt tego jednak nie zauważył, bo moją domową rolą nie było mówienie, lecz tylko słuchanie, którą to prawdę mój ojciec powtarzał dość często, chociaż prawdopodobnie nie znał prawdy objawionej o limicie słów.

Wspomnienia wydobywają się z pamięci selektywnie, niekiedy w sposób zupełnie pozbawiony sensu. Do dziś, gdy przychodzę do kościoła, zdarza mi się, że chciałbym pomyśleć o swoich dobrych i złych uczynkach. Niekiedy nawet chciałbym wystawić sobie rachunek sumienia do szybkiej spłaty w konfesjonale, wokół którego grupa dziewcząt dojrzewa do niepokalanych poczęć, a stojąca obok grupa młodzieńców – do niepokalanych poczynań. Ale nie potrafię się skupić na żadnym oczyszczającym przekazie; natrętnie i obsesyjnie przypominają mi się te lekcje religii, a gdy staję w kościołach przed świętymi obrazami, patrzę na postacie nieubranych przez malarzy kobiet i absurdalnie myślę o mężczyznach, w których zabrakło nasienia. O tamtym katechecie, który nie pozwolił nam cieszyć się pełnią młodzieńczych wytrysków. O jego teorii wyczerpywania naszych słów, spermy i dni. Już wiem, że nasienia i słów nie da się wyczerpać, chociaż jedno i drugie może być źle zasiane.

Nie wiem jeszcze tylko, jak to będzie z tym limitem dni. Ale skoro w tamtych dwóch przypadkach katecheta nie mówił prawdy, może i w trzecim też chciał nas oszukać.

11.
Trzynaste piętro i uszy królika

Od kilku tygodni dokuczliwie swędzi mnie skóra, a zwłaszcza uszy; zastanawiam się nawet, czy nie zaraziłem czymś Magdaleny, w końcu każdy z nas jest nowym lądem dla wirusów i bakterii, a może nawet ziemią obiecaną.

Zajrzałem sobie lusterkiem do jednego ucha i zobaczyłem, że jest zaczerwienione. Drugie jeszcze bardziej. Fatalnie. Bez zdrowych uszu można iść na koncert i słuchać muzyki, ale nie można uprawiać seksu. Ciało mężczyzny jest jak płaskowyż, nie licząc lichych wypiętrzeń, i ma tak mało zakamarków, w których można radośnie gmerać językiem, że choroba ucha wydaje się stratą trudną do powetowania.

Wprawdzie na razie strata jest czysto teoretyczna i potencjalna, bo Magdalena znowu nie ma dla mnie czasu, ale nigdy nic nie wiadomo – żadne święto nie zdarza się tylko raz, a na przykład niedziela jest co tydzień.

Ucho powinno nasłuchiwać nadejścia Magdaleny i być w pogotowiu, podobnie jak inne organy.

Zadzwoniłem do przychodni. Pani o miłym głosie pyta, do jakiego lekarza ma mnie zarejestrować. Mówię, nieco zawstydzony, że mam problemy skórne. „Aha, to pójdzie pan do dermatologa", powiada miła pani. „Ale to może być związane z pożyciem intymnym", wyjaśniam zawstydzony jeszcze bardziej. „O, to w takim razie od razu zarejestruję pana do wenerologa", proponuje miła pani głosem nieco surowszym. „Dobrze, przy czym to dotyczy ucha", dodaję na wszelki wypadek. Miła pani przez chwilę milczy. „To może jednak zapiszę pana do lekarza pierwszego kontaktu", mówi, jakby wiedziała, że ucho może mnie swędzić w związku z pierwszym kontaktem z Magdaleną.

*

Przychodnia jest w pobliżu mostu Zwierzynieckiego. Kiedyś były tu same kliniki, dziś Akademia Medyczna wynajęła część budynków prywatnym spółdzielniom lekarskim, a niektóre z nich znalazły kolejnych podnajemców, zatem w mojej przychodni jest dodatkowo mały salon z automatami do gier hazardowych oraz dyskretny peep-show. W zasadzie można powiedzieć, że to w trosce o dobro pacjenta, który w kolejce pod gabinetem może umrzeć z nudów.

Wchodzę do recepcji, za długą ladą stoją trzy młode dziewczyny. Podchodzę do brunetki ubranej w głęboki dekolt. Nawet na mnie nie patrzy, kończę się dla niej gdzieś na poziomie butów, które mnie tu przyprowadziły. To aż dziwne, że w ogóle mam głos, ale może właśnie po to buty są wyposażone w języki.

Brunetka wręcza mi numerek, po czym mówi koleżankom, że za dwie minuty ma dyżur i wychodzi minutę przed czasem. W drzwiach mija się z wysoką blondynką w czerwonej mini i błyszczących kozakach ze skórzanej siateczki. Blondynka trzyma w ręku zużytą prezerwatywę.

– Co za świnia włożyła mi ją do kieszeni! – syczy.

Przede mną w kolejce czeka pięć osób, przy czym trzy twierdzą, że mają numerek pierwszy. Specjalnie mnie to nie dziwi, bo z matematyki pamiętam, że w pierwszej piątce liczb naturalnych aż trzy są pierwsze.

Zajmuję kolejkę i wychodzę zobaczyć, jak wygląda peep-show. Nigdy nie byłem. Wejście z drugiej strony budynku, schodami na dół, po lewej zasłonięte przejście do kotłowni, po prawej drzwi pomalowane na czerwono. Na drzwiach regulamin: „Wstęp tylko dla dorosłych. Cena wstępu wynosi 30 złotych i obejmuje uczestnictwo sam na sam z tancerką przez 10 minut. Uczestnik zobowiązany jest do niewstawania z miejsca. Koniec jest oznajmiany wyłączeniem muzyki. Uczestnik może przedłużyć pobyt, płacąc 10 złotych za każde dodatkowe 5 minut. Płatne u tancerki. Pokaz nie może przekraczać 30 minut. Dodatkowe informacje bezpośrednio u tancerki. Tancerkę można dotykać wyłącznie po uprzednim z nią ustaleniu".

Otwieram drzwi i cofam się zaskoczony – za drzwiami stoi brunetka z recepcji. Tym razem uśmiecha się jednak milutko i pyta, czy mam ochotę na pokaz. Tak, chciałbym zobaczyć, nigdy w takim miejscu nie byłem. O, to najwyższy czas, szczebiocze brunetka, taki duży chłopiec, a jeszcze nie był.

– W takim razie 30 złotych poproszę za wstęp i zapraszam do środeczka. – Pokazuje dłonią środeczek mieszczący się gdzieś za czerwonym parawanem.

W środeczku jest duszno i trochę śmierdzi. Półmrok. Na środku środeczka mały podest, a obok kanapa. Siadam, zapadając się głęboko, jęczą przebudzone sprężyny. Na kanapie leży czerwona okładka menu z wytłoczonym napisem: „Restauracja Staropolska". Otwieram, wewnątrz karteczka z nadrukiem: „Cennik usług dodatkowych, niewliczonych w cenę wstępu". Czytam. „Dotykanie tancerki podczas występu – 20 złotych. Ręczne pobudzanie uczestnika przez tancerkę – 40 złotych. Oral w zabezpieczeniu – 50 złotych. Bez zabezpieczenia – 80 złotych".

Wchodzi na podest brunetka okryta czerwonym tiulem, na nogach błyszczą czerwone szpilki. Włącza muzykę głośną, dynamiczną. Zrzuca tiul, pod spodem ma bikini tak skąpe, że zasłania tylko połowę sutków. Zaczyna tańczyć, a ja, czując przypływ krwi, nieadekwatnie zastanawiam się nad paradoksem skojarzeń z atolem Bikini, gdzie podczas operacji Crossroads testowano amerykańską broń jądrową. Po kilku minutach czuję, że reakcja jądrowa wyraźnie postępuje i nie ma możliwości schłodzenia rdzenia.

Muzyka nagle się urywa, jakby ktoś ją przeciął nożyczkami. Dziewczyna pochyla się nade mną i pyta, czy mam jakieś życzenie na miły koniec. Z dezaprobatą przygląda się, jak sprawdzam zawartość portfela – zostało w nim 35 złotych, szukam po kieszeniach i znajduję złotówkę, jeszcze jedną złotówkę i pięćdziesiąt groszy. Co za pech – do najtańszego orgazmu brakuje mi dwa pięćdziesiąt.

– Nie, dziękuję bardzo, i tak było mi miło – kłamię z czerwonymi uszami i daję brunetce 20 złotych, żeby nie myślała, że nie stać mnie na wytrysk.

Idę z powrotem do kolejki, przede mną nadal pięć osób, bo lekarz jeszcze nie przyszedł. Widzę, że do recepcji wraca brunetka, a na dyżur wychodzi kolejna z dziewcząt. Śmieją się, wskazując naszą kolejkę, a ja myślę, że to ze mnie. Na szczęście brunetka mówi:

– To ja polecę po doktora, pewnie znowu zasiedział się na automatach.

Nad drzwiami do gabinetu wisi monitor. Płyta DVD odtwarza w kółko ten sam pięciominutowy film o mammografii piersi. Po godzinie znam na pamięć cały tekst lektora. Trzeba regularnie oglądać piersi, a w przypadkach budzących niepokój udać się do lekarza; tu lista objawów niepokojących, a za nią spis adresów prywatnych praktyk lekarzy. Przed oczami wciąż mam piersi brunetki, nadal budzą we mnie niepokojące objawy.

W końcu siedzący obok mnie staruszek nie wytrzymuje, wstaje i wali w monitor laską. Ekran gaśnie. Mój ojciec był taki sam. Jak tylko coś się zacinało, walił w to pięścią. Pomagało nadzwyczaj często. Z czego wyciągnął odpowiednie wnioski dotyczące dydaktyki i procesu wychowania syna. Na szczęście, jak skończyłem pięć lat, to poszedł w cholerę.

Nadchodzi brunetka z mężczyzną najwyżej trzydziestoletnim, uśmiechniętym, chociaż całkiem łysym mimo młodego wieku.

– Wiedziałem, że w końcu się odegram – mówi zadowolony w kierunku recepcjonistek. – Całą kieszeń piątek mam, zaraz po pracy u miłych pań się zamelduję.

Lekarz pierwszego kontaktu jest rzeczywiście bardzo bezpośredni. Każe mi zdjąć koszulę i maca mnie pod pachami, mówiąc, że nie czuje powiększonych węzłów chłonnych. Zagląda do gardła, nosa i ucha, po czym orzeka, że nic mi nie dolega, jedynie skórę mam nieco przesuszoną z powodu nadmiernego używania wody.

– Swoją drogą, to pozornie nielogiczne, że nadmiar wody przesusza – zauważa – ale byłoby gorzej, gdyby w zgodzie z logiką pan pleśniał.

*

Z przychodni jadę wprost do redakcji, wszyscy są już spakowani. Na widok sterty kartonów uszy swędzą mnie jeszcze bardziej, pewnie ze zdenerwowania podniosło mi się ciśnienie.

– Jezu, wszystko mnie swędzi ze zdenerwowania – informuje na powitanie Marzenka, drapiąc się po plecach.

– Daj spokój – mówię, pocierając ucho. – Swędzenie jest nieeleganckie.

Rozglądam się dookoła i widzę, że wszyscy się drapią. Zupełnie jakby dopadła nas jakaś zaraza. Drapią się pracownicy firmy transportowej, spoceni przy noszeniu kartonów, drapią się dziennikarze, bo w powietrzu jest pełno kurzu, nawet prezes, wychodząc z gabinetu, drapie się po głowie, ale to pewnie na skutek myślenia. Ciekawe, że drapanie głowy sprzyja myśleniu. Nawet jest specjalny związek frazeologiczny na taką okoliczność: „podrapał się z zafrasowaniem po głowie". Tak jakby myślenie alergizowało człowieka, nie było zgodne z jego stanem naturalnym.

– Swędzenia nie widać, to drapanie jest nieeleganckie – z pewnym opóźnieniem odpowiada Marzenka.

Prezes proponuje, żeby jechać pierwszym transportem, będziemy na miejscu kierować krążeniem paczek.

W południe przejazd przez Wrocław zajmuje nam ponad godzinę, miasto cierpi na nadciśnienie, jest niedrożne, cholesterol zwęził mu ulice. Wysiadamy przed nową siedzibą redakcji – biurowiec z czarnego szkła i aluminium, na tle pobliskich wieżowców niezbyt wysoki, sięga ledwo słońca na niebie o piętnastej trzydzieści, podczas gdy sąsiednie budynki przesłaniają je nawet w południe.

Nasza redakcja jest na samej górze, pokoje zaczynają się od numeru 1200, naciskam przycisk dwunastego piętra i wtedy Marzenka mówi:

– Popatrz, nad przyciskiem z jedenastką jest jeden nieoznaczony, a dopiero nad nim jest ta dwunastka, czyli tak naprawdę ten budynek ma trzynaście pięter.

– Rzeczywiście – przyznaję, patrząc na tablicę z przyciskami. – Chińczycy widocznie są przesądni i chcieli ominąć numerację związaną z trzynastym piętrem. Ponoć niektóre hotele też tak robią, bo klienci nie chcą wynajmować ani trzynastek, ani pokoi na trzynastym piętrze.

– To niemożliwe, żeby ten budynek miał trzynaście pięter – wtrąca prezes. – Chińczycy dostali od architekta zgodę na wybudowanie tylko dwunastu.

Wysiadamy z windy. Przed nami przeszklone akwarium, w którym wkrótce będą pływać grube ryby. Członkowie zarządu China Market Media, wśród nich prezes naszego wydawnictwa oraz prezesi China Real i China Tesco. Na razie jakaś dziewczyna rozstawia wewnątrz krzesła dla gości, klientów i personelu, tego całego planktonu, bez którego grube ryby nie czują się jak w wodzie. Dziewczyna się odwraca i uśmiechnięta macha ręką.

Nie do wiary! Magdalena! Wspominała ostatnio, że przenosi się do innego biura, ale nie sądziłem, że będziemy pracować na tym samym piętrze. Chociaż to nawet logiczne, skoro gazeta ma być podobna do hipermarketu.

Wchodzimy do akwarium, z którego kilka korytarzy prowadzi w trzech kierunkach, prezes z Marzenką znikają za drzwiami z napisem „Redakcja". Obok są drzwi z tabliczką „Cross-selling", a po drugiej stronie „Neuromarketing".

– To teraz mój dział, jestem tu asystentką – wita się Magdalena.

– Neuromarketing? Będziesz sprzedawać lekarstwa dla nerwowo chorych?

– Chodź, to ci pokażę.

Otwiera drzwi, za którymi widzę pokój wielkości boiska do piłki nożnej, ale nie ma bramek, tylko dwie przeszklone ściany po obu stronach. Z okien widać panoramę Wrocławia, którą mi teraz Magdalena pokazuje.

– O, zobacz, tam będę mieszkać z siostrą, widzisz ten apartamentowiec?

Dziwnie akcentuje ostatni wyraz, jakby długo była za granicą, słyszę wyraźnie: „apartament owiec". Gdy w redakcji poprawiałem ostatnio tekst o nieruchomościach we Wrocławiu, to automatyczny słownik ortograficzny też przerabiał bezlitośnie modny dziś wyraz apartamentowiec na poprawny, jego zdaniem, apartament owiec. Te programy w komputerach, podobnie jak internet, we wszystko się wtrącają i układają rzeczy po swojemu.

Pokój, w którym stoimy, jest jeszcze pusty, nie licząc wiszących na ścianie plakatów z przekrojami mózgu.

– Chyba nie chciałbym tu pracować – mówię, patrząc na wizerunki czaszek. – Trochę jak w kostnicy.

– Głupi jesteś. – Wzrusza ramionami Magdalena. – Neuromarketing to przyszłość.

– Mało o nim wiem.

– Też mało wiedziałam, ale szybko się uczę. Tu, pod ścianą, będzie stał galwanometr, taki przyrząd do badania reakcji skórno-galwanicznych, coś jak wykrywacz kłamstw. A obok encefalograf.

Mówi, że będą nimi badać reakcje potencjalnych klientów na różne produkty oraz na sposób ich prezentacji i reklamy. Bo ponad 90% procesów myślenia i kojarzenia przebiega w podświadomości, a to znaczy, że klienci też kierują się nieuświadomionymi motywami. Do tej pory w neuromarketingu chodziło o to, żeby poprzez analizę reakcji mózgu sprawdzić, co tak naprawdę wiedzie klientów na pokuszenie. Ale docelowo chodzi o znalezienie kodu dostępu do najgłębiej położonych obszarów mózgu i o umiejętność stymulowania np. obszarów odpowiadających za zakupy.

– Wiesz, taki przycisk kupna. Każdy ma go w swojej głowie. My chcemy wiedzieć, jak go nacisnąć.

– Brzmi okropnie.

– Ale to dla ciebie dobra informacja. Bo tak samo będziemy mogli stymulować sprzedaż twojej gazety.

– Kiedy?

– Szybciej, niż myślisz.

– To dobrze, może prezes nie zdąży mnie wywalić. I może przestanę w końcu znikać...

W drzwiach stają prezes z Marzenką.

– Wracasz z nami?

– Tak, już idę. Magda, może byś przyszła do mnie po pracy?

– Może.

– Zepsuł mi się dzwonek w drzwiach. Na wszelki wypadek nie będę zamykał się na zamek.

– A na guziki? – Uśmiecha się fluternie.

W windzie Marzenka spogląda na mnie podejrzliwie.

– Co to za dziewczyna?

– Ze sklepu.

– Wziąłeś ją z wystawy?

– Pewnie na wystawie to on ją wziął; słyszałaś, że łączą ich wspomnienia rozpiętych guzików – rechocze prezes. – Ale à propos guzików, zobaczmy, co się stanie, gdy naciśniemy ten nieoznaczony przycisk.

Winda staje i drzwi się otwierają pomiędzy piętrami dwunastym a jedenastym. Tuż przed drzwiami kilka schodków prowadzi do góry. Wchodzimy nimi na korytarz tak niski, że musimy lekko pochylać głowy. Nawet Marzenka, która ma najwyżej metr siedemdziesiąt. Po obu stronach korytarza rzędy drzwi. Za niektórymi pali się światło. Naciskam klamkę najbliższych. Duży pokój oświetlony jarzeniówkami.

Pośrodku trzy rzędy ciasno ustawionych biurek. Na wszystkich ścianach wiszą szafy i półki, nie ma ani jednego okna. Trzy Chinki rozpakowują kartony. Kobiety są drobne i tak niskie, że między ich głowami a sufitem jest przynajmniej dziesięć centymetrów luzu. Jedna z nich obraca się do nas i coś wykrzykuje, wskazując na wlot klimatyzacji.

W pokoju jest gorąco i duszno, śmierdzi kilkudniowym zmęczeniem. Oddychamy płytko, żeby tego smrodu nie przełknąć. Marzenka zatyka usta ręką i wychodzi. Prezes za nią. Pytam, kim są i co to za dziwne piętro bez okien. Chinka rozumie tylko tyle, że nie przyszliśmy naprawić klimatyzacji, więc macha ręką i wraca do rozpakowywania kartonów.

– Ja pierdolę – otrząsa się Marzenka, która nigdy nie klnie. – Co to jest? Co to za ludzie? Dlaczego tu nie ma okien?

– Trzynaste piętro – odpowiada prezes. – Trzynaste piętro w budynku, który ma tylko dwanaście. Trudno, żeby miało okna, skoro nie istnieje.

Przez całą drogę powrotną trzynaste piętro nie daje nam spokoju. Co tam będzie? Magazyny, skład towarów? Niemożliwe, przecież nie wozi się ich windą osobową. Poza tym te biurka… Kto będzie pracował w tak niskich i ciemnych pomieszczeniach?

– Niedobrze mi – krzywi się Marzenka. – Wolę myśleć, że to jakiś błąd. Pomylili się podczas budowania i została im taka nadwyżka przestrzeni. No i teraz nie wiedzą, jak ją zagospodarować.

– Nie żartuj – mówi prezes. – Raczej wygląda mi na to, że to jest piętro, które ma być ukryte. Takie, które działa jakby w podziemiu.

– W podziemiu? – nie dowierzam. – Widziałeś kiedyś podziemie na dwunastym piętrze?

– Nasza redakcja jest na dwunastym – upiera się Marzenka.

– Umówmy się, że to jest piętro jedenaste i pół.

*

W domu nie mogę się na niczym skupić. Cały czas mam przed oczami obraz tych drobnych Chinek. Zdeterminowanych tak, że kiedy Europa będzie stała z wózkami pełnymi chińskich towarów z supermarketów, to Chińczycy będą już tak bogaci, że spokojnie udadzą się do francuskich delikatesów.

Idę do łazienki, odkręcam prysznic, chcę spłukać z siebie cały ten dzień. Aha, doktor mówił przecież, że mam nie moczyć uszu. Wata zda się na nic, bo od razu nasiąka, pływackie korki zasłaniają za mało. „Najlepsze byłyby dwa miniaturowe czepki", myślę. I wtedy przychodzi mi do głowy coś absurdalnego, ale jednocześnie niezwykle praktycznego. Prezerwatywy. Wodoodporne, mocne, o idealnej wprost średnicy. W szafce przy łóżku znajduję dwie czerwone. Nakładają się bez trudu, grubsza, zrolowana końcówka ściśle przylega do skroni. Uśmiecham się na myśl o swoim wyglądzie. Pewnie przypominam teraz królika z obwisłymi uszami.

Spoglądam w lustro i widzę za plecami otwarte ze zdumienia usta Magdaleny.

12.
Pożądanie mieszka w szafie

Obserwuję się jak terapeuta podglądający pacjenta, analizuję swoje zachowanie, przeglądam się w sobie, jestem sobą i odbiciem w lustrze. Na szczęście poważniejszych uszczerbków nie widzę, brak seksu od kilku tygodni nie powoduje jeszcze spustoszeń w psychice, może tylko pewne drobne zmiany – przejściowe, jak sądzę; na przykład większą tkliwość na widok kobiet w ciąży i dziecięcych wózków.

Wydaje mi się, że chciałbym mieć dziecko, taki mały cud natury, który wyciąga rączki przed siebie i godzinami bawi się powietrzem.

Czasami jednak podejrzewam, że to natura mnie oszukuje, mami cudem i ojcostwem, a tymczasem chodzi pewnie o sam akt prokreacji. Podnieca mnie myśl o kobiecie, w którą się spuszczam codziennie, aż w końcu zaczynam w niej kiełkować jak na wiosnę i jej brzuch pęcznieje marzeniami o malutkich stópkach, dłoniach i paluszkach, pachnących po każdej kąpieli oliwką i rumiankiem, a później ciepłem kobiety, która leży obok mnie, a ja patrzę, jak śpi.

Ostatnio zauważyłem także zmianę w swoim ubiorze. Od lat kupowałem bokserki z wąskimi nogawkami, lubiłem dyskrecję tej bielizny, utrzymywaną podczas rozbierania, dzięki której można było jedynie domyślać się reakcji hormonów, a wzwód był tylko zmianą ułożenia miękkiego materiału. Dziś po raz pierwszy przygotowałem sobie obcisłe slipki z bawełny, ściśle przylegające do ciała i wypychające genitalia do przodu, stałem i patrzyłem w lustro, sam jeszcze nie rozumiejąc, skąd ta przemiana i o co w niej chodzi, ale dopiero gdy dotknąłem krocza, gdy poczułem je w dłoni, zrozumiałem, że z nabrzmiałego powodu chcę, żeby zamiary były widoczne od razu po zdjęciu spodni. Ale teraz moje slipki leżą na podłodze w sypialni, niezaładowana broń myśliwska na grubego zwierza, a tropiona przeze mnie tygrysica stoi w odległości skoku i z politowaniem patrzy na przebierańca – bezbronnego królika o lateksowych uszach.

– Piotrusiu, dlaczego założyłeś prezerwatywy na uszy? – W głosie Magdaleny słychać ciekawość, ale i niepokój.

– A tak je kupiłem, bo bez sensu leżały przy kasach.

– Bez sensu? Wchodzisz na moje podwórko jako asystentki szefa marketingu. Widziałeś, że w hipermarketach przy każdej kasie są prezerwatywy?

– No właśnie. Ale nie tylko prezerwatywy. Papierosy, batony, baterie.

– A widziałeś, żeby ktoś, w przeciwieństwie do papierosów, batonów i baterii, te prezerwatywy kupował?

– Nie, nigdy. Zresztą ja też pierwszy raz. Ludzie się chyba wstydzą, jeśli chcą kupić, to biorą je ze stoisk, a potem dyskretnie z koszyka wykładają na ladę.

– No właśnie. Jaki stąd wniosek?

– Że one leżą przy kasach niepotrzebnie.

– Wcale nie. Wprawdzie nikt ich stamtąd nie bierze, ale chodzi o to, by w finale zakupów podświadomie wywołać poczucie zadowolenia, erotycznej niemal satysfakcji, żebyś podświadomie odczuł konsumpcyjny orgazm.

– Ja nie czuję żadnych orgazmów, gdy robię zakupy.

– Tak ci się tylko wydaje. Twoja podświadomość czuje za ciebie. Ale wróćmy do mojego pytania. Dlaczego założyłeś prezerwatywy na uszy?

Są pytania, na które nie ma dobrej odpowiedzi. Ale próbować warto.

– Widzisz, mam już na ciebie taką ochotę, że ciśnienie…

– Jeśli chcesz mi zaserwować odzywkę jak z zawodówki, to lepiej nie kończ. Męska, świńska świnia – nieco na zapas dąsa się Magdalena, ale widzę, że jednak zdałem. Jest zadowolona. Uśmiecha się i patrzy na mnie z aprobatą, chociaż w tym zamieszaniu zapomniałem o wciągnięciu brzucha.

– Zejdź na ziemię albo się obudź, a przede wszystkim zabierz mi z oczu te gumki – radzi. – Nie trzeba było tak się trudzić w doborze środków wyrazu, bo i tak mam okres. Ostatni dzień, ale jednak. Przyszłam po prostu napić się wina.

Dlaczego mi mówi, że ostatni dzień? Takich rzeczy nie mówi się bez powodu. Może to informacja o tym, że powinniśmy się spotkać jutro?

– Spotkamy się jutro? Przywiozłem z redakcji trochę książek, mam je w garażu. Może ci się przydadzą na ściany.

– Ach. Miło, że pamiętałeś. Możesz mi jutro podrzucić do nowego mieszkania. W tym apartamentowcu, który ci pokazywałam. Przy okazji zobaczysz, jak się w nim urządzamy – mówi. – Urządzam – poprawia się natychmiast.

Dlaczego użyła liczby mnogiej?

– Apartamentowiec? To masz tam mieszkanie czy apartament?

– No, apartament…

– A ile ma metrów?

– Pięćdziesiąt pięć.

– To dlaczego mówisz, że to apartament?

– Bo jak jest w apartamentowcu, to chyba musi być apartamentem, prawda?

– Niby tak, ale co to jest: apartament?

– Ekskluzywne mieszkanie po prostu.

– A skąd wiesz, że twoje będzie ekskluzywne, skoro je dopiero urządzasz?

– Bo jak byłam kasjerką, to miałam mieszkanie. Ale teraz jestem asystentką pracującą na najwyższym piętrze biurowca, a asystentki mieszkają w apartamentach.

– A redaktorzy naczelni, tacy jak ja?

– W penthousach, oczywiście.

– To te moje dwa pokoje z kuchnią nazywasz penthousem?

– Zgodnie z definicją penthouse to lokal na ostatnim piętrze, z tarasem widokowym, zamieszkiwany przez jedną osobę. Ty rzeczywiście mieszkasz sam, na ostatnim piętrze, twój balkon jest prawie jak taras, ale penthouse to przy tym największy lokal w całym budynku.

– Mój jest największy, bo reszta to kawalerki.

– No to twoje mieszkanie jest penthousem.

– Patrz, tyle lat tu mieszkam, a nie wiedziałem.

– Jesteś typowym Polakiem. Polacy nie cenią tego, co mają, nie potrafią się tym cieszyć.

– Nalać ci wina?

– Poproszę.

– Mogę cię o coś zapytać?

– Nie znoszę takich pytań.

– Ale jakich? Przecież nie wiesz, o co chcę zapytać.

– Nie znoszę takich pytań, w których ktoś się pyta, czy może zapytać. Jak chcesz pytać, to pytaj, a nie pytaj, czy możesz zapytać.

– Magda, a po co przyszłaś do mieszkania tej dziewczyny, u której spotkaliśmy się wtedy nad ranem?

– Nie ma w tym tajemnicy. To moja siostra, przyrodnia, po drugim ojcu. A ty co u niej robiłeś?

– Siostra? Żartujesz?

– Nie żartuję. Zdarzają się, jak widzisz, różne zbiegi okoliczności. A ty? Co ty tam robiłeś?

– Mówiłem ci. Chciałem się do kogoś przytulić. Smutno mi było.

– Jak to przytulić? A skąd wy się znacie?

– A tak jakoś się znamy. Mieszkałem kiedyś w tamtym domu.

– A nie znasz nikogo innego do przytulania, poza moją rodziną?

– Miałem doła, wybacz.

– Co cię gryzie?

– Praca. Chodzi o to, że znikam z internetu. Nie ma mojego nazwiska wśród stu pierwszych wyników wyszukiwarek. Wiesz, co to dziś znaczy. Nie ma cię w sieci, nie istniejesz. Wiesz, każdy polityk prowadzi dziś blog, codziennie dodaje notkę, potem wysyła e-mail do Onetu lub do innego portalu, żeby o tym wspomnieli. Im częściej wspominają, tym szybciej rośnie popularność partii, do której polityk należy, i tym pewniejsze jest jego miejsce na przyszłej liście wyborczej. W innych zawodach jest podobnie. Żadna gazeta nie potrzebuje redaktora, o którym nawet wyszukiwarka nie wie.

– To zrób coś, żeby o tobie pisali.

– Nie wiem, co musiałbym zrobić, żeby przebić się przed newsy o kolejnych dziewczynach Piotra Adamczyka. Niby taki święty, grał papieża, a zmienia je jak rękawiczki.

– Odbij mu jedną, wszyscy o tym napiszą.

– Ja? Gdzie mi tam do aktora? Ostatnio czytałem, że rzucił jakąś miss. Albo ona go rzuciła, już nie pamiętam. Czy ja wyglądam na faceta, którego chciałaby miss?

– To spróbuj się z nią zaprzyjaźnić. Jak wpadł jej w oko jeden Piotr Adamczyk, to może wpadnie i drugi. To się nazywa prawo serii.

– Nabijasz się ze mnie.

– Co ci szkodzi spróbować? Ale by było! Wszystkie gazety by napisały, że porzucona przez Adamczyka piękność znajduje pocieszenie w ramionach drugiego Adamczyka.

Coś tupie na schodach, Magdalena mówi, że to ucieka czas. Kładzie mi rękę na kroczu i mocno ściska, po czym szybko dopija kieliszek wina i wychodzi pod pretekstem, że o rety, już kwadrans po północy. Na stoliku zostawia klucz do swojego nowego mieszkania, na wypadek gdybym z książkami na jej ścianę przyjechał, zanim wróci z pracy.

– Ten komplet będzie przez jakiś czas dla ciebie – mówi.
– U mnie nie możemy się już spotykać. Aha, mam do ciebie wielką prośbę. Skoro ze sobą sypiamy, chciałabym, żebyś zbadał swo-

ją krew i spermę. Chciałabym mieć dziecko, bez zobowiązań, ale zdrowe.

Wychodzi pośpiesznie, widzę, że nie chce, abym zdążył zadać pytanie.

Boże, co by na to powiedziała moja pani nocna. Nie spodobałoby się jej to wszystko, na pewno nie. No, ale teraz mamy przecież zupełnie inne czasy. Pani nocna, podobnie jak moja matka, całe życie mieszkała w mieszkaniu. A my? Jedno z nas mieszka w apartamencie, drugie w penthousie. To zupełnie inna rzeczywistość, chociaż metraż dokładnie ten sam.

*

Budzę się w środku nocy i przeszkadza mi to, że miejsce obok mnie jest puste, nie mogę się do tego przyzwyczaić, chociaż już nie kładę obok siebie drugiej poduszki. Naciągam kołdrę tak, by czuć ją między udami; daje mi to poczucie miękkiej i ciepłej obecności, zastępczej obecności kobiecego ciała. Staram się nie myśleć, nie zastanawiać po raz setny nad tym, dlaczego pozwoliłem odejść Marysi Jezus, nie chcę o nikim ani o niczym wspominać, pragnę tylko zasnąć z powrotem, ale z powrotem już nie chce spać ze mną.

Przez chwilę mam jeszcze nadzieję, że sen wróci, ale niepokój z jawy został już zasiany, słabnie miłe uczucie zasypiania i noc przestaje się kleić.

Nie lubię spać sam, niewygodnie mi ze sobą, gniecie mnie własne ciało, dłoń pod głową, łokieć pod brzuchem, drażnią ręce, które mimowolnie po mnie wędrują w poszukiwaniu towarzystwa. Gdy mijają gumkę bokserek jestem już całkiem rozbudzony – zamykam oczy i poddaję się im posłusznie, początkowo czuję muśnięcia, lekko łaskoczące, miłe i podczas snów oswojone, po nich przychodzi jednak pieszczota zbyt wyraźna i zdecydowana, za daleko sięgająca poza strefę samych marzeń sennych.

Zamykam oczy i wyobrażam sobie piersi, uda, włosy, twarze, szepczę imię Marysi Jezus, ale ona milczy, nie idzie do mnie z moim imieniem na ustach, nie dzwoni do drzwi, nie bierze prysznica w łazience, nie unosi lekko kołdry i nie kładzie się na mnie, a to, co czuję, nie jest ciężarem jej ciała – to ciężar jego braku, którego nie mogę z siebie zdjąć. Zasypiam dopiero nad ranem, pełen tęsknot, które w sobie rozbudziłem, niech się ze mną zdrzemną.

*

Rano sprawdzam pocztę, czytam krótki list od Miriam.

Miły mój, wiem, że myślałeś o mnie wczoraj, słyszałam, jak wypowiadasz moje imię. Ja też mówiłam do Ciebie, wyobrażałam sobie, że jesteś obok, przyznam Ci się, że dotykałam się, aż zasnęłam zaspokojona.

Miriam, jesteś tam? – wysyłam szybko. I równie szybko przychodzi automatyczna odpowiedź z serwera poczty: *Nie istnieje użytkownik o podanym adresie.*

Nie rozumiem. Jak to nie istnieje? Skoro do mnie pisze, to chyba istnieje, ty głupia maszyno!

Potem oglądam w internecie Marlenę, tę miss, która rzuciła Piotra Adamczyka. Podoba mi się, jest szczupła, bardzo zgrabna, pełna uroku, zwłaszcza gdy tak lekko odchyla głowę na bok, żeby zgarnąć z zielonych oczu kasztanowe włosy. Ładnie się uśmiecha. Przy okazji oglądam jego inne dziewczyny. Najbardziej podoba mi się najstarsza z nich, Agnieszka Wagner, aktorka. Na wielu fotosach ma naturalne włosy łonowe, zupełnie jak ta Kasia Kozaczyk, którą widziałem w filmie u Magdaleny. Biust też ma ładny. W internecie można odtworzyć filmik, na którym nim trzęsie. Ale nie popatrzę sobie, jak trzęsie, gdyż oto dzwoni Magdalena, prosząc, żebym był za godzinę w jej mieszkaniu. Mówi, że z Ikei przywiozą łóżko, a ona nie może wyjść z pracy, nawet gdyby wyszła z siebie.

*

Meblowóz już stoi pod domem, gdy przyjeżdżam tylko kilka minut spóźniony. Łóżko jest wielkie, dwuosobowe, co z jednej strony budzi moją zazdrość, a z drugiej jakby na zapas cieszy. Nie mam pojęcia, gdzie ma stać, więc proszę, żeby ustawiono je tymczasem w kącie pokoju, jak wróci właścicielka, to sami je przeparkujemy.

Pokój jest wielki, ma ponad czterdzieści metrów. Całe mieszkanie to jedno pomieszczenie z szafą wnękową i kuchnią, jeszcze bez ścianek działowych. Ich przyszłą linię znaczą dwa rzędy książek ustawionych na podłodze w kształcie litery L i trzeci rząd poprzecznie oddzielający całość od kuchni. Jedyne drzwi, poza wejściowymi, prowadzą do łazienki, w której stoi kabina prysznicowa wyposażona w dysze do masażu, saunę, radio i światła dyskotekowe, najlepiej sprzedająca się kabina w Castoramie, bo tania, rzecz jasna made in China.

Kładę się na łóżku i myślę o spotkaniu, które mnie tu czeka, wyobrażam sobie różne miłe ciągi dalsze, przy czym każdy zaczyna się w ramionach Magdaleny. Trochę się obawiam, bo widziałem na filmach pornograficznych osiągi długodystansowców i jako kochanek nie mam o sobie zbyt dobrego zdania. Oni tam potrafią przez godzinę, a ja ledwo dotrwam do kwadransa. Dochodzę za szybko, ratując się później językiem lub palcem. Podobnie było za pierwszym razem z Magdaleną; gdy się w nią wpychałem, wszystko w niej jeszcze spało lub nadal oglądało telewizję, a ja się spieszyłem w obawie, że coś może mi uciec; to działo się zbyt pospiesznie, zupełnie jakby mój pociąg płciowy też był pospieszny, a może nawet jakby był ekspresem z jedną stacją docelową. Widziałem, że była nieco zdziwiona, ale na szczęście również rozbawiona moim zniecierpliwieniem widocznym już wcześniej, pod spodniami.

Tym razem chciałbym, żeby było inaczej – niech jęczy i krzyczy, i drapie mi plecy, niech wygnie ciało w pałąk, niech złapie mnie

PIOTR ADAMCZYK

za nadgarstki i wbije w nie paznokcie, a potem niech rozrzuci ramiona, zagryzie wargi, a spod mocno zaciśniętych powiek niech jej spłyną łzy, a ja dopiero wtedy oderwę od niej usta, rozepnę pasek i zwiążę nim jej dłonie nad głową, tak jak widziała to po wielokroć na oglądanych przez siebie filmach i przełykała wtedy ślinę pęczniejącą w ustach. Pochylę się nad nią, a ona będzie patrzeć, wciąż oddychając szybko i ocierając udo o udo, jakby sama już chciała przyspieszyć to, co i tak się stanie, ale jeszcze nie teraz, nie teraz, i nie za pięć minut, lecz później; dopiero wtedy, gdy najpierw będzie wołać moje imię, a potem zacznie je zdrabniać i zdrobni je po raz kolejny, ale już cicho, ze zmęczeniem, cichuteńko; dopiero wtedy, dopiero wtedy oboje poczujemy wielką niecierpliwość, a po niej spełnienie i ulgę, jakby wylały się z nas wezbrane wodospady, a wtedy nastanie cisza dla naszych uspokajających się pocałunków, dwóch poddańczych hołdów z pieczęciami spierzchniętych ust, a ja będę leżeć bez ruchu, będę na niej leżeć jak ścięte drzewo, jak pół lasu bez korzeni, bo przeszedł po nas halny i zostaliśmy na zawsze wyrwani z ziemi. I będzie tak, jak było z Marysią Jezus.

Tylko niech w końcu jedna z nich przyjdzie, niech już nie patrzę w pustą ścieżkę za oknem, niech co kilka minut nie sprawdzam, czy nie ma jej na schodach, niech to pożądanie zejdzie ze mnie i wróci do siebie drogą, którą nieproszone nadeszło, i niech nikomu spotkanemu nie mówi, że to już może miłość, niech pozostanie na razie oczarowaniem, które tak łatwo zamienić w jednorazową ucztę, w przeciwieństwie do miłości.

Mam świadomość, że coś ze mną jest nie w porządku, może to jakaś nerwica, jestem podenerwowany i niespokojny, pocą mi się dłonie, nie potrafię spokojnie czekać. Czekanie rozciąga mnie między drzwiami a oknem, od dwóch godzin mam wrażenie, że muszę być w obu miejscach jednocześnie, bo może jak będę patrzył przez judasza, to ona akurat wysiądzie pod domem z taksówki, ale jak pójdę do okna, to może akurat będzie już na schodach. Nie mam pomysłu na przeczekanie tego czekania, które żyje już bytem samoistnym i panoszy się w całym mieszkaniu, więc wchodzę do łazienki i biorę prysznic, a tam, w pokoju, niech czekanie czeka sobie beze mnie.

Owijam się ręcznikiem, wyglądam przez okno i słyszę, że w sąsiednim pokoju chichoczą dwie młode dziewczyny, stukają puszkami piwa, wtóruje im trzeszczące radio i skrzypienie łóżka, z fragmentów zdań domyślam się, że robią sobie sesję zdjęciową, do której z pewnością ubrane są niekompletnie, a może nawet kompletnie są rozebrane.

Czekanie, niepewność, pożądanie i jakaś nieokreślona tęsknota, biorąca się jeszcze z czasów Marysi Jezus, zlewają się nagle w uczucie, nad którym nie potrafię już zapanować, z nadmiaru emocji rodzi się jedno, wspólne, dominujące napięcie, tak jak nadmiar kolorów zlewa się w jeden, mój jest teraz kolorem kobiecych ust, dziewczęcych obojczyków, ud zaniedbywanych mężatek, zimnych stóp rozwódek i pełnych piersi matek, kolorem kobiety totalnej. Maluję nim ściany pokoju, chmury, drzewa oraz słońce, chichot dziewcząt też już jest zamalowany. Dzielącą nas ścianę wypełnia olbrzymia szafa wnękowa, otwieram ją i mam ochotę wejść do środka, zamknąć za sobą drzwi i zrobić krok w ciemność, potem następny, nie natrafiając na przeszkodę z desek oraz muru, i znaleźć się między nimi, by wypełnić ich usta moimi skargami, a ich ciała moim pożądaniem, falą wezbraną zbyt wysoko, by mogła je ominąć.

Otwieram szafę i wchodzę do środka, myśląc, że jak przyłożę ucho do przepierzenia, to wychwycę każde słowo i usłyszę też złość pozostawionych w przedpokoju bucików, które nie po to tu szły, by stawiać je do kąta. Usłyszę niepokój pastelowych sweterków ściągniętych zbyt pospiesznie i dezaprobatę zrzuconych jednym gestem spodni, teraz zdradzanych podszeptami bardziej wyrozumiałych bluzek, a w końcu nawet aplauzem najbliższych ciału majtek. Usłyszę też pierwszy jęk, cichy i lekki, niby ledwie słyszalny, ale jednak wyraźnie zagłuszający powtarzane w domach dziewcząt tubalne przemówienia ojców i powracające głośnym echem zakazy matek.

Tak zastaje mnie Magdalena. Nagiego, pełnego pożądania, w otwartej szafie.

– Co robisz? – pyta zdumiona, a ja uświadamiam sobie, że drugi dzień z rzędu widzi mnie w dziwnej sytuacji.

– Przebieram się, przecież widzisz.

– Ale w co się przebierasz, skoro szafa jest pusta? W co się można przebrać w pustej szafie?

– Może właśnie w szafę się przebieram. Może właśnie szafę na siebie zakładam. To taki performance będzie, ubieram się w szafę na znak niezadowolenia, że pusta.

– Aha – po dłuższej chwili odzywa się Magdalena. – To taka alegoria konsumpcjonizmu? Krytyka społeczeństwa globalnie manipulowanego?

– No właśnie – przyznaję, podejrzewając jednak, że ze mnie żartuje.

– To sporo kobiet pójdzie w twoje ślady. Każda, gdy otwiera szafę, mówi, że nie ma co na siebie włożyć. Będą więc na znak protestu zakładać na siebie szafy. Wyobraź sobie ulice pełne kobiet w szafach. To bardzo twórczy pomysł. Genialny. I jaka moc przekazu. Właśnie za to nie mogę ci się oprzeć, Piotrusiu. Za twoje niby proste, ale za każdym razem odkrywcze widzenie świata.

– Skoro nie możesz się oprzeć, to się nie opieraj. Chodźmy, pokażę ci twoje nowe łóżko.

– Nie chcesz jeszcze popracować nad projektem z szafą? Może przymierz ją z innej strony?

– Później, teraz chciałbym wypróbować nowy projekt. Wiesz, na kobiety w szafach będą czekali mężczyźni w łóżkach.

– Będzie równie ciekawie?

– Ciekawiej. Zaraz zobaczysz. Chodź.

Idziemy.

– W kobiecie ci do twarzy – mówi potem.

– Nie rozumiem.

Śmieje się.

– Nie wychodź, tak dobrze we mnie wyglądasz.

13.
Bezpieczny seks według Magdaleny

Chcę ją pocałować, ale nie pozwala. Odwraca głowę, po czym nieoczekiwanie się przytula. Czuję jej dłonie na plecach, ale gdy znów próbuję ją całować, odkręca się na lewą stronę i tak się mną bawi z pół godziny. Czuję ją wszędzie. Od jej dotyku, muśnięć, lekkich uszczypnięć, szybkich pocałunków, których nie potrafię złapać, a chciałbym je dłużej na sobie zatrzymać, jestem już rozpalony jak piec do pizzy. Ona też, słyszę to w jej oddechu. Wciskam się biodrami między jej kolana. Ciężarem ciała napieram, a ona klnie i splata stopy. Czuję jej napięte mięśnie. Pot jest moim sprzymierzeńcem, moje biodro wślizguje się wyżej. Za nim, między jej kolana, moje kolano. Jedno, po nim drugie. Tak ją dla siebie otwieram. Nareszcie w niej płynę. Leniwie, powoli, co za wspaniały styl, dwa proste ruchy biodrami i jej ciało fantastycznie mnie unosi. Od czasu do czasu wypływam na powierzchnię, wychodzę całkiem, po czym znów składam się do wejścia w głąb, nurkuję – raz płytko, blisko, tuż przy brzegu, potem nieco dalej, w końcu niemal do samego dna, które odbija mnie miękko, znów się wynurzam i gdy mam zamiar kolejny raz wpłynąć do środka, wyrywa się nieoczekiwanie, jakby nagle dopadła ją wątpliwość, czy w ogóle mam kartę pływacką lub przynajmniej czepek.

PIOTR ADAMCZYK

A potem czuję radość. Jest mi tak dobrze, jakbym znów był z Marysią Jezus.

Jest tak jak w opowieści pani nocnej o terapii za pomocą luster, którymi leczono ból pacjentów z amputowanymi kończynami. Mój mózg też dał się w końcu oszukać. Widzę Magdalenę, a czuję chyba już to samo, co czułem do Marysi Jezus.

*

Leżę w łóżku, gapię się w sufit, tańczą po nim smugi samochodowych reflektorów.

– Chcę uprawiać bezpieczny seks, ale bez prezerwatyw. Weź się w końcu zbadaj – żąda Magdalena mało romantycznie, a lustro natychmiast pęka.

Od razu przypomniała mi się Marylka, dziewczyna z pierwszego roku studiów, która z jakiegoś smutnego powodu wiedziała, że nie może mieć dzieci. Wtedy nie przejmowała się tym wcale, bowiem twierdziła, że dzieci są jak choroba skóry przenoszona drogą płciową. Brzmiało to okrutnie, ale nie zniechęcało nas, żadnego z jej łapczywych kochanków, gdyż jawiła się naszym oczom jako jedyna na roku kobieta preferująca bezpieczny seks bez zabezpieczeń. Nasz popęd seksualny był bowiem nieograniczony, podobnie jak nasza głupota. Z drugiej zaś strony nikt z nas nie widział wtedy jeszcze żadnej ofiary AIDS, natomiast bardzo wielu widziało ofiary zapomnianych z domu prezerwatyw. Ofiary źle wyliczonych kalendarzyków oraz niekontrolowanych wytrysków. Przedwczesnych wytrysków niosących przedwczesne macierzyństwo koleżanek o rosnących brzuchach, za którymi wlekli się, świadomi końca balu, pryszczaci młodzieńcy o smutnych twarzach winowajców. Ich pokuta przerażała nas wszystkich i w jakiś absurdalny, żenująco niedojrzały sposób, podnosiła atrakcyjność Marylki.

Bezpieczny seks był dla nas seksem bez wizji dzieci. Ofiary niebezpiecznego seksu widzieliśmy w akademikach – w ciasnych pokojach pełnych kredytów, suszących się ubranek, wymówek i wrzasku, nerwowej niecierpliwości nadprogramowego rodzicielstwa. Z pewnością było tam gdzieś szczęście. Na pewno była miłość. Ale żadne uczucie – ani szczęście, ani miłość – nie suszyło się na sznurku obok ręcznie pranych śpiochów, od progu nie było go widać.

*

A z Magdą jest odwrotnie. Mówi, że chce mieć dziecko, koniecznie bez zobowiązań. Ojciec dziecka ma być przejściowy. Bezpieczny seks to dla niej pewność, że z ewentualnym ojcem wszystko jest w porządku. Dlatego powinienem się dokładnie zbadać, przy czym najbardziej interesuje ją to, czy w ogóle mogę mieć dzieci, zupełnie jakby nie chciało jej się nadwyrężać lędźwi po próżnicy. Twierdzi przy tym, że dzisiaj takie rzeczy zdarzają się częściej, niż sobie wyobrażam, chociaż ja na ten temat wyobrażeń nie mam.

Jej dwie przyjaciółki wyobrażenie miały i postąpiły tak samo. To znaczy, że pierwsza z nich znalazła sobie miłego chłopca, mądrego, przystojnego, z oczami niebieskimi jak niebo w ciepłych krajach albo nakrętka nałęczowianki.

– Mówię ci, Piotrek, oczy miał takie, że można się było, jak w wodę, wpatrywać godzinami.

Spotykała się z nim przez dwa miesiące, ta przyjaciółka. Pilnowała, żeby zdrowo jadł, a alkoholu nie pił w ogóle. Chodzili na długie spacery, a potem do łóżka, regularnie, co trzy dni, jak w poradnikach, żeby chłopiec o oczach koloru nakrętki miał jak najwięcej dojrzałych plemników.

Po siedmiu tygodniach oboje pozytywnie rozwiązali test ciążowy, niebieskooki chłopiec został pocałowany po raz ostatni i dostał na drogę butelkę wina. Przyjaciółka chciała mieć dziecko, ale bez balastu dłuższej obecności osób trzecich.

Druga przyjaciółka spotykała się tak ze swoim chłopakiem pół roku, aż już dość miała spacerów na świeżym powietrzu, zwłaszcza że skwer przy domu można było obejść w pięć minut. Do parku było za daleko. Chodzili dookoła tego skweru jak na więziennym spacerniaku. W końcu oboje znali na pamięć wszystkie pęknięcia w płytach chodnikowych, ale nic im się z nich nie ułożyło. A jak tak jakoś przez przypadek i trochę niechcący upiła się z obcym mężczyzną na dyskotece i potem dała sobie zdjąć majtki w samochodzie, to od pierwszego razu zaszła w ciążę. Porażka, bo przecież materiał genetyczny był zupełnie niesprawdzonego pochodzenia.

Teraz obie są w ciąży, pierwsza w ósmym miesiącu, druga w trzecim; będą nowoczesnymi kobietami, samodzielnie wychowującymi dzieci. Matki samodzielne, a nie samotne, jak to mówiło się kiedyś ze strachem w głosie. Kobiety stają się samotne w małżeństwach, a samodzielne są bez mężów na głowie, bez ich matek, ojców, rodzeństwa, babć i krewnych dalekich aż po horyzont. Bez awantur, bez zazdrości, bez strachu przed zdradą. Święta bez latania po sklepach, bez mycia okien, prania firan i gotowania przez trzy dni. Wakacje, gdzie dusza zapragnie. Mężczyźni, jak przyjdzie ochota. I w domu można chodzić w szlafroku albo na golasa, bez depilacji. To nie jest samotność, to jest wolność, dlatego Magdalena też tak chce.

Muszę to wszystko usłyszeć i ją zrozumieć, bo skoro tak mi było z nią dobrze, to może moglibyśmy się nadal spotykać, przez jakiś czas, na przykład przez miesiąc, z regularnością trzech dni, wychodząc często na spacer.

*

Wracam do domu trochę zawiedziony. Miało być tak jak z Marysią Jezus, z przytulaniem i słowami o miłości, chociażby dwoma. A było niemalże bez pocałunków. Właśnie. Czy ona chociaż raz pocałowała mnie w usta?

Miły mój. Smutna jestem dziś bardzo, bo Ciebie przy mnie nie ma. Wieczorem umalowałam sobie pięknie usta. Nową pomad-

ką karminową od Diora. Chciałam, żebyś miał ochotę je całować. *I wiesz, co się stało? Nagle rozdarł mnie okropny smutek, bo przeraziłam się, że ode mnie odchodzisz. Że sobie znalazłeś inną, może i nawet do mnie podobną. Może nawet myślisz, że to ja. Spójrz, spójrz na to zdjęcie w załączniku, zobaczysz na nim moje usta, nie pomyl ich z innymi. Całuję Cię nimi wszędzie, gdzie dopadnę. Miriam.*

Z niedowierzaniem patrzę na ekran laptopa. Ależ dziewczyna ma intuicję! Akurat myślałem o pocałunkach… Chcę zobaczyć ten załącznik, ale się nie otwiera.

Hej, Miriam, Twoje usta się nie otwierają. Coś nie tak z załącznikiem. – Wciskam enter, ale po sekundzie serwer poczty ponownie informuje, że adresat nieznany.

Jakaś paranoja.

*

Magda chce wiedzieć, czy w ogóle będę mógł być ojcem, a ja teraz się czuję nieswojo, może nawet trochę mi wstyd. Na szczęście kolejka do recepcji nie jest długa, przede mną tylko dwie osoby, poza tym mam nadzieję, że takie badania przeprowadza się dyskretnie. Chociaż mina mi nieco rzednie, gdy recepcjonistka pyta o dokładny adres pacjentkę, która stoi przede mną.

– Bobrza dwa przez jeden czy przez dwa? Bo mam tu niewyraźnie.

– Przez jeden.

– Telefon: sześć, pięć, sześć, cztery, dwa, zero, zero, jeden?

– Tak.

– Czy jak wynik będzie pozytywny, możemy zadzwonić z rana?

– Nie, rano będę w pracy, wolałabym po południu.

– To może zostawić wiadomość komuś z rodziny, żeby przekazał.

– Nie, wolałabym nie, poza tym jutro rano w domu nikogo nie będzie.

Nieźle, pełen zakres informacji dla włamywacza. Nie dość, że dokładny adres, to jeszcze cynk, że mieszkanie od rana będzie puste.

Teraz ja.

– Pan do kogo?

– Ja mam ubezpieczenie w Signal Iduna. Miałem się zgłosić na czternastą.

– Adres?

– Parkowa 12.

– Pana pesel?

Od pewnego czasu źle znoszę takie bezpośrednie pytania o wiek. Zwłaszcza że za mną staje w kolejce młoda dziewczyna i miło się uśmiecha. Piszę pesel na kartce i podaję przez okienko.

– Ta pierwsza cyfra to 58 czy 68? Bo niewyraźnie pan napisał…

– Liczba.

– Co liczba?

– Liczba. Nie cyfra, tylko liczba.

– Cyfra to nie jest tylko, proszę pana, taki kanał telewizyjny, a ja pytam pana o rok urodzenia.

– …ściedziesiąt osiem – syczę przez zęby.

– I pan do kogo?

– Do pani doktor Klepaczyńskiej.

– Na badanie spermy?

W kolejce za mną już trzy osoby. Doszła pani w fioletowym kapelusiku z kilkunastoletnią córeczką. Oczywiście natychmiast przestały rozmawiać i patrzą na mnie.

– Tak.

– Chwileczkę, muszę zadzwonić do ubezpieczyciela i sprawdzić, czy panu na kartę przysługuje, czy za dopłatą.

Sięga po telefon i powoli wykręca numer, a ja czuję, że koszulę mam już mokrą od potu.

– Halo, halo! – krzyczy w słuchawkę, jakby wołała przez okno.

– Mam tu pacjenta, nazywa się Piotr Adamczyk i przyszedł na badanie spermy. Czy to odpłatnie ma być, czy jest ubezpieczony?

Mam wrażenie, że słychać tę cholerną babę w całej przychodni. W każdym razie na pewno słychać ją po gabinet stomatologiczny, bo cała kolejka podnosi głowy jak na komendę i patrzy na mnie z zainteresowaniem; siedem par oczu na jednym rzędzie krzeseł, zupełnie jak siedmiogłowy smok, a ja czuję się jak dziewica wystawiona na pożarcie.

– Tak, pan Piotr Adamczyk, jak ten aktor, co grał papieża.

– …

– Nie, nie, to nie ten aktor, ale się tak samo nazywa. Piotr Adamczyk. Tak. ADAMCZYK PIOTR!

– …

– Ma ubezpieczenie, tak? A konkretnie?

– …

– Ach, tak. Dobrze, to zrobimy kompleksową analizę nasienia. I przy okazji na bakterie, tak? Beztlenowce?

– Nie, nie trzeba – wtrącam czerwony ze wstydu.

– Ale ma pan w pakiecie, można przy okazji na bakterie zrobić – surowym głosem upomina mnie recepcjonistka. – To robimy te beztlenowce, tak?

– Może same tlenowce wystarczą – negocjuję słabym głosem.

Stojąca za mną dziewczyna słucha tej wymiany zdań z powagą, więc próbuję to jakoś obrócić w żart.

– Wie pani, jak słyszę o beztlenowcach, to się empatycznie duszę.

Ale ona nadal jest poważna, a ja czuję się jak kretyn. W dodatku kretyn roznoszący bakterie drogą płciową.

Recepcjonistka bierze jakąś instrukcję obsługi i czyta: „Ze względu na to, że intensywne życie płciowe lub samogwałty (masturbacje) mogą prowadzić do okresowego obniżenia ilości dojrzałych plemników w nasieniu, zaleca się wstrzemięźliwość płciową na 3–5 dni przed badaniem. Jeśli w dniu badania jest pobierana krew w celu wykonania innych badań, nasienie należy zawsze oddać po pobraniu krwi".

Ona na pewno chce mnie doprowadzić do samobójstwa.

– Czy ubezpieczyciel uprzedzał pana o wstrzemięźliwości? – pyta, a w jej głosie słyszę prawdziwe zainteresowanie pacjentem.

– Tak…

W przychodni cisza. Nie ma ani jednej osoby, która by na mnie nie patrzyła. We wzroku stojącej za mną dziewczyny dostrzegam litość. Matka nastolatki udaje obojętność, jej córka obgryza paznokcie i dostaje wypieków na twarzy.

– Czy będzie pan też badać dzisiaj krew? – dopytuje recepcjonistka, łypiąc na mnie spod okularów o szkłach grubych jak denka słoików.

– Nie, nie trzeba – szepczę, przekonany, że właśnie wydałem ostatnie tchnienie.

Ale nie doceniam naszej służby zdrowia. Oprawca w białym kitlu poprawia okulary i czyta dalej:

„Wytrysk niezbędnego do badania nasienia uzyskuje się poprzez samogwałt (ręczne drażnienie zewnętrznych narządów płciowych, w wyniku którego dochodzi do wytrysku). Należy uprzednio starannie umyć prącie wodą z mydłem. Nasienie (ejakulat) do badania musi pochodzić z jednego wytrysku (pierwszego!) po 3–5-dniach wstrzemięźliwości płciowej. Oddaje się je bezpośrednio przed badaniem do czystego, suchego i jałowego szklanego naczynia (otrzymanego z laboratorium, gdzie wykonywana jest analiza nasienia). Naczynie, przed uzyskaniem nasienia, powinno być ogrzane do temperatury ciała człowieka, tj. 36,6°C (np. w dłoniach). Ważne jest, aby do naczynia pobrać całą objętość nasienia i natychmiast dostarczyć do laboratorium. W sytuacjach wyjątkowych dopuszcza się możliwość uzyskania nasienia po odbyciu z partnerką stosunku płciowego przerywanego. Nie zaleca się pobierania nasienia z prezerwatywy ze względu na substancje chemiczne działające plemnikobójczo. W przypadku spornego ojcostwa nasienie oddawane jest w laboratorium pod kontrolą biegłego sądowego".

Recepcjonistka podsuwa jakąś karteczkę.

– Pan tu podpisze, że przeczytałam i że się zapoznał, żeby mi potem reklamacji nie było.

Cisza jest już taka, że boję się oddychać. Boję się, że jak będę oddychał, to wszyscy usłyszą moje pospieszne tętno. Pewnie już teraz słychać, jak wali w moich skroniach i echem odbija się od ścian korytarzy.

– Czy wyniki będą stanowić dowód w sprawie o ustalenie ojcostwa? – pyta lodowatym głosem recepcjonistka, a ja już czuję, jak ława przysięgłych pod gabinetem stomatologa wydaje wyrok skazujący.

Matka nastolatki patrzy na mnie z chęcią mordu w oczach. Nastolatka z wyrzutem, zupełnie jakbym to jej się wypierał.

– Nie, proszę pani – niemal już łkam do recepcjonistki, pewien, że właśnie popełniłem błąd, bo przecież powinienem do niej mówić „wysoki sądzie". – To nie są badania o ustalenie ojcostwa, tylko o to, czy w ogóle mogę być ojcem. Lekarz mówił, że chodzi głównie o zbadanie żywotności plemników.

Słyszę, jak wielkie kamienie winy z łoskotem wypadają na podłogę z rąk gotowej do ukamienowania mnie kolejki. A więc może jakoś przeżyję!

– To dobrze! – Recepcjonistka wydaje wyrok w zawieszeniu. – Bo inaczej trzeba byłoby umawiać biegłego, a tak zrobi sobie pan to intymnie, w pokoju numer dwadzieścia pięć.

Intymnie, to bardzo trafne słowo. Na całym piętrze nie ma ani jednej osoby, która by nie wiedziała, jak się nazywam, ile mam lat, gdzie mieszkam. Na całym piętrze nie ma ani jednej osoby, która by nie wiedziała, że zaraz udam się do pokoju numer dwadzieścia pięć i wyposażony w jałowe naczynie oddam się aktowi masturbacji. Oczywiście po uprzednim ogrzaniu jałowego naczynia w dłoniach.

Ze wzrokiem wbitym w podłogę idę do laboratorium. Czuję na swoich plecach wzrok kilkunastu par oczu. Wiem, że gdy zamykam za sobą drzwi, oczy wyobraźni tych kilkunastu osób nadal są przy mnie. Obserwują każdy mój ruch, bo przecież jakie to dziwne i niespotykane, gdy w zwykłej kolejce do lekarza trafi się nagle pacjent, który przyszedł tu po to, żeby wytrzepać sobie konia. Ciekawe, jak mu to pójdzie? Czy tak od razu będzie miał erekcję? Czy może raczej wyciągnie z kieszeni jakieś pisemko porno? Tak, on chyba rzeczywiście miał ze sobą jakąś gazetę i nie była to „Rzeczpospolita". A jak mu się nie uda? To wróci z partnerką? I będą tam, jak głosił instruktaż z recepcji, robić to, co aż wstyd powiedzieć przy dzieciach? O rety, ale jakże to tak? Tylu tu ludzi za drzwiami, jedni chorzy, drudzy już tylko do kontroli, jedni z grypą, inni do leczenia zębów, tamten pan w rogu z zaćmą, a tamta pani z rwą kulszową, każdy z jakimś cierpieniem refundowanym przez Narodowy Fundusz Zdrowia, a tylko jeden człowiek, tylko ja, jestem tu po to, żeby za publiczne pieniądze zrobić sobie ręką dobrze, a jak się nie uda, to wrócę tu z partnerką i tuż obok gabinetu dentystycznego będziemy odbywać stosunek przerywany. Czy to tak wypada? I czy w ogóle można? To przecież wyraźnie sprzeczne z nauką Kościoła katolickiego. Nie tylko masturbacja jest religijnie zabroniona, wytrysk poza partnerkę chyba jeszcze bardziej. Grzech, grzech w miejscu publicznym, w społecznym ośrodku zdrowia, a przecież nad recepcją wisi krzyż!

I jakże ja mam teraz wyjść z tego pokoju dwadzieścia pięć, jak to miejsce opuścić bez wyrzutów sumienia, wstydu i niepokoju, jak przejść między rzędami krzeseł z kroczem na wysokości udręczonych moim grzechem oczu?

Naciskam klamkę delikatnie i bardzo powoli, trwa to chyba kilkanaście sekund, bo mam nadzieję, że się wymknę niepostrzeżenie, jak będę się ruszał wolno, to nikt mnie nie dostrzeże, więc otwieram drzwi najciszej, jak mogę, i krok po kroku skradam się w kierunku wyjścia, gdy nagle słyszę za sobą goniący mnie z recepcji okrzyk.

– Nie zgasił pan za sobą światła!

Tego już dość. Widzę przed sobą drzwi z napisem „Kierownik przychodni". Wpadam bez pukania i siedzącej za biurkiem kobiecie skarżę się niemal do bezdechu na tę całą publiczną torturę. Kobieta kiwa głową ze zrozumieniem, po czym bierze mnie pod rękę i prowadzi do recepcji.

– Pani Irenko – zwraca się łagodnym głosem – tyle razy prosiłam panią, żeby dyskretnie pacjentów załatwiać.

– A wie pani doktór, co? – unosi się recepcjonistka. – Wie pani, co ten pan zrobił w pokoju dwadzieścia pięć? Ten pan za sobą światła nie zgasił!

14.
Dziewczyna, która mówi „Ach!"

Magdalena pochylona nad jakimś czasopismem dla kobiet.

– Wiesz, rozwiązałam taki test i wyszło mi, że mam typowo męski mózg.

– Co masz?

– Męski mózg.

– Dobrze, że nie nogi.

Rzuca we mnie czasopismem. Wstaje z łóżka i podchodzi do okna powoli, żebym mógł dokładnie przyjrzeć się jej nogom. Jeśli już ma mieć coś męskiego, to z dwojga złego wolę, żeby rzeczywiście to był mózg. Nóg byłoby szkoda – na takich nogach w marzeniach mężczyzn zachodzi się daleko. Niby takie zwykłe nogi: stopy, kostki, łydki, kolana i uda. Taki ortopedyczny zestaw do przenoszenia człowieka. Ale jak na nie patrzę, to aż sucho w gardle się robi. I jeszcze ta półkulista krągłość rysująca się z tyłu... Niby taka zwykła, a tak bardzo chcę jej dotknąć, zacisnąć na niej dłonie, może dać lekkiego klapsa, a może wtulić twarz. Kobiece ciało jest zniewalające. Umysł też, oczywiście. Zwłaszcza gdy potrafi tak uroczo kręcić podległymi mu biodrami.

– Ach, jak powiem w pracy, że sypiam z samym Piotrem Adamczykiem, to dziewczyny będą mi zazdrościć.

– Drażnisz się ze mną?

– Nie drażnię, żartowałam przecież. Chyba nie jesteś przewrażliwiony?

– Ciekaw jestem, co byś mówiła, gdybyś w dowodzie miała napisane: Katarzyna Figura.

– Z moim biustem? To ty jednak bardziej jesteś do niego podobny niż ja do niej.

– Nie mów mi o nim. I tak wszędzie mnie prześladuje.

– Przesadzasz.

– Nie przesadzam. W sklepie, jak płacę kartą kredytową, kasjerki się uśmiechają, pytając, czy to może rodzina. Jak przez telefon rezerwuję miejsce w hotelu, głosy recepcjonistek stają się natychmiast słodsze i nawet jak nie ma miejsc, to dla mnie zawsze się jakieś znajduje.

– Ach, to chyba nie jest powód do narzekań.

– Niby nie, ale jak już przyjeżdżam, to rozczarowanie w ich oczach jest dla mnie dość przykre. Poza tym wszyscy mnie zapamiętują. W sklepach, w banku, w urzędach, na poczcie. „O, to jest ten, który tak samo się nazywa". Ostatnio strażniczka straży miejskiej wypisała mi mandat za złe parkowanie. Próbowałem coś tłumaczyć, a ona na to: „Panie Piotrze Adamczyku, ja pana doskonale pamiętam, bo się pan nazywa jak ten aktor, co grał papieża Jana Pawła II, trzeci raz pana zatrzymuję, pan regularnie źle tu parkuje". Wiesz, jak to głupio stracić bezpieczną anonimowość i nie zyskać przy tym ochronnej sympatii, która wynika ze sławy?

– To zdobądź sławę. Nie pozostaje ci nic innego. Chciałabym, żebyś był sławny. Ach.

Magdalena schyla się i poprawia książki na podłodze. Wyrównuje grzbiety, przestawia, zamienia miejscami. Jak dobrze jest na nią patrzeć. Zgrabniejsza od siostry, trochę od niej młodsza. I nie sądzę, żeby była tylko lustrem, które odbija Marysię Jezus. Chociaż o tamtej nie mogę przestać myśleć. Szkoda, że w tym domu, gdzie mieszkałem, zamiast niej była siostra Magdaleny.

– Magda, a czym się zajmuje twoja siostra?

Podnosi się, zagryza usta, patrzy na mnie ze smutkiem.

– Nie masz o niczym pojęcia, nie osądzaj jej.

– Nie osądzam, pytałem tylko, co robi.

– Mariola przede wszystkim nie wychodzi z domu. Nie może, nie potrafi. Nie wyszła z domu, odkąd skończyła pięć lat. Ma taką blokadę emocjonalną, boi się.

– Wiem, to się jakoś nazywa… To agorafobia.

– Czytałam gdzieś, że agorafobia to głęboka nienawiść do Adama Michnika.

– Nie. To też taka przypadłość, strach przed wyjściem z domu na otwartą przestrzeń. Czytałem kiedyś o tym.

– Wiem, mój drogi, co to jest agorafobia. Ale przypadłość mojej siostry nazywa się zupełnie inaczej.

– Jak?

– Matka. Toksyczna matka. Tak się nazywa choroba mojej siostry. Zatruła ją strachem przed wszystkimi, byleby mieć ją na zawsze przy sobie.

Matka rozeszła się z ojcem, gdy Mariola miała pięć lat. Podejrzewała, że ojciec dobierał się do dzieci – do Magdy i do Marioli. Ale to nie była prawda. Miał jakąś kochankę na boku, nie żył z matką, więc ona sobie to tak tłumaczyła. Ojciec się wyprowadził, ale zamieszkał w pobliżu. Raz matka zobaczyła, jak na podwórku trzyma dłoń na kolanie Marioli. Nie było w tym nic z tego, o czym myślała, ale wpadła w szał. Doniosła na policję, a Marioli zabroniła wychodzić z domu.

Zaczęła opowiadać jej okropne historie. O tym, że wszyscy chcą jej zrobić krzywdę, że małe dziewczynki są porywane na ulicach i że na zewnątrz pełno jest bakterii, od których Mariola umrze, bo cierpi na niespotykaną chorobę i nikt jej nie może pomóc. Uwiązała ją swoimi słowami jak łańcuchem do kaloryfera. Mariola ze strachu nie wychodziła z domu.

Z biegiem lat przyzwyczaiła się do tego; uznała, że to normalne, ludzie mają różne defekty, a ona po prostu nie może wyjść na ulicę. Zresztą nie miała takiej potrzeby. Szkoły skończyła eksternistycznie, uczyła się z matką, a jak było trzeba, przychodzili do niej egzaminatorzy, bo przecież ma zaświadczenie lekarskie o niezdolności opuszczenia domu.

Po śmierci matki wielokrotnie próbowała wyjść, ale za każdym razem, gdy tylko zeszła z ostatniego schodka, gdy postawiła nogę na chodniku, świat zaczynał się kręcić, jakby ktoś uruchomił gigantyczną karuzelę, drzewa wymachiwały złowrogo konarami, domy łypały groźnie spod otwartych powiek, a Mariola mdlała.

– Ale przecież są jakieś terapie! – mówię.

– Są, próbowaliśmy wszystkiego. Nie mogą być skuteczne, bo Marioli dobrze jest w nierealu, który sobie stworzyła. Ma własny, internetowy świat, ludzie nie są jej potrzebni. Ma w sieci przyjaciół, prowadzi kilka blogów. Próbowałam odłączyć ją od internetu, ale wtedy jest jeszcze gorzej. Za każdym razem wymyśla coś w zamian. Ostatnio, wtedy, gdy spotkałam cię u niej, zaczęła sobie tworzyć nowy świat i dała przez telefon to ogłoszenie do gazety, po którym ty przyszedłeś.

– Głupio mi teraz.

– Ach.

Dlaczego ona mówi: „ach”? Nigdy dotąd nie spotkałem kobiety, która by mówiła „ach”. Owszem, w literaturze, ale nie w życiu. I co takiego jest w tym małym słówku, że gdy je wypowiada, to ogarnia mnie tkliwość, rozrzewnienie? Zupełnie jakbym słyszał, że Magdalena po cichu wzdycha.

– Potrzebowałem wtedy czyjegoś ciepła.

– Ach.

Tak, zupełnie jakby wzdychała. Czasami ze smutkiem, czasami ze wzruszeniem, niekiedy ze złością. Ale zawsze w tym małym słówku jest uczucie. Silny, skondensowany ładunek uczucia. Kiedy wypowiada takie słowa, jak „miłość", „nienawiść" lub „pożądanie", wiem, że oznaczają one uczucia, ale ich nie czuję. Kiedy jednak mówi to swoje „ach", miękną mi kolana.

– No wiesz, chciałem się przytulić do kobiety…

– Ach.

Zupełnie jakbym był trafiony tym małym słowem w splot słoneczny.

– Wiesz, ze mną jest tak, że jakaś potworna tęsknota mnie zżera…

– Ach, ach.

Trafiony podwójnie.

– Dlaczego mi nie wierzysz?

– Bo każdy tęskni. Ale ty próbujesz tłumaczyć tym swoją głupotę. Phi.

A teraz to „phi". Lekceważące, ale w jakiś sposób słodkie. Dziewczęce takie. Jakbym słyszał małą dziewczynkę, tamtą moją Marysię Jezus, ona też tak mówiła. „Phi, możesz sobie pójść. Wcale nie jesteś taki mądry, phi!"

Nie wiem, może Magdalena ma rację. Może rzeczywiście nadal tęsknię za Marysią, a nie chcę się do tego przed sobą przyznać. Rozglądam się za innymi kobietami, w każdej szukając tamtej nastolatki o drobnych piersiach. Może dlatego wybieram te, które mi ją przypominają. O chłopięcych biodrach i jasnej skórze, wręcz bladej, rudowłose i piegowate. Szukam jej i siebie sprzed kilkunastu lat.

Czy szukam jej też w Magdalenie? Ma podobną budowę ciała, ten sam kolor oczu, czasami zielony, czasami jakby niebieski. Piegi po dekolt. Nieco za bardzo zadarty nos. Pełne słodyczy wargi, zawsze trochę popękane, jakby oblizywała się na wietrze o owocowych smakach.

*

Wraca do poprawiania książek na podłodze. Znowu wyrównuje grzbiety, przestawia, zamienia miejscami. Papierowe ściany sięgają kolan, dół jest stabilny, mocno zespolony z podłożem. Magdalena używa do klejenia mieszaniny bezbarwnego silikonu, szkła wodnego i lakieru, ostatnia warstwa książek wciąż jest nieprzyklejona, jak rząd cegieł cierpiących na paraliż decyzyjny. Siada na tej książkowej ścianie, bierze jedną z nich, wertuje:

– To „Poemat o czasie zastygłym" Czesława Miłosza, patrz, jak paradoksalnie dobrze będzie tu pasował.

Kilkadziesiąt sztuk odkupiła za grosze od marketu. Ktoś z nowych pracowników je zamówił, chcąc uczcić rocznicę śmierci poety, ale nie wiedział, że w hipermarketach wiersze się nie sprzedają. Nawet po obniżonej cenie. Kilka wystawiła na Allegro, ktoś kupił jedną, ktoś drugą, po czym zainteresowanie zastygło jak czas z poematu.

Książki są ułożone według dwóch prostych zasad. Ściany muszą być równe, a więc i format książek musi się zgadzać. Jedną dużą cegłę mogą zastąpić dwie małe, tak jak dwie ryzy papieru A2 mogą zastąpić ryzę A1. Większych ani mniejszych książek Magdalena nie kupuje. Poza tym ściany w sypialni muszą być zbliżone do siebie klimatem. Romanse i melodramaty mają tworzyć ścianę wzdłuż łóżka, a poezje i klasyka tę poprzeczną, u wezgłowia. Ściany przedpokoju to książki o podróżach, głównie reportaże. Na samym dole, do wysokości kota, którego Magdalena wkrótce kupi, trochę albumów o ptakach.

Dopiero teraz wyznaje, że to mieszkanie dla jej siostry, kupione ze spadku po rodzicach i specjalnie dla Marioli przygotowywane. Ściany z książek mają znaczenie terapeutyczne.

Była z siostrą u psychoterapeuty, opowiedziały o dzieciństwie, bo tak sobie zażyczył. Terapeuci zawsze każą opowiadać o dzieciństwie, a nawet o tym, czy matka karmiła piersią, chociaż pacjent tego nigdy nie pamięta.

Okazało się, że to było pierwsze wielkie marzenie Marioli, które może ją wyzwolić z choroby: mieszkać w domu kojarzonym z dzieciństwem, w domu zbudowanym z książek, do którego bezpiecznie, jak między kartki książki, można zawsze wracać.

*

Pradziadek Marioli był profesorem, wykładał przed wojną na uniwersytecie we Wrocławiu. Na jego zajęcia przychodził Asnyk, później także Kasprowicz. „Nie po przedmiotach ich poznacie, ale po książkach", mawiał pradziadek. Wspomnienia po bliskich zawsze są pełne sentencji.

W domu było mnóstwo książek, we wszystkich pokojach sięgały sufitu. Wielkie, ciężkie, grube, pachnące skórą, błyszczące złotem tłoczonych tytułów. Mariola lubiła wertować ich kartki, oglądać stronice pełne zdumiewających ilustracji. Wśród książek mała dziewczynka czuła się jak w krainie baśni. Wszystkie światy stały równo poukładane na półkach, wystarczyło wyciągnąć rękę i otworzyć dowolny z nich.

W świecie legend pełno było potworów o wielu głowach, w świecie zwierząt zastygły ręcznie malowane motyle, a w świecie podróży bohaterowie wyruszali starymi lokomotywami po pierwsze przygody. Najbardziej niesamowity był świat wnętrza człowieka, wielki atlas anatomiczny z pergaminowymi wklejkami. Jedne półprzezroczyste karty nakładały się na drugie tak, że przewracając je, można było najpierw ściągnąć z człowieka skórę, potem ścięgna i mięśnie, później zwinąć tętnice i pozostałe żyły układu krwionośnego, aż w końcu oczom ukazywał się przeraźliwy szkielet.

„Jak będę duża, zbuduję sobie z takich książek dom", mawiała mała Mariola. Nie wiedziała jeszcze, że gdy będzie już duża, książki staną się zbędne nawet na uniwersytetach, zastąpione przez tanie ksero skryptów, e-booki, a przede wszystkim przez internet z wyszukiwarkami dostępnymi w każdym telefonie komórkowym. Wielka tęsknota w niej została, tęsknota za obecnością książki. Praktycznego powodu do ich kupowania jednak już nie było. Tym bardziej, że książki przestały być światami zamkniętymi w okładkach. Tam były tylko litery. Litery układały się w różne historie, niekiedy piękne, ale – co Mariola zrozumiała dość szybko – zazwyczaj bałamutne. I tak racjonalizm zawarł w niej kompromis z marzeniami. Nie musi być domu, wystarczy kilka ścian na wspomnienie dzieciństwa. Na przykład taki „Atlas motyli" ze ściany w przedpokoju…

*

Było upalne lato, Mariola miała osiem lat. Ojciec robił porządki w ogrodzie, wycinał krzewy zdziczałe z powodu braku obecności ogrodnika. Wyganiał krzaki, które przyszły z nieproszoną wizytą i rozbiegły się wzdłuż alejek, nie wiadomo, przez kogo wpuszczone, wyrzucał rośliny zeschnięte z tęsknoty za szmerem zraszaczy, od jesieni zepsutych. W stercie gałązek i poprzycinanych łodyg dziewczynka znalazła dziesiątki motylich gąsienic – niektóre zjadały jeszcze resztki skorupek po jajach. „To dziwne", pomyślała, „motyle jedzą swoje pierwsze domy; to tak, jakbym ja miała zjeść swój różowy pokoik na piętrze". Inne szły już dalszą drogą i przemieniały się z gąsienic w poczwarki, trzymając liście budlei i heliotropów lepkimi nitkami.

„Biedne motyle", zmartwiła się Mariola, „to pewnie paziowie królowej, bo gąsieniczki mają paski czarne, zielone i żółte – takie barwy dworskich mundurów – żadna z nich nie zdąży być piękna, żaden z paziów nie stawi się do służby i nie doczeka lata, bo jak ścięte gałęzie podeschną, to tata wrzuci je do ogniska i spłoną z nimi jak ćmy, ich nocne siostry, straceńczo zakochane w ogniu, a królowa zostanie sama".

„Ciekawe", zastanawiała się dziewczynka, „jaka jest ta owadzia pani, dla której trzeba tak wiele służby; co roku tyle jest tu paziów królowej, a nigdy nie widziałam królowej paziów. Chciałabym ją chociaż raz zobaczyć", westchnęła, „może przyfrunie, jeśli uratuję jej dwór". Pozbierała wszystkie liście i łodygi z przyklejonymi poczwarkami i zaniosła do pokoiku na strychu. Było tam sucho, ciepło i bezpiecznie, małym okienkiem podglądało słońce, doglądając dyskretnie motylich dzieci.

Nazajutrz, o świcie, spadł deszcz, a potem dzień był pochmurny, z sobie wiadomego powodu, i aż do wieczora się nie rozpogodził.

Następny dzień był w zupełnie innym nastroju, tak jakby wyżalił się przez noc i już mu przeszło, nie wiadomo konkretnie co.

Mariola weszła do pokoiku na strychu i zobaczyła mnóstwo drobnych motyli, o skrzydłach krótkich i zmiętych, tak jakby nie mogły się rozwinąć, bo może na poddaszu było im za ciasno albo za ciemno. Nie wiedziała, że teraz takie powinny być, trochę jak pergamin z muślinem, zwinięte razem w małe zwoje. Zaraz się kolorowy muślin rozwinie na sztywnej, chociaż kruchej konstrukcji pergaminu, jak na blejtramie, i kolory namalują się same.

Wzięła najmiększą ze zmiotek, żeby nie uszkodzić dłońmi, i zgarnęła motyle na blachę ze starego piekarnika, akurat była pod ręką. Wyniosła na zewnątrz, gdzie ich skrzydła miały się w słońcu rozwinąć, i poszła do szkoły, która zastawiała na nią kolejne zasadzki z matematyki.

Omijała je dzielnie, gdy tymczasem w ogrodzie słońce najpierw wspięło się nad płotem, znacząc na trawie jego długie cienie, w których motyle trwały nieruchomo, jeszcze we śnie lub w porannym zdziwieniu, potem przeskoczyło przez sztachety i doszło do koron drzew, skąd łagodnym ciepłem sączyło siłę motylom, budząc je nie tylko do dnia, lecz także do życia, które gotowe było na ich przyjęcie łąką pełną kwitnących kwiatów.

Jednak rozochocone swoją misją słońce, rozgrzane od dobrych uczynków, sięgnęło czubków najwyższych drzew i raptem zwaliło się na drugą stronę, zalewając całą łąkę czystym gorącem, jakby o ziemię się rozbiło.

Oślepione motyle, niespodziewanie pozbawione spłoszonego cienia, zatrzepotały w popłochu, próbując ucieczki, ale ich skrzydła, pergamin z muślinem, zwinięte razem w małe zwoje, wchłonęły już za dużo słońca, kolorowy muślin wysechł i już się nie rozwinie na sztywnej i kruchej konstrukcji pergaminu, jak na blejtramie, i kolory nie namalują się same ani też nie zostaną namalowane już przez nikogo.

Nagła panika i dramat na jasno oświetlonej łące, bezgłośny lament muślinu zwabiły ptaki, które przez chwilę przyglądały się pieszym ucieczkom w różnych kierunkach, po czym leniwie, bo w taki upał nie trzeba się spieszyć, opadły z wyprostowanymi skrzydłami, uderzając nimi tylko dwa lub trzy razy, tuż nad ziemią, by wyhamować lot przed smacznym kęsem.

Mariola wróciła do domu szczęśliwa, bo chociaż zasadzki z matematyki były bardzo trudne, to w żadną nie wpadła, nawet wtedy, gdy przez moment słońce tak mocno świeciło, że z gorąca chciały się roztopić dobre odpowiedzi.

Zobaczyła, że na łące nie ma motyli.

„Ojej, odleciały już, uratowałam je", pomyślała z radością. „Uratowałam tyle motyli. Moi śliczni i dzielni paziowie królowej, jaka jestem z was dumna".

Jej ojciec wszystko widział, ale nic nie powiedział. Zresztą co miał mówić. O tym, że królowa paziów, najpiękniejszy motyl świata, właśnie zawisła nad nimi, nie wiedział.

Widziały go tylko obie dziewczynki, a jedna z nich powiedziała: „Ach".

15.
Dalekomorski narzeczony

Od miesiąca przyglądam się Marlenie, tamtej miss, byłej dziewczynie Piotra Adamczyka. Nie wiem jakim cudem, ale jej zdjęć nie ma w internecie, tak jakby ktoś je wykasował lub przeniósł do archiwum, gdzie leżą na dnie jak zatopione okręty z wciąż pełnymi żaglami. Przyglądam się jej, patrząc, co kupuje – „po przedmiotach ich poznacie". Gdy anonimowo się za nie płaci, mówią o nas na pewno nie wszystko, ale z pewnością wiele.

Na przykład ten pierwszy, który kupiła na Allegro, wygrywając ze mną podczas licytacji – przedwojenna pocztówka z Wrocławia, zdjęcie młodej pary, która pustą ulicą biegnie z wyciągniętymi rękami. Po co komu taka pocztówka, przedarta na pół, sklejona przeźroczystą taśmą i wystawiona na sprzedaż za 2 złote, a absurdalnie kupiona za 150, po co komu taki stary ślad donikąd, po co komuś, kto nie tęskni, nie czuje braku, nie marzy, że miłość jeszcze może mu się trafić?

Od tego zdjęcia się zaczęło. Od czasu tego zdjęcia zaglądam do jej koszyka codziennie, patrzę, co kupuje, co sprzedaje, znam już jej upodobania, gust; wiem, czego potrzebuje na co dzień i co planuje na przyszłość; znam rozmiar jej butów, spodni i stanika; wiem, jaki wkrótce będzie mieć kolor włosów, bo kupuje szampony koloryzujące na kasztanowo lub rudo, tak jak lubię; wiem, jakim dezodorantem pachnie i jakich używa perfum. Wiem, co czyta, co przeczytała i co zamówiła, bo chciała przeczytać, ale jej się nie spodobało po kilku stronach – wtedy, po paru dniach, książki te wystawia na sprzedaż jako nieużywane; ostatnio kupuję je od niej i patrzę, co ją w nich rozczarowuje, i nawet to już wiem – nie lubi lektury dosłownej, naturalistycznej, pozbawionej chociażby szczypty poezji i magii, poza tym chłonie literaturę jak gąbka, nie ma tygodnia, żeby nie kupiła kilku książek, a wtedy i ja takie same kupuję. Chcę poznać jej myśli, chcę czuć to samo, co ona czuje, chcę poznać Marlenę, dziewczynę, w której tamten Piotr Adamczyk kiedyś się zakochał.

*

Dziś zamówiła szkła kontaktowe minus dwa i pół, barwiące tęczówki na brązowo, więc musi mieć niebieskie lub zielone oczy, inaczej barwy nie byłoby widać. Kupiła też czerwoną sukienkę, rozmiar 36, lekką i zwiewną, w przetykane złotą nitką kwiaty, tak jakby tą wiosną przebierała się już za pełne lato i tym sprawiała komuś przyjemność. Chciałbym wiedzieć komu, ale w jej zakupach nie ma nigdy nic dla mężczyzny, tak jakby żyła i mieszkała sama, co trochę mnie dziwi.

Musi być atrakcyjna; po ubraniach, które kupuje, domyślam się, jakiej jest figury, ma przytulne piersi, 70C, kształtne, bo przecież dość ciężkie, a zazwyczaj chodzi bez stanika, skoro często dokupuje tylko majtki do wystawianych na sprzedaż kompletów, głównie Victoria's Secret, tak jak Marysia Jezus. I tak jak Magdalena. Jest przy tym szczuplejsza od niej, a nieco wyższa ode mnie, bo zamówiła bryczesy 28/36, a ja mam 30/32.

Kilka dni temu sprzedawała portret; ma na nim twarz, którą każdy mężczyzna chciałby trzymać w dłoniach i z bliska jej się przyglądać. Wystawiła go na Allegro za 150 złotych; jako że malarz niespecjalnie znany, kupiłem za 151, bo nikt nie licytował. Jest na nim upozowana na anioła, który ma dżinsy, okulary i krótką grzywkę; anioł w dżinsach krótkowidzący, a ja z listy jego zakupów wiem, co nosi pod spodem.

Codziennie opowiadam Magdalenie o nowych odkryciach, o tym, jak poznaję dziewczynę z Allegro, śledząc jej ruchy w internecie. Wiemy już o niej także to, że często odwiedza czaty erotyczne i że robi zakupy w sex shopie; wystarczy jej adresy mailowe wpisać do wyszukiwarki, by się dowiedzieć, o czym rozmawia na forach.

*

Magdalena namawia mnie, żebym poznał bliżej dziewczynę Adamczyka, i wraca do tego tak często, że czasami mam wrażenie, że kieruje nią większy apetyt niż mój, gdy mówi, że nigdy jeszcze nie kochała się z kobietą, a ja ten jej szczery żal przyjmuję ze zrozumieniem.

Coraz wyraźniej widzę, że Magda potrzebuje nowych doznań, seks ze mną zaczyna ją nudzić. Mówi, że jest monotonny i przewidywalny w sposób zbyt oczywisty, jak jesień po lecie – pocałunki, ssanie, lizanie i penetracja, żadnych niespodzianek ani zmian w klimacie; już wiosną czuje, że zaraz przyjdzie zima i wszystko zamarznie, nie będzie piątej pory roku, nic poza pocałunkami, ssaniem, lizaniem i wpychaniem członka już się nie zdarzy; nie wyzywam jej od suk, nie stymuluję zielonym ogórkiem, jak to robił jej narzeczony, ani nawet nie duszę, a przecież poduszenie zwielokrotnia orgazm, powinienem wiedzieć.

– Ależ Magdaleno – próbuję się bronić – mogę ci mówić, że jesteś suką, mogę ci to wykrzyczeć lub wysyczeć, napiszę ci to nawet sprayem na samochodzie, mogę cię bić po pośladkach, brać od tyłu, wykorzystując cały zestaw twardych warzyw, jeśli tylko masz na to ochotę, żaden problem, w końcu warzywniak mamy pod domem. I o co ci właściwie chodzi, bo już nie rozumiem?

– Wszystko sprowadzasz do zwykłej kłótni, nie rozumiesz natury kobiet – złości się – nic nie wiesz, a udajesz, że pozjadałeś wszystkie rozumy. Masz od tego monstrualną zgagę, intelektualną nadkwaśność; idź, weź sobie ranigast, może pomoże ci na twoje ego, bo przecież nie na głowę.

Przygryzam wargi. Rety, przecież my się kłócimy jak stare małżeństwo, a sypiamy ze sobą dopiero od kilku miesięcy. Mieliśmy miło wymieniać płyny ustrojowe, nie zaś twarde słowa, od których nasz wspólny ustrój ginie.

– Patrz, to markiz de Sade, pisarz i filozof francuski. – Pokazuje książkę, której nie zdążyła jeszcze wmurować w ścianę sypialni. – Posłuchaj, co pisze.

Czyta powoli, nienaturalnie długo zatrzymując się na wszystkich znakach przestankowych, jakby nierozumnemu uczniowi dyktowała zadanie z podręcznika.

„Tobie tylko, moja droga – rzekł Roland – mogę zaufać w sprawie, o którą chodzi. Jakkolwiek hojnie obdarzył mnie los, mogę przecież stracić wszystko w jednej chwili; mogą mnie wytropić, pojmać, a jeśli nieszczęście takie mi się przytrafi, czeka mnie stryczek. Przekonany jestem wprawdzie, że ta śmierć jest nieskończenie słodka; ponieważ jednak kobiety, którym kazałem odczuć trwogę, jaką wywołuje jej symulacja, nie były ze mną nigdy szczere, pragnę to sprawdzić osobiście. Chcę się dowiedzieć, polegając na własnym doświadczeniu, czy faktycznie ów ucisk wywołuje u tego, kto go doznaje, ejakulację. Raz przekonany, że ta śmierć jest tylko rozrywką, odważniej stawię jej czoła; to wszakże nie przerwanie mego żywota mnie przeraża; w tej sprawie myślę trzeźwo; pewien, że materia może się przekształcić tylko w materię, nie boję się piekła ani nie spodziewam raju; wiem coś jednak o udrękach z okrucieństwem zadawanej śmierci; dlatego też, jak wszyscy lubieżnicy, boję się bólu; umierając, nie chciałbym cierpieć. Spróbujmy więc. Rozbiorę się, wejdę na taboret, a ty założysz mi sznur na szyję; przez chwilę będę się onanizował, później, gdy zorientujesz się, że jestem już gotów, usuniesz taboret, a ja zawisnę; zostawisz mnie w takim stanie, dopóki nie spostrzeżesz objawów cierpienia albo wylewającej się ze mnie spermy. W pierwszym przypadku odetniesz sznur natychmiast, w drugim – pozwolisz działać naturze i uwolnisz mnie dopiero po wytrysku.

Justyna wiąże mu ręce, oplata szyję sznurem; Roland chce, by w trakcie tych czynności znieważała go i wyrzucała mu wszystkie popełnione dotąd zbrodnie. Wkrótce jego narząd zaczyna się srożyć; skazaniec sam daje znak, by usunąć taboret… Uwierzycie? Jakże słuszne było przypuszczenie Rolanda: jego twarz tchnie tylko rozkoszą i niemal natychmiast strugi spermy tryskają pod sklepienie. Kiedy wszystko już wyciekło, Justyna podbiega, by odratować wisielca. Ten opada w omdleniu; dzięki staraniom dziewczyny wraca jednak zaraz do zmysłów. – Och, Justyno! – mówi, otwierając oczy – nie sposób wyobrazić sobie tych doznań; są ponad wszystkim, co można by ująć w słowach. Niech robią teraz ze mną, co chcą: kpię sobie z miecza Temidy".

Magdalena zamyka książkę i patrzy na mnie, szukając zrozumienia, ale zrozumienie natychmiast przed nią ucieka.

– Boże, Magdaleno, czyś ty zwariowała? Mnie absolutnie nie interesuje zawiązywanie sobie sznura na szyi!

– Ale mógłbyś mnie raz lekko poddusić! Nawet na filmach to robią! A ty mnie nawet w tyłek nie klepiesz podczas seksu!

– Dlaczego miałbym cię w tyłek klepać?

– Kobiety to lubią!

– Ale mnie się to wydaje głupie!

– A uważasz, że te twoje ruchy frykcyjne, tam i nazad, tam i nazad, są mądre?

– Wiesz, może lepiej zmieńmy temat, zanim się pokłócimy.

Milczenie zapada jak kurtyna, na którą jest jeszcze za wcześnie; czuję się jak aktor, który nie zdążył odegrać swojej roli.

Wyciągam zły temat z siebie i odkładam na półkę ze złymi tematami. Przeglądam inne i pojednawczo sięgam po ten, który Magdalena najbardziej lubi.

Kurtyna w górę.

*

– Co w pracy?

– A interesuje cię to?

– Oczywiście.

– Na pewno?

– No pewnie.

– Ach, pamiętasz tamtego rektora akademii muzycznej, który w moim markecie słuchał płytek?

– Coś pamiętam, ale nie bardzo.

– No, ten hipermarket, gdzie mnie poznałeś.

– No.

– Tam robili taki eksperyment, mówiłam ci wtedy.

– A, coś kojarzę.

– Mówiłam ci, że większe płytki podłogowe powodują, że pchany przez klienta wózek wydaje odgłosy z niższą częstotliwością, a to uspokaja i wprowadza w stan podobny do hipnozy. No i taki zahipnotyzowany klient jest bardziej podatny na sugestie z działu promocji.

– Rzeczywiście, mówiłaś. Nie pamiętałem tylko, że to rektor z akademii muzycznej nad tymi płytkami pracował.

– Oj, mówiłam ci, bo sama im tego rektora wtedy zaproponowałam. I wiesz, jakie są efekty?

– A są?

– Niesamowite. Udało mu się tak dobrać rytm podłogi, że w tym eksperymentalnym markecie sprzedaż w ciągu miesiąca wzrosła o 30%.

– Żartujesz…

– Mało tego. Gdy założono na koła wózków podwójne obręcze z kauczuku, dźwięk był tak kojący i miękki, że klienci chodzili jak we śnie. Hostessom udawało się przekonać nawet stare panny do zakupu pampersów. Wystarczyło, że powiedziały im, że przecież kiedyś te pieluszki w końcu się przydadzą, a dziś są po niebywale atrakcyjnej cenie. Abstynenci kupowali piwo, bo może akurat przyjdzie ktoś w gości. Anorektyczki – mięso, bo zamrożone może czekać, aż dopadnie je kiedyś apetyt. Niezmotoryzowani – zapasowe wycieraczki do samochodu, a łysi – grzebienie. Wystarczyło, że lekko zahipnotyzowani ludzie usłyszeli magiczne słowo: „kiedyś".

– To sprytne. Całe nasze życie jest przecież nastawione na kiedyś. Jeśli dziś nie mam czasu albo ochoty czegoś zrobić, zrobię to jutro albo kiedyś. Nie wyrzucę starych butów, bo kiedyś mogą się przydać. To z pewnością dobra książka, na pewno ją przeczytam – jeśli teraz nie mam czasu, to kiedyś. Kiedyś umrzemy, dlatego dziś na wszelki wypadek chodzimy do kościoła.

– No właśnie. A wiesz, co się dalej stało?

– Nie wiem.

– Ten rektor zrobił ścieżkę dźwiękową na bazie tych stukających wózków, nałożył na to sekcję smyczków i wysłał jako kompozytorską aplikację do filharmonii w Wiedniu. Ach!

– Nie wierzę…

– Ach, posłuchaj. Kompozycję i mojego rektora okrzyknięto odkryciem roku! Natychmiast go zatrudnili, właśnie otwiera nowy sezon.

– No, to też twój sukces przecież. Gratuluję.

– Tak, ale teraz muszę znaleźć kogoś na miejsce rektora.

– To trudne, masz już kogoś?

– Jestem po wstępnych rozmowach z kilkoma kandydatami. Zarząd się waha między Rubikiem, Preisnerem i Pendereckim.

– To zadzwońcie od razu do Plácido Domingo – próbuję ironizować.

– Dzwoniłam. Nie zgodził się, ma podpisany na wyłączność kontrakt z Toyotą.

Przyglądam się jej z przyjemnością. Gdy mówi o swojej pracy, jej policzki czerwienieją z emocji. Przez chwilę zastanawiam się, jakby to było, gdybym w łóżku mówił jej o pracy, może zamiast tego podduszania.

Podchodzę i obejmuję ją w talii, ale nie pozwala się przytulić. Przechodzi na drugą stronę papierowej ściany, tu cegły z książek sięgają jej do pasa, na wierzchu leży kilka egzemplarzy senników przygotowanych do wmurowania.

– Myślę, że moja siostra będzie miała tutaj dobre sny.

– Pokochamy się?

Patrzy na mnie jak na zamkniętą książkę, całą już przeczytała i zna niektóre fragmenty na pamięć. Obawiam się, że tym razem kurtyna opadnie nieuchronnie, i zaczynają mnie ogarniać niepokojące przeczucia, bo mam wrażenie, że od pewnego czasu Magda szuka jakiegoś pretekstu, stąd ta dziwna literatura dzisiaj, a wcześniej sugestia, żebym się zainteresował dziewczyną z Allegro.

– Wiesz, Piotrze, trochę do siebie nie pasujemy. Widzisz to przecież. Chętnie będę się z tobą spotykać, ale nie będziemy się już kochać – mówi, a mnie te niespodziewane oświadczenie zatyka jak korkiem i nie wiem, co powiedzieć, jak zapytać; boję się, że usłyszałem dobrze, więc nie mówię nic i pozwalam, by korek pęczniał mi w ustach.

– Wraca mój mąż, to znaczy chłopak.

Kurtyna rzeczywiście dotyka już desek, a Magdalena dodaje:

– Narzeczony.

Narzeczony. To między nami jest jakiś narzeczony? Przez tyle miesięcy nic o nim nie wiedziałem?

Magda nie patrzy na mnie, gdy lekko drżącym głosem mówi, że jej mąż lub chłopak i narzeczony jest marynarzem żeglugi dalekomorskiej, prawdziwym Niemcem, a nie takim, który urodził się w NRD, od trzech lat są ze sobą jak przypływy i odpływy morza, z tą różnicą, że dłuższe, bo on wypływa na kilka miesięcy, a potem na kilka miesięcy wraca, jednak ona nie jest Penelopą, żeby o suchych wargach czekać.

16.
Skryty Don Juan
damskiego portfela

Wracam do domu rozżalony i wściekły. Tak mnie oszukać! Tyle miesięcy zwodzić! Kilka razy mogłem się domyślić, że nie jestem jedynym mężczyzną w jej życiu; nawet miałem zamiar zapytać, ale odkładałem takie pytania na potem, jakbym się bał odpowiedzi.

Teraz mówi, że możemy nadal się spotykać przy kawie lub herbacie, ale jak siedzieć przy stole z kobietą, z którą chciałoby się leżeć w łóżku? Cóż z tego, że proponuje mi przyjaźń? Żadna przyjaźń kobiety nie zastąpi mężczyźnie ściągania z niej majtek.

W domu nie mogę znaleźć sobie miejsca, chociaż próbuję na każdym krześle. Złość, rozczarowanie i zazdrość, sam nie wiem, co teraz jest we mnie silniejsze. Nie, nie oszukuję się; z początku to nie była wielka miłość, tylko zwykłe fantomowe uczucie, a za pierwszym razem, gdy się kochałem z Magdaleną, wyobrażałem sobie nawet, że dotykam ciała Marysi Jezus. Ale potem zaczęło mi na niej coraz bardziej zależeć, dobrze mi z nią było i zaczynałem czuć spokój, mój smutek się rozwiewał. Teraz wraca, jeszcze silniejszy, pewniejszy siebie, zaraz się rozpanoszy w całym domu, zdejmie buty, założy kapcie i powie, że nigdzie się już nie wybiera.

*

Zastanawiam się, czy nie spędzić wieczoru w towarzystwie płatnej dziewczyny; wszystko lepsze niż nagle powracająca samotność.

Wyciągam telefon, dzwonię pod pierwszy numer znaleziony w gazecie, a panna mi mówi, że jest szeroko otwarta, wielokrotność zbliżeń, pocałunki i lizanie jąder, francuz do końca, z połykiem – chociaż za dopłatą (wystarczy 50 złotych i będę w niej krążył, aż mnie wysika) – albo z wytryskiem na piersi lub twarz, ale zastrzega, żeby nie na włosy, bo wtedy się lepią i trzeba potem brać prysznic, a jak się włosy za często myje, to potem są przesuszone; może być też anal za dopłatą 50 złotych, fisting albo pissing, och, jeśli mi mało, to jeszcze cewnikowanie albo podduszanie, zaraz, zaraz, mówię, że chciałbym czegoś innego: po prostu kłam, jak najpiękniej potrafisz, i mów mi, że mnie kochasz, a dam ci za to 50 złotych dopłaty jak ze ten twój oral z połykiem, na co dziewczyna milknie na chwilę i „O, kurwa", mówi, „ale ty jesteś zboczony", a no tak, no bez jaj, przecież takich słów nie da się jak spermy przełknąć. „W zasadzie masz rację", przyznaję, „prostytucja ma granice, a miłość to przesadna dewiacja", przepraszam i odkładam słuchawkę.

*

Teraz wydaje mi się, że ta sama miłość istnieje we mnie niezależnie od kolejnych kobiet. Jest jak kawałek duszy, część ciała, ręka, noga lub głowa, można ją jedynie ściąć, sama nie przejdzie. To fantomowa miłość, jak ból po amputowanej dłoni. Jest tą pierwszą miłością do dziewczyny, której od dawna ze mną nie ma. To uczucie, które syci się czasami innymi kobietami, żywi się nimi jak jemioła, taka z pozoru niby ładna i pełna magii, a jednak pasożyt.

Jestem rozżalony, że odeszła Magdalena, ale to wciąż za Marysią Jezus tęsknię. Te dwa uczucia, tęsknota oraz fantomowa miłość, płyną we mnie nieprzerwanie, unosząc łódeczki złudzeń. Na ich burtach piszę wiersze. Może ten nie jest zbyt udany, napisałem go tuż po odejściu Marysi:

Jest podmuch zefirek lub halny
i to są imiona wiatru
jest iskra żar albo płomień
i to są imiona ognia
ale raz złapałem ogień na gorącym uczynku
który miał na imię miłość
patrzyłem jak płonie
aż w proch się obrócił na pięcie
jest radość nadzieja pożądanie
i to są imiona pamięci
jest niechęć bierność obojętność
i to są imiona zapominania
ale pamięć bywa ułomna
myślałem że cię nie zapamiętam
a nie potrafię zapomnieć.

*

Jestem uzależniony od fantomowej miłości, od wielbienia tamtej dziewczyny i pisania dla niej wierszy. Od kupowania jej świeżego chleba, gdy jeszcze śpi, a potem podawania ręcznika, gdy wychodzi spod prysznica, od parzenia jej kawy i przyjmowania za to uśmiechu, od chowania jej pod parasolem i od odganiania od niej natrętnej myśli o bliźnie po wyrostku, od niewidzenia pryszcza i od zabicia komara, od wspólnego słuchania muzyki i pokazywania palcem księżyca, że taki dziś duży i brzuch ma pełen snów.

Miłości niespełnionej jestem pełen, wszystkie składniki uczucia gotują się we mnie jak w starym kotle parowym, jeśli nie znajdę kobiety, w którą będę mógł ją przelać, to wybuchnę. Ostatnie miesiące spędziłem z Magdaleną. Dziś, poza nią, nie ma koło mnie kobiet, nie licząc wirtualnej Marleny, byłej dziewczyny filmowego papieża.

Jemioła we mnie już o niej wie.

*

Wczoraj zaglądałem do koszyka Marleny na Allegro i bardzo mi się spodobał. Były w nim stare fotografie ślubne, liryki Tuwima, farba do włosów o rudym kolorze oraz nowa książka Jerzego Pilcha, który pociesza mnie świadomością, że grafomanów nie wyklucza się z życia towarzyskiego. Pociesza mnie również to, że otaczani są oni uznaniem panien, niekiedy nawet ich udami.

Włączam komputer, wchodzę na stronę Allegro i przyglądam się zakupom Marleny, analizuję je wnikliwie, wszystkie z tego miesiąca, byle nie myśleć już o Magdzie, bo Magda to lustrzane odbicie Marysi Jezus, i one są tam obie, i tylko mnie nie ma w tym lustrze, ale od razu przypomina mi się, że to właśnie Magdalena pokazała mi, jak poznać człowieka od strony przedmiotów, które wkłada do koszyka.

Zakupy – stan przejściowy między głodem a sytością, stan pośredni między pożądaniem rzeczy a dostatkiem spełnienia, błogi stan zaspokajania potrzeb codziennych oraz tych od święta. Ale także tych, których u siebie nie podejrzewamy, bo dlaczego sugerując się dzisiejszymi zakupami Marleny, i ja kupuję paczkę prezerwatyw z wypustkami, skoro teraz i tak nie mam z kim uprawiać seksu? A potem chcę, tak jak ona, kupić kolejną powieść Paulo Coelho albo Elfriede Jelinek, bo mam ochotę na totalne zdołowanie, a nagle czuję, że odzywa się we mnie mały chłopiec, i kupuję wielki atlas okrętów, w którym same karawele zajmują jedenaście kartek plus stronę przypisów.

Wiem już, że Marlena często sprzedaje różne części garderoby; ostatnio nawet wystawiła na licytację swoją seksowną sukienkę z dekoltem na plecach, zaznaczając, że przed wypraniem była noszona tylko raz. Przytrzymał moją uwagę ten jeden raz. Bo co to znaczy? Miała ją raz na randce? I co? Ktoś zdzierał ją z niej głodnymi rękami? Może to ten lubieżny Chopin, Piotr Adamczyk? Czy może tylko zakładała w nadziei, która się nie spełniła, a potem w pustej sypialni z rozczarowaniem zdejmowała ją sama? Może właśnie dlatego ją sprzedaje – jak zawodną pułapkę na niezłapanego kochanka?

Widziałem jej zdjęcia, na których pozowała do zamieszczanych przy ofertach fotografii: nogi, biodra i piersi, ubrane w bieliznę, nieużywaną, co podkreślała za każdym razem trzema wykrzyknikami, żeby wyraźnie było słychać. W końcu napisałem do niej, gdy wystawiła na licytację koronkowe body z dziurką w kroku. „Pani Marleno, proszę mi powiedzieć, po co ta dziurka w kroku, czy chodzi o seks, czy o coś innego?"– „Panie Piotrze, co pan ma na myśli, mówiąc: co innego?" – „Nie wiem, pani Marleno, dlatego pytam, proszę odpowiedzieć, bo sprawa jest pilna". – „Panie Piotrze, jeśli pilna, to proszę się nie ociągać".

I z taką niejasnością mnie zostawiła.

*

To fascynujące: poznawać człowieka od strony, której nie kryje przed nikim, nie osłania, bo nie spodziewa się stamtąd żadnego ciekawskiego spojrzenia. Wielki sklep internetowy, a raczej dom aukcyjny, Allegro, to jedno z wielu takich miejsc, w których możesz poznać wnętrze czyichś szaf i szuflad, a także słabości kogoś, kogo sobie upatrzysz, wystarczy twoja cierpliwość, a będziesz wiedział o nim więcej, niż miałby ochotę ci powiedzieć, o ile w ogóle chciałby z tobą rozmawiać. Tu jest tak, jak w mantrze pani nocnej – możesz się ukrywać między ladami stoisk i podglądać, co ludzie kupują; pokaż mi swoje rachunki, a powiem ci, kim jesteś.

Od innych sklepy te różnią się tym, że przez jakiś czas zachowują osobistą listę sprawunków, do której możesz zajrzeć, wystarczy się zalogować i wejść w kartę użytkownika – tam, przy komentarzach kontrahentów, zobaczysz dokładne opisy zakupów. Więc wiesz, kto jakich używa kosmetyków i leków, do jakiego samochodu szuka części, jaką lubi pościel, co czyta, jakiej słucha muzyki, jaki zegar powiesi za chwilę na ścianie, jakie ma ubrania, jaką farbą pomaluje pokój i czy ma dom z ogrodem, czy tylko mieszkanie z balkonem na kwiatowe rabatki, czy ma w łazience wannę, czy kabinę prysznicową, jakich używa soczewek, czym i jak często farbuje włosy (już stąd znasz jego stan zdrowia, gust, majątek, wagę, wzrost, inne rozmiary, wadę wzroku i tempo odrostu włosów). Na chwilę się gubisz, jeśli ten, kogo obserwujesz, jest mężczyzną, a nagle licytuje wibrator, ale zaraz się odnajdziesz, bo kupi coś, co da ci podpowiedź, zapyta o coś na forum lub powie coś na czacie, znajdziesz go po e-mailu, nicku lub na blogu, poznasz po IP; użytkownicy sieci bezustannie zostawiają po sobie ślady, wpisy, komentarze, wiadomości, a w internecie koperty nie są zaklejone.

Obserwuję też kilka osób, których linki znalazłem na profilu Marleny na Facebooku; wiem już, jak żyją i czy są samotne, wiem, za czym tęsknią, a czego już nie chcą.

Najpierw zainteresował mnie jej brat, Marcin. Sprawdziłem adres jego e-maila. Jest w nim imię i nazwisko, a nie żaden pokrętny pseudonim, pod którym chciałby się schować. Marcin to kardiochirurg, pracuje w szpitalu im. Rydygiera. Na Facebooku ma 150 znajomych, głównie ludzi po pięćdziesiątce, większość z nich zarejestrowała się na portalu szpitala, dziękując mu za opiekę i operacje. Sądzę, że to równy gość.

Jego przeciwieństwem jest jej siostra, Milka. Nie mówię, że złym lub dobrym. Po prostu przeciwieństwem. Namiętnie kupuje kosmetyki; niemal codziennie nowa pomadka, puder, flaszeczka perfum – nie miałem pojęcia, że kobiety wcierają w siebie aż tyle chemii, ich ciała to chodzące tablice Mendelejewa. Magda miała tylko dezodorant i płyn do higieny intymnej, a Marysia używała mojej wody toaletowej Gucci Pour Homme – ten zapach ekscytował nas oboje, bez względu na to, kto nim pachniał; na jej skórze był słodki, na mojej korzenny, dymny, trochę jak z fajki; lubiłem, gdy mieszaliśmy się w nim razem, spleceni ciasno jak w cybuchu.

Sprawdziłem w Google adres skrzynki i nazwisko. Okazało się, że Milka pracuje w bardzo znanym biurze architektonicznym projektującym najwyższy budynek we Wrocławiu. Ze strony internetowej biura dowiedziałem się, że jest jedną z sekretarek.

Wróciłem do koszyka jej wcześniejszych zakupów – w ciągu tygodnia wydała 1800 złotych na same kosmetyki. Ile zarabia sekretarka? To nie ma znaczenia, a ja nie jestem urzędem skarbowym. Może mieć bogatego męża lub przyjaciela. Mogła dostać spadek po rodzicach. Może honorowo oddawać krew swoich kochanków. Wiem, że Milka musi być piękna. Widzę to po rzeczach, które kupuje. Ładni ludzie kupują ładne rzeczy; człowiek zazwyczaj kupuje to, co do niego pasuje. Buty muszą pasować na stopę, koszula na grzbiet, obraz na ścianę, a do ładnego pasuje ładne.

*

Ze zdziwieniem spostrzegam, że Miriam także wybrała się w świat zakupów.

Zaglądam do szafy; sprawdzam, czy mam coś, co Ci się spodoba, gdy już się spotkamy. Ale pełna jest smutnych, brązowych i szarych ubrań. Wesoło spogląda na mnie tylko czerwony szalik. Idę do sklepu, oglądam taką czarną sukienkę, jest w niej wszystko. Tajemnica czarnych nici, radość falbanek, pożądanie wyrażone charakterystycznym wcięciem w talii i odrobina tęsknoty w postaci fioletowych, orientalnych zdobień tuż pod biustem. Nie krzyczy, jak ta czerwona obok; ona spokojnie mówi prawie szeptem do Ciebie, byś jej dotknął, poczuł fakturę jej materiału, a potem w naturalnej kolejności fakturę mojego ciała. Kupuję ją, a potem czerwony lakier i czerwoną pomadkę. Bardziej czerwoną niż ta sukienka obok, ale teraz się waham. Myślisz, że ta czerwona, co nie szepcze, lecz krzyczy, byłaby jednak lepsza?

Twoja zdezorientowana Miriam.

*

Tymczasem ja dalej idę śladem zakupów Marleny, skryty Don Juan damskiego portfela, kroczący najlepszą drogą do fetyszyzmu. Przyglądam się rzeczom, które kupuje, oglądam jej majtki, wyobrażam sobie zarys bioder, potem zamawiam książki i płyty, które zamówiła, i tak od kilku tygodni mamy tę samą lekturę, oglądamy te same filmy, słuchamy tej samej muzyki.

Ostatnio piliśmy nawet takie samo wino. Widziałem, że kupiła pięć butelek; nigdy wcześniej wina tutaj nie zamawiała, więc może planuje jakieś przyjęcie. Wszystkie to shiraz, cztery australijskie, jeden z RPA. Niewiele mi to o niej mówi – shiraz zazwyczaj jest wyrazisty i zawsze dość słodki, chociaż to szczep wina wytrawnego; australijski jest słodszy niż ten z Europy, bo więcej ma słońca, ale fantazja w nim żadna, więc wniosek mam jedynie taki, że dziewczyna nie jest zbyt pewna siebie, nie ryzykuje, bierze to, co daje jej powtarzalną pewność i bezpieczeństwo smaku, żadnego ryzyka – wytrawnie lekka słodycz spodoba się zawsze.

Nie wiem, czy to wpływ aktora, ale Marlena chyba nie przepada za rodzajem męskim, a może ma go nawet za rodzaj nijaki. Mam nadzieję, że jest to uraz przejściowy. Kupuje sporo literatury feministycznej, więc i ja takie same tytuły zamawiam. Chcę poznać jej myśli, chcę poczuć to, co ona czuje.

Książki przychodzą do nas kilogramami, co brzmi efektowniej, niż wygląda, bo na kilogram wchodzą przeciętnie dwie lub trzy. „Żądza" Elfriede Jelinek waży 45 deko, dzięki Marlenie mam na półce 3 kilogramy Jelinek, ale takie „Amatorki" i „Pożądanie" ważą po 20 dekagramów, jedynie „Pianistka" ma też dobrą wagę, chociaż jest o 5 deko lżejsza od „Żądzy". Natomiast „Dzieci umarłych" ważą równo pół kilo i jest to zdecydowanie waga ciężka, także w lekturze, po trzecim rozdziale padłem przez nokaut.

Świat Jelinek jest zero-jedynkowy – kobiety są zerem, a mężczyźni dostają jedynki; kobiety wymyślono do cierpienia, rozszerzania nóg i rodzenia, a mężczyzn po to, by kutas miał się czego trzymać. Charles Bukowski przy Elfriede to dziewica, nie mówiąc już o Henrym Millerze. Słowo „kutas" pojawia się u noblistki częściej niż w powieściach porno. Standardowy rozdział książki wygląda tak, że mężczyzna się budzi i albo najpierw szczy, a potem wpycha się w swoją kobietę, albo najpierw się w nią wpycha, a potem idzie się wyszczać. Sensem życia jego nieskomplikowanego umysłu jest ten codzienny wybór kolejności między pochwą a pisuarem, przy czym np. w „Pożądaniu" bohater nie musi w tej kwestii zmuszać się do myślenia, wystarczy, że zmusza żonę do pissingu, więc kolejność już nie ma znaczenia. Z powodu braku jakiejkolwiek liryki i epiki pozostaje dramat.

Mówiąc ogólnie, nic przeciw feminizmowi nie mam – teraz prawie każdy postępowy facet od razu jest feministą. Tylko znieść nie mogę tej martyrologii krocza, męczeńskiego ocipienia na punkcie cipy, tego zamknięcia się w świecie macicy, łożyskowego sposobu myślenia i zero-jedynkowych upławów myśli. W każdej książce Elfriede Jelinek bohaterka smutno patrzy w głąb swej pochwy i czarno widzi.

Pal licho; to jest wolny świat, każdy ma prawo pisać to, co mu się podoba. Ale nie wyobrażam sobie analogicznej literatury męskiej – skupionej na katastrofach płynących jedynie z faktu posiadania nasieniowodów.

*

Codziennie chodzę śladami Marleny w internecie, zaglądam na jej profil na Facebooku i zostawiam komentarze jako PA; staram się, żeby były mądre i dowcipne, niech zwróci na mnie uwagę. Pod tymi inicjałami założyłem sobie nieco sfałszowany profil, wpisałem w nim, że skończyłem szkołę teatralną i jestem aktorem, bo chciałbym w sieci być ciekawszy, niż jestem w realu. Wypełniam też rubrykę o swoim hobby, wpisując jazdę konną, nurkowanie, ogród oraz kolekcjonowanie win; podpatrzyłem to u Piotra Adamczyka i mi się spodobało. Prawdziwy ja właściwie żadnego hobby nie mam, poza czytaniem książek. No, a przecież znacznie ciekawszy wydaje się ten, kto nurkuje, jeździ konno, ma ogród i kolekcję win, niż ten, który ma tylko bibliotekę.

Podobny profil zakładam na Naszej Klasie i w ciągu dwóch dni wysyłam kilkaset zaproszeń, głównie do polityków, sportowców, fanklubów i gwiazd filmowych. Większość z wyrachowania anonimową znajomość przyjmuje, bo przecież jestem ich potencjalnym wyborcą, widzem, kibicem, klientem. Po tygodniu w gronie znajomych mam ponad 500 osób na obu portalach, z liderami wszystkich partii na czele.

Wtedy wysyłam zaproszenie także do Marleny. Wprawdzie z jednym aktorem miała niedawno romans niezbyt udany, ale może nie wierzy, że nieszczęścia chodzą parami, bo i ona zaproszenie przyjmuje.

Najbardziej zdumiewa mnie jednak coś innego. Otrzymuję zaproszenie do grona znajomych od Miriam. To ekscytujące! W końcu wszystkiego się o niej dowiem!

Niestety, jej Facebook jest chyba wadliwie skonfigurowany, bo mimo wielu prób nie udaje mi się zaproszenia potwierdzić. Przez to nie mogę nawet wejść na jej profil, który jest zastrzeżony tylko dla kręgu znajomych. To irytujące, że mam szansę, a nie mogę zobaczyć jej twarzy.

17.
Okup za dziewczynę

Dom opuszczony przez kobietę jest przerażająco smutny, tak jak dom, z którego porwano dziecko i rodzice stoją teraz w drzwiach, patrząc na półki pełne pluszowej tęsknoty.

Budzę się i widzę kolorowe pisma, zostawione na stoliku nocnym jeszcze przez Magdalenę; brała je ze sobą do łóżka, mówiąc, że chce je przed snem poczytać, ale nigdy nie zdążyła żadnego nawet otworzyć, ja byłem w jej dłoniach pierwszy.

Idę do łazienki, a tam nasze szczoteczki do zębów śpią jeszcze razem, jedna do drugiej przytulona, ciemnozielona obok błękitnej, jedna z nich już się nie obudzi, muszę to w końcu mojej powiedzieć. Opuszczone łazienki są bolesne jeszcze bardziej niż puste sypialnie; łóżko można zasłać i nie patrzeć, a w łazience nie patrzeć się nie da, łazienka wręcz wymaga przyglądania się; łazienki są izbą pamięci kobiet, które od mężczyzn odeszły, pełne ich złudnej obecności, intymnej i często niezamierzonej, jak długi włos na klapie marynarki – wszędzie są ślady wiodące jeszcze na pokuszenie, chociaż zawiodły już do wyjścia.

Kuchnia jest oazą spokoju; Magdalena nie lubiła gotować, zawsze ja przygotowywałem kolację, a gdy wchodziła z kieliszkiem wina i ofertą pomocy, mówiłem ze śmiechem: „Nic tu po tobie", i rzeczywiście, nic tu po niej dziś nie ma.

W przedpokoju wisi wielkie kryształowe lustro, jeszcze przedwojenne, w ramie rzeźbionej bogato, jak do cennego obrazu, którym była, przeglądając się przed wyjściem. Patrzę w nie i ją widzę. Zbiera włosy w dłonie, splata gumką, unosi podbródek, ocenia. Wzdycha, zawsze niezadowolona. Stawałem wtedy obok i przyglądaliśmy się odbiciu, jakbyśmy chcieli się dowiedzieć, czy zdaniem lustra do siebie pasujemy. Lustro nas okłamywało, odpowiadając, że pasujemy wręcz idealnie i nie ma na świecie równie dobranej pary. Dziś też widzę w nim Magdalenę, która spogląda na mnie ze wspólnego odbicia, i wiem, że nadal tam będzie, bowiem nie można wymazać pamięci luster. Kto raz w lustro spojrzał, ten w nim zostanie.

*

Na kilka dni zamykam się w sobie jak okiennicami na noc, sprawdzam rankiem i widzę, że nic dla mnie nie świta. Siedzę w internecie, oglądam Marlenę i nie rozmawiam z nikim, nie licząc psa; ale co to za rozmowa, „złaź z kanapy", ja mu mówię, on liże moje bose stopy; łaskocze, śmieję się, a pies już nielegalnie siedzi na kanapie i wsadza mi jęzor do ucha. Taka to rozmowa na jeden temat lub drugi, z tą samą psią puentą.

Smuci mnie nawet słoneczna pogoda, z okien domu widzę ławeczki zakochanych, wydaje im się, że szczęśliwie, później się okaże, że różnie bywa, ale jeszcze jest pięknie – siedzą godzinami na tych ławeczkach, on błądzi dłonią przy krawędzi jej spódnicy, ona pilnuje, żeby nie podszedł za blisko majtek, bo wtedy wiadomo, co się stanie, ale i nie chce, aby odszedł za daleko, bo wtedy też wiadomo, co się stanie – chłopak może się zniechęcić i sobie pójdzie, by nazajutrz, a przynajmniej w nieodległym czasie, na sąsiedniej ławce lub nawet na tej samej majstrować przy majteczkach innej.

Zazdroszczę mu, zazdroszczę radości przypływów i niepokoju odpływów jego dłoni, cierpliwie próbujących wedrzeć się za falochrony bieliźnianych gumek, za którymi czekają ciepła plaża i wilgotniejące od tego skradania się miejsce w grajdołku. Ja żadnego grajdołka nie mam, nie zostałem w tym sezonie wzięty pod uwagę, nie jestem wpisany do repertuaru wiosennych kochanków, chociażby przelotnych lub na jeden akt – pozostaje mi zazdrość przez okno oraz systematyczna uzurpacja podczas porannego wzwodu, z prawem do mokrych miejsc jedynie na własnym brzuchu.

*

Na sąsiedniej ulicy, tej, która się kończy przy parku z ławeczkami dla zakochanych, widziałem wczoraj nową tabliczkę przykręconą do ściany narożnej kamienicy: „Psycholog, dr terapeuta – leczenie nerwic, depresji i natręctw". Może powinienem pójść? „Proszę się wziąć w garść", powie mi pan psycholog, a ja mu odpowiem, że ze swoimi smutkami w garści już się nie mieszczę; mam do schowania pustkę po dziewczynie, brak dotyku jej rąk na moim ciele, a w zamian smutek szczoteczki do zębów, którą zostawiła, jakby miała przed wieczorem wrócić, ale niezakręcona pasta do zębów jest już całkiem sucha; mam w sobie tyle tęsknot, że garść jest za mała.

Nie pomoże mi pan psycholog; ja już jestem perfekcjonistą smutku, mógłbym nawet z tego żyć. Wszędzie mówią o nadejściu zawężających się specjalizacji. Otworzę biuro, przychodnię, izbę przyjęć. Będę siedział naprzeciw każdego z takich jak ja, gdy po kolei będą przychodzić, żeby mi o tym, co znam, opowiedzieć.

Mój gabinet nazwę „Przechowalnią smutków". Co prawda, wolałbym „Utylizacja zmartwień" albo „Recykling uczuć", trochę przemysłowo, dosadnie i z pełnym przekonaniem o skali potrzeb, ale ja jestem człowiekiem uczciwym, a szczerze sobie powiedziawszy, ze smutkami jest tak, że one nigdy nie znikają całkiem. Mogę je jedynie przechować jak bagaż podręczny na lotnisku. Będę ich pilnować, żeby do moich pacjentów nie uciekły, a oni nigdy nie muszą po nie wracać, tak się możemy umówić.

Mógłbym z tego żyć. Pierwsze smutki wziąłbym w promocji, ze zniżką, z bonusem szybkiego pocieszenia. I wtedy ludzie by wrócili. Uwolnieni od jednego smutku, tym bardziej chcą być wolni od pozostałych. Ale tym razem ja będę już dyktować cenę. Skoro tu jesteście, to będziecie wracać.

Mój genialny biznesplan przerywa Magdalena.

*

Siedzę w wannie, gdy dzwoni, odbieram telefon i słyszę, że Magda płacze. Płacze w swoim mieszkaniu do słuchawki, łzy lecą przez nią ciurkiem, wanna, w której siedzę, zaraz się przeleje.

Początkowo odczuwam jakąś niedobrą satysfakcję, bo przecież mogła wybrać inaczej, mnie, a nie jego, pocieszająco pieściłbym teraz jej stopy, a nie słuchawkę. Jednak po chwili robi mi się jej żal, ogarnia mnie wściekłość zmieszana z niezrozumieniem, bo Magda-

PIOTR ADAMCZYK

lena płacze z bólu, wstydu i upokorzenia. Posprzeczała się ze swoim ukochanym marynarzem, który zastosował męski argument ręką w twarz, po czym odpłynął do knajpy. Apartament Marioli jest akurat malowany, więc Magda pyta, czy może do mnie na kilka dni przyjechać; jest jak uciekinier, który prosi o azyl dla prześladowanych, by nabrać na obczyźnie siły i po powrocie zrobić rewolucję.

Moja jemioła jest pełna nadziei.

Godzinę później Magdalena robi rewolucję w mojej kuchni, wyrzucając do śmieci całą zawartość lodówki pod pretekstem minionych terminów. Pakuje tam od razu swoje nieskończone zapasy niskotłuszczowego jogurtu, informując przy tym, że ma zamiar się odchudzać, w dodatku zrobi to skutecznie u mnie w domu, po czym do marynarza wróci dumna jak fregata.

– Nie rozumiem cię, Magda, nie rozumiem, jak możesz być z facetem, który bije kobietę, gdzie popadnie, zamiast gdzie popadnie całować.

Nie odpowiada, przez cały dzień nic nie mówi.

Wieczorem siadam do laptopa, a ona wybiera się do łazienki, zabierając ze sobą różowy szlafroczek oraz „Jedenaście minut". Dawno zauważyłem, że kobiety, które mają skłonność do fatalnych wyborów, za młodu chodzą całe na różowo, a jak dorastają, to czytają prozę Paulo Coelho.

Magdalena lubi Coelho, więc też wszystkie jego książki przeczytałem – miłość wymaga ofiar, zwłaszcza ta fizyczna. Na fali wspomnień, gdy poszedłem wczoraj do supermarketu, to – oprócz cytrusów, karmy dla psa i bagietki do sera pleśniowego – kupiłem pierwszy kryminał tego autora „Zwycięzca jest sam". Ale rozczarowałem się okropnie, bo to kryminał dydaktyczny, w dodatku głupi, o czym przekonałem się wówczas, gdy główny bohater zlikwidował swoją ofiarę za pomocą zatrutej kurarą igły wydmuchanej z plastikowej słomki, w którą się uzbroił, kupując drinka z ananasem. No weź, Coelho, wsadź sobie igłę do słomki i spróbuj ją wydmuchać. Ja już nie mówię, że celnie i żeby przebiła facetowi marynarkę, koszulę, skórę i ewentualne warstwy tłuszczu. Wydmuchaj ją z tej rurki tak po prostu, niech ci chociaż wypadnie na podłogę. Niechby na tym Coelho poprzestał. Ale gdzie tam. Połowa książki to akcja, a druga połowa to drętwe kazania intelektualnego dziada, marudzenie typu: „Pisanie esemesów jest zajęciem mozolnym, uciążliwym, a do tego powoduje zwyrodnienia w stawach kciuka, ale nikt się tym nie przejmuje".

No, ja też się nie przejmuję, gdy piszę teraz do Magdy SMS: „Uważaj, bo w wannie mieszka potwór z Loch Ness, może wejdę i bohatersko umyję ci plecy", a ona mi odpowiada „Zaprzyjaźniłam się z potworkiem, nie właź".

*

Nazajutrz przez cały dzień Magda siedzi przed telewizorem sztywno jak na walizkach, chociaż ma plecak. Widzę, że czeka, aż upomni się o nią marynarz. Co godzinę wchodzi do łazienki, poprawia makijaż. Dom mdleje od jej perfum, tapety miękko osuwają się na podłogę.

Po raz setny zadaję to idiotyczne pytanie:
– W czym on jest lepszy ode mnie?
– W czasie – odpowiada Magda. – Był moim pierwszym facetem, miałam wtedy czternaście lat, kochałam go do szaleństwa. Potem nie było go przez kilka lat, w końcu wrócił. Z miłością do niego jest jak z oddychaniem. Przyszłam na świat, urodziłam się, zaczerpnęłam powietrza przez nos i usta i nie potrafię inaczej oddychać.

Myślę, że takie kochanie musi dawać mężczyźnie siłę. Dzięki takiemu kochaniu można góry przenosić i na przekór losowi stawiać je tam, gdzie przedtem były doliny, można uwierzyć w cuda i samemu suchą stopą przejść przez dowolne morze lub przynajmniej przez jakąś kałużę.

Czuję zazdrość, zazdrość wielką jak ocean niespokojny. Gdy Magdalena była przy mnie, nie wiedziałem, że tak bardzo mi na niej zależy. Pamiętam, co pani nocna mawiała o stracie. Czerwone jabłko na drzewie często zauważamy dopiero wówczas, gdy ktoś inny wyciąga po nie rękę.

Próbuję przekonać, namawiam, tłumaczę – na nic, jakbym rzucał Grocholą o ścianę. Magda śni swój sen o miłości i nie daje się z niego wybudzić.

– Piotruś. Tak, ja go kocham. Bardzo go kocham.

– To dlaczego sypiałaś ze mną? I po co wysyłałaś mnie na te idiotyczne badania?

– Bo chciałam mieć dziecko! Lubię cię, bardzo cię lubię. Ale wiem, że on ożeni się ze mną dopiero wówczas, gdy będę się spodziewać dziecka. To ten typ mężczyzny. Wszystko mi jedno, który z was będzie ojcem, z nim mi coś nie wychodziło, a wiem, że jak będę w ciąży, to już mnie nie zostawi.

– Co ty mówisz? Magda!

– Dziwi cię, że kobieta pod trzydziestkę chce mieć dziecko?

Pragnie mieć dziecko, taką małą kotwicę.

Nieważne, moja czy jego kotwica.

Ważne, że zakotwiczony marynarz zostawałby w domu na dłużej.

Nie mówię nic, bo nie wiem, co mam powiedzieć. Moja jemioła jest upokorzona. A ja z nią. Jak małolata jednorazowo przelecana po dyskotece, chociaż były marzenia o miłości.

Mój dom jest zbudowany z dwóch warstw cegieł. Dwie ściany stoją bardzo blisko siebie, ale między nimi jest kilka centymetrów pustej przestrzeni. Taka poduszka izolacyjna, żeby wewnątrz było ciepło. Magda jest jednym murem, ja drugim. Stoimy teraz bardzo blisko siebie, ale się nie dotykamy. Tak jak mój dom – dwie ściany, a między nimi pustka. W środku nie ma jednak ciepła.

Magda zapada się w sobie jak tekturowy domek podczas deszczu. Pierwsze łzy cieknę jej jeszcze bez przekonania, ale po chwili ryczy już na całego, aż bańki wychodzą jej nosem. Patrzę na nią i mówię sobie: „Spójrz, jaka jest obrzydliwa, smarki ma już po szyję, wyje z tego powodu, że ostatnio częściej bzykałem ją ja, a nie tamten facet dalekomorski, no rzeczywiście, to jest powód do rozpaczy, weź ją zostaw i idź w cholerę". Ale im bardziej jest zasmarkana i spuchnięta, tym chętniej myślę o tym, że chciałbym być teraz wielkim jęzorem, który zliże z niej ten smutek i będzie ją chłeptać całą, od miejsca lekko wilgotnego po zaryczane.

*

Słychać IX symfonię Beethovena – to patetycznie dzwoni jej telefon. Nikt wokół nas nie puszcza już Beethovena, z wyjątkiem telefonów komórkowych.

Magda bierze telefon i wychodzi do drugiego pokoju. Nie ma jej kilka minut, po czym wraca i patrzy na mnie z niedowierzaniem.

– Jak mogłeś to zrobić?

– Ale co?

– Wiesz, o czym mówię.

– Nie wiem. O czym?

– O tych pieniądzach.

– Jakich pieniądzach?

– Dałeś mu dziesięć tysięcy euro!

– Komu? Za co?

– Mojemu narzeczonemu, żeby mnie zostawił i oddał tobie.

– Zwariowałaś?

– Nie kłam, Piotr. Wszystko mi powiedział.

– Chyba żartujesz! Niczego mu nie dawałem!

– Przed chwilą z nim rozmawiałam. Mówił, że właśnie dlatego mnie uderzył. Myśli, że ja cię do tego namówiłam.

– Co za paranoja! Dlaczego wierzysz jemu, a nie mnie?

– Bo te dziesięć tysięcy euro leży teraz na moim biurku. Zostawił mi je, żebym zobaczyła, na co cię stać.

– Magda, to jakiś absurd, to się da wyjaśnić!

– Nie masz mi już nic do powiedzenia, dobrze? Nie psuj wspomnień, nawet nie wiesz, jak dziś trudno o dobre wspomnienia.

– Magda!

– Dość! Mogę cię o coś prosić? Bardzo prosić?

– Magda.

– Nie dzwoń do mnie.

Bierze swój plecak i trzaska za sobą drzwiami.

Czuję się, jakbym był w środku jakiegoś fatalnego filmu.

Dobrze, niech on już się skończy, poproszę napisy końcowe.

Napisy końcowe pojawiają się po dwóch godzinach.

Kurier ubrany w żółtą motocyklową kurtkę wręcza mi mały pakunek.

– Proszę pokwitować.

Ważę paczuszkę w dłoniach, za lekka na płyty z Amazona lub książkę z Merlina. Widać, że zapakowana pospiesznie, w zdenerwowaniu; kilka warstw pogniecionego papieru oklejonego przezroczystą taśmą, zdejmuję warstwę po warstwie, w środku koperta i plik banknotów. Czytam list: „Piotr, oddaję, co nie moje. Na pewno kupisz sobie za to fajną panienkę. Może tę z Allegro. Magda".

Nie mogę uwierzyć.

Najpierw ogarnia mnie przerażenie, potem histerycznie chce mi się śmiać. A więc to wszystko prawda, on rzeczywiście wymyślił historię z okupem. Poszedł do banku albo do kantoru, wziął dziesięć tysięcy euro, położył w domu na stole. I uwierzyła mu.

Ciekawe, czy on wie, że Magda mi je wysłała? Jak nie wie, to pewnie szlag go trafi. A jeśli wie? Jeśli to on mi za nią właśnie teraz płaci?

Genialnie to wymyślił – dłońmi swojej dziewczyny wręczył mi za nią okup.

Plik banknotów po sto euro jest znacznie cieńszy niż wyobrażenie o dziesięciu tysiącach euro. Plik bez trudu daje się włożyć z powrotem do koperty, w przeciwieństwie do wyobrażenia.

18.
Czerwone kajdanki

Co zrobić z dziesięcioma tysiącami euro, które dostaje się jak dowód winy? Odesłać? Winy nie da się odesłać kurierem. W dodatku ten jej, pożal się Boże, narzeczony pewnie na to liczy. Schowa do szuflady i będzie zacierał ręce. A Magdalenie nic nie powie. Zresztą nie o pieniądze chodzi, lecz o jej wybór, o to, że jego, a nie mnie wybrała. Tego nie zmienię. Zapomnieć, muszę po prostu zapomnieć. Otwieram butelkę brandy, przeglądam internet. Alkohol powoli mnie znieczula, a wirtualny świat wciąga przyjaźnie, może nawet czule.

Sprawdzam pocztę i mam wrażenie, że dzisiejszego wieczoru nie tylko ja siedzę samotnie.

Doprowadzasz moją wyobraźnię do szału, być może minęłam Cię teraz lewym ramieniem i być może Ty zupełnie mnie nie zauważyłeś. Nie zatrzymałam się. Nie odwróciłam. Jednak przez chwilę byłam w Twoim zielonym świetle na przejściu dla pieszych jakąś twarzą obcej kobiety z pierścionkiem zaręczynowym na palcu. Jestem zwykłą kobietą z historią na twarzy. Niejedną. Łagodnie wplecioną w codzienność tuż przed trzydziestką; kiedyś wyszłam po gazetę i nie było mnie dwadzieścia siedem lat. Zamyśliłam się nad życiem. O mało go nie przespałam. Nie jestem typem wampa ani karierowiczki. Wydaję się sama sobie łagodna. Płynna. Romantyczna, lecz chwilami zaprzeczająca wszystkiemu. Nie znajdziesz żadnej stałej definicji. A może właśnie Tobie się to uda? Jestem typem obserwatora. Obserwuję Ciebie. Lubię Twoje oczy. Bezgranicznie. Gdy na nie patrzę, układam się Tobie pod rękę. Wyginam się w łuk i szybko zaczynam łapać powietrze. Dojrzałość budzi we mnie pragnienie. Podnieca. Zatracam się w spojrzeniu. Kontakcie. Muśnięciu. Jestem organoleptyczna. Niepoprawna. Głupio odważna. Chcąca przykuć Twoją uwagę. O oczach w kolorze zieleni, brązu i piwnym. Nigdy nie wiem, czego jest więcej. Z uśmiechem pod skórą. Zobacz, masz mnie na dłoni. Nie wszystkie karty odkryłam, jednak czuję się rozebrana. To nawet nie zimno, przyjemne dreszcze, to sto dwadzieścia uderzeń serca na minutę. Miriam.

Nauczyłem się tego listu na pamięć. Najpiękniejszy, jaki kiedykolwiek dostałem. Chciałbym w końcu poznać dziewczynę, która takie listy pisze. Nie wierzę w istnienie Miriam. Przez chwilę myślałem, że może pisze je Magdalena. Ale teraz to już sam nie wiem.

*

Potem przyglądam się nowym sprawunkom Marleny, dziewczyny z Allegro, ale dziś są dla mnie niezrozumiałe, jakby nagle pomyliła listę zakupów albo ktoś ją podmienił.

Moja wyidealizowana kobieta konsumpcyjna stała się nagle kimś innym, nowym i dla mnie niezrozumiałym; nie rywalizuje już ze mną podczas licytacji przedwojennych pocztówek z Breslau, nie kupuje książek o miłości i starych portretów par młodych; tego, co do tej pory było podstawą jej koszyka i po czym tak dobrze i z taką przyjemnością ją rozpoznawałem.

Już mi się wydawało, że wiem o niej wszystko. Poznałem jej upodobania, gust, długość nóg, obwód talii, kolory dżinsów, które najczęściej nosi, markę butów oraz samochodu, bo kupiła klosz lewego kierunkowskazu do nissana micry i lewą listwę na drzwi w kolorze srebrny metalik – widocznie tą stroną lekko się otarła, potem kupiła klatkę do przewożenia kota i komplet przewodników po Trójmieście, tak jakby wybierała się tam na długi weekend i rzeczywiście – nie było jej w necie przez kilka dni, a po powrocie nie mogę jej poznać.

Znikły rozkoszne drobiazgi, romantyczna literatura i niewinne części garderoby; do tej pory kupowała głównie jedwabne bokserki Victoria's Secret, które bardzo w jej zakupach lubiłem, a na ich miejsce pojawiły się prostackie stringi, kabaretki i push-upy, ponadto lekko rudawą farbę do włosów zamieniła na ogniście czerwoną, a ulubiona przeze mnie pastelowa szminka ustąpiła miejsca zdecydowanym odcieniom karminu, zupełnie jakby dziewczyna z Allegro wybierała się z kimś na wojnę damsko-męską.

I widzę, że wojnę tę zamierza wygrać, bo wrzuciła do koszyka także kajdanki obciągnięte futerkiem w kolorze czerwonym. Te czerwone kajdanki zabolały mnie najbardziej.

*

To było z miesiąc przed rozstaniem z Magdaleną. Pokłóciliśmy się wtedy po raz kolejny i rozmawialiśmy ze sobą niewiele, zwracając sobie ostatnie przedmioty, które nie nadążywszy za nami, zawieruszyły się w naszych domach, moje u niej, a jej u mnie, schowane pod łóżkami, na dnie szafy i w kątach półek, gdzie mogły spokojnie przeczekać kolejną burzę, by po tygodniach tułaczki wrócić do siebie, w dniu wymiany jeńców.

Oddałem Magdzie czerwone kajdanki, którymi lubiła przykuwać mnie do łóżka, a potem zawsze udawała, że zgubił się kluczyk. Wtedy sama się przykuła i znowu nie mogła go znaleźć, byłem pewien, że i tym razem żartuje, bo jak w łóżku można zgubić kluczyk. Przeszukałem każdą fałdę pościeli i zakamarki Magdaleny, nigdzie go nie było, w końcu się rozpłakała i postanowiliśmy wezwać ślusarza, przyjechał po godzinie i nie mógł oderwać oczu od uwięzionej na materacu dziewczyny, a ona dopiero wtedy przyznała, że pstryknęła kluczykiem w kąt pokoju, tam miałem go szukać.

PIOTR ADAMCZYK

Okropną jej wówczas zrobiłem awanturę, o te dziwne przedstawienie ze ślusarzem w charakterze widza, zostawiłem przykutą do łóżka i rozgniewany wyszedłem z domu, słysząc jeszcze, jak pomstuje i krzyczy, życząc mi piekła.

Wściekły wsiadłem do auta, przed oczami miałem te czerwone kajdanki, mimo mgły jechałem do domu bardzo szybko, oprócz kajdanek widziałem tylko czerwone światła jadących przede mną samochodów i nagle, zbliżając się do stromego wzniesienia, zobaczyłem czerwone kajaki. Zsuwały się jeden za drugim. Trzeci, czwarty, piąty, wkrótce było ich kilkanaście, przez chwilę miałem wrażenie, że śpię i śni mi się spływ kajakowy rzeką, która zamarzła i zamieniła się w drogę, ale dlaczego kajaki są puste – tego nie wiem, nie potrafię dościć, może w tym śnie po prostu nikogo nie ma, a skoro kajaki płyną szosą bez kajakarzy, to i mój samochód pewnie jedzie bez kierowcy, a w takim razie mogę bezpiecznie przykryć się kołdrą, bo chłód, który mnie dopadł, jest chłodem nocy, a nie strachu przed spełniającą się groźbą Magdaleny.

Sięgnąłem po kołdrę, ale trafiłem na miękki owal skórzanej tapicerki. Tymczasem kajaki sunęły po śniegu; widziałem, jak dwa wpadają na siebie i koziołkują do rowu, pozostałe płynęły bezładnie, w żadnym nikt nie siedział u steru, dryfowały wprost na mnie, na szczęście kruche, lekkie i ślepe – tylko jeden otarł się o oponę auta, reszta zacumowała na poboczu, wbijając się w zaspy śniegu jak wielkie czerwone włócznie, które chybiły celu.

Zatrzymałem samochód na szczycie wzniesienia, obserwując nerwową bieganinę wokół przewróconej naczepy, wiozącej gdzieś kajaki na zimę.

„To musi być jakiś znak", pomyślałem, zawracając wóz, by kilkanaście minut później ponownie otworzyć drzwi mieszkania.

– Muszę bardziej się za ciebie wziąć. – Magdalena spojrzała na zegarek, leżąc spokojnie przykuta do łóżka. – Pomyliłam się aż o kwadrans. Byłam pewna, że wrócisz po dziesięciu minutach. Widocznie się starzeję i przestaję być atrakcyjna.

To na prośbę Magdy kupiłem tamte kajdanki w sklepie wysyłkowym parę miesięcy temu, a teraz mam dziwne wrażenie, że dziewczyna z Allegro wpadła na mój trop i zaczyna bawić się ze mną. Może też sprawdziła w wyszukiwarce moje adresy mailowe, numer IP oraz zakupy i idzie teraz tą samą drogą, na którą ja wszedłem pierwszy, śledząc ją w internecie. Ale to jeszcze nic pewnego, to może być przypadek, takie kajdanki to jednak pospolity gadżet. Pewnie bawi się nimi ze swoim kochasiem, a kto wie, może nawet wróciła do Adamczyka?

Wlewam w siebie kolejną szklankę brandy i im więcej piję, tym bardziej czuję się oszukany i wystrychnięty na dudka, bo przecież od kilku tygodni powoli się do niej zbliżałem, mieszkałem w jej szufladach, na półkach z książkami i w koszu na śmieci, by poznać ją jak najlepiej.

Gdy zostałem bez Magdaleny, miałem przez chwilę taką wizję, że znajdę dziewczynę, która nieświadomie odkrywa się w necie, i podejrzę ją jak przez dziurkę od klucza, poprzez zakupy ją zrozumiem i może nawet lekko się nią zauroczę, bo ze sklepowych metek znam dziś jej ciało i duszę. Jedno i drugie można zdefiniować wydrukami z kasy; wiem z nich, że Marlena ma duszę wartą nieba, a ciało nie tylko grzechu, lecz także piekła.

Dziś mam wrażenie, że i ona nagle mi się wymyka. Kompatybilna dusza z ciałem w tak dobrze wybranym przeze mnie komplecie przebiera się za wampa i idzie kusić innego, o którym przecież nie ma wzmianki w historii zakupów, skąd mogłem o nim wiedzieć albo chociażby się domyślać. Była przecież stęskniona, samotna i po staroświecku romantyczna, a teraz widzę, że na nic moje wielotygodniowe starania, ciche zainteresowanie, pijackie uwielbienie i skacowana adoracja.

Czuję się jak zdradzony na środku łączącego nas sklepu i wszystkie kasy o tym wiedzą, pokazują nas wyskakującymi szufladami, mam to przecież na każdym jej nowym paragonie.

Nie oglądałem jej zakupów od tygodnia, cofam się teraz, dzień po dniu, analizując zawartość koszyka, i zaczynam odczuwać niepokój. Początkowo myślę, że to przypadek, ale przypadek, który zdarza się po raz kolejny, to już raczej przypadłość.

Dziewczyna najpierw kupiła na Allegro taką samą książkę, jaką dwa tygodnie temu zamówiłem tam dla Magdaleny. Jeszcze mnie to nie zdziwiło, bo nowe książki Paulo Coelho rozchodzą się prawem serii należnej noblistom i kładą czytelników pokotem. Ale potem zamówiła ostatnią płytę Astora Piazzoli, a dwa dni później album „Dzieła wszystkie" Leonarda da Vinci, wydawnictwa Tashen, równie piękny i wielki co kosztowny, bo ważący 5 kilo, a kosztujący 500 złotych, tak jakby takie książki wyceniało się teraz na wagę, biorąc po 100 złotych za każdy kilogram.

Nie byłoby w tych zamówieniach nic dziwnego, gdyby nie to, że te trzy rzeczy kupiłem tuż przed nią, i zaczynam mieć wrażenie, absurdalne przecież, że zaczęła śledzić moją listę zakupów. Przez chwilę pomyślałem nawet, że los bywa zaskakujący, bo kilka tygodni temu po raz pierwszy zajrzałem do jej koszyka, a widzę, że ona zagląda do mojego. Po przedmiotach mnie poznaje.

Teraz przyglądam się jej zakupom z niedowierzaniem, nie, to nie może być prawda. Niby dlaczego i z jakiej racji, to był przecież mój pomysł. Moja ścieżka poznania z drogowskazami rachunków, które ta dziewczyna płaciła, a ja je później czytałem jak najciekawszą powieść o erotycznych wątkach, które z każdą nową stroną mogły nadejść, na razie były obietnicą.

Zrobiło mi się gorąco i poczułem pot na plecach, gdy zobaczyłem, że licytowała razem ze mną, w końcu wygrywając i kupując za 200 złotych przykręcany do blatu stołu wielki korkociąg ze stali nierdzewnej, a wraz z nim komplet zapasowych sprężyn, które też licytowałem, tak jakby postanowiła pić ze mną wino na nieznaną odległość, w przesadnych dla nas ilościach. Potem zamówiła komplet ręczników, takich, jakie i ja wcześniej sprowadziłem, o zdecydowanie męskim odcieniu uniwersalnej szarości, nie do zafarbowania omyłkowym doborem kolorów garderoby wrzucanej do pralki, co dla mnie jest istotne, ale przecież nie dla niej.

Patrzę, jak dzień po dniu powiela moją listę zakupów, gromadzi przedmioty mojego użytku, otacza się moimi przyzwyczajeniami i podejmuje moje słabości, dzieli grzech rozrzutności i nieumiarkowania, po czym słucha moich płyt, otwiera moje książki i czyta w moich myślach.

Początkowo trudno mi w to uwierzyć; najpierw myślę, że to przypadek, zdumiewający splot okoliczności, ale w końcu czuję, że splotem tym jestem już cały opleciony.

Budzi to we mnie najpierw szybko słabnący niepokój, a potem dziką euforię. Cieszę się, bo mnie zauważyła, czuję ekshibicjonistyczną przyjemność, że mnie podgląda, że ją tak konsumpcyjnie interesuję, że patrzy, jaki krawat kupiłem i jakie bokserki. Jednocześnie boję się pozostawionych przeze mnie śladów chwilowych słabości, karty chorób, które tu przebyłem, obsesji, której i ona teraz ulega. Niemal czuję, jak ta dziewczyna ogląda mnie ze wszystkich stron, musiałem się czymś zdradzić; właściwie to było naiwne – myśleć, że nie zauważy, jak idę za nią krok w krok i wrzucam jej rzeczy do mojego koszyka, teraz ona wrzuca moje rzeczy do swojego, podjęła grę i ruch jest po jej stronie. Obserwuję szybkie zmiany na planszy, nie wiem, kto wygrywa, i nie mam pojęcia, jak gra się dalej potoczy.

Mam na DVD komplet filmów Piotra Adamczyka, każdy z autografem, prezent od Magdaleny, opatrzony dopiskiem „Specjalnie dla Ciebie". Loguję się na Allegro i wystawiam go na sprzedaż; ciekawe, czy Marlena to kupi.

*

W nocy śni mi się Marysia Jezus. „Przyjedź", proszę ją, „porozmawiaj ze mną o kobietach; Magda mnie zostawiła, a dziewczyna

PIOTR ADAMCZYK

z Allegro kupiła czerwone kajdanki dla innego. Bądź moją terapeut-
ką, ty mnie uleczysz, jeśli nie od razu, to po siedmiu dniach. Miłość
to nic skomplikowanego, rozchodzi się drogą kropelkową, wraz
z pocałunkami, i też jest jak katar, na wyzdrowienie potrzebny jest
tydzień i jednorazowe chusteczki".

Marysia Jezus pochyla się nade mną z zatroskaną miną. „Dlaczego jesteś nieszczęśliwy?", pyta, a wówczas widzę, że nie jest psychote-
rapeutką, lecz staruchą z certyfikatem uniwersytetu na Łysej Górze,
wiedźmą do odpędzania złych uroków, zwłaszcza uroków pięknych
panien, które nieszczęśnie w pamięć mężczyzn zapadają.

„Problem nie w tym, że jestem nieszczęśliwy, lecz tylko w tym, że
nie jestem szczęśliwy", odpowiadam. „Brak szczęścia to nie jest od
razu nieszczęście. Brakuje mi miłości i tamtej dziewczyny, którą byłaś.
Brakuje mi uczucia, jakie mi dawałaś, ciebie już nie ma, może nigdy
nie będzie, ale ja mam resztkę nadziei, że takie uczucie jeszcze mnie
dopadnie; niech będzie wtedy jak wściekły pies rzucający się do gardła, niech mnie nawet zagryzie, ale jeszcze raz chciałbym je przeżyć,
chciałbym czerwone ślepia tego psa znowu zobaczyć".

„Czas wszystko leczy, czas to lekarstwo", mówi starucha. „Ale
uważaj, każde lekarstwo ma swoje skutki uboczne. Wśród skutków
ubocznych czasu na końcu zawsze jest śmierć".

19.
Kochaj, nie otwierając oczu

Od rana jestem przybity jak Jezus Chrystus w dniu ukrzyżowania
i nie potrafię się podnieść. Po południu prześcieradło jest już cału-
nem turyńskim, zna mnie na pamięć każdą fałdą, by zachować dla

potomności, niezasłużenie przecież, bo nie mam daru zmartwych-wstania, skoro nie mogę wstać nawet z łóżka.

W myślach szukam jakiejś deski ratunku, czegoś, co pozwoli mi wziąć głęboki oddech i z tego wyjść, jednak to, co znajduję, jest tak puste, banalne i głupie, jakby brakowało mi piątej klepki, a cóż dopiero mówić o całej desce.

Staram się nie myśleć o Magdalenie, ale nie wiem, jak to się robi. Nie wiem, jak się zmienia jedno myślenie na drugie, nie potrafię o niej nie myśleć, to się dzieje poza moją wolą; myślenie o niej jest myśleniem samodzielnym, zobiektywizowanym, ja tu nie mam nic do powiedzenia, mogę jedynie zamknąć oczy i udawać, że nie widzę obrazów, które przesuwają się pod powiekami.

Do tej pory myślałem, że tęsknić będę jedynie za Marysią Jezus, i nawet gdy pojawiła się Magdalena, nie potrafiłem od tamtej tęsknoty uciec, a teraz czuję się opuszczony podwójnie, przez Marysię i przez Magdalenę, tak jakby były jedną Marią Magdaleną. Toż to prawie metafizyka! Maria Magdalena, matka niepokalanego poczęcia mojej jemiołowej miłości.

No dobra, z tym niepokalanym poczęciem to oboje przesadziliśmy.

*

Dzwonię do pracy i biorę wolne. Przez cały dzień nie robię nic, tylko patrzę przez okno, ale nic stamtąd nie nadchodzi. Pod wieczór przez chwilę mam wrażenie, że po drugiej stronie ulicy widzę Magdalenę. Kilkanaście minut stoję pod drzwiami, patrząc przez wizjer, ale jej nie ma.

Dzwonię do redakcji i pytam, jak sobie radzą beze mnie. Marzenka mówi, że świetnie, co mnie przygnębia jeszcze bardziej; tak byłoby miło, gdyby humanitarnie skłamała, mówiąc, że jestem niezastąpiony.

Chodzę po domu, popycham brzegi książek, bo stoją za równo, robię drobne nieporządki, nastawiam pranie białe z kolorowym. Próbuję się wziąć w garść, ale co w nią spojrzę, to mnie w niej nie ma.

Włączam internet, przeglądam wiadomości i w serwisie „Faktu" czytam, że „mieszkaniec jednej ze wsi w południowo-zachodniej części Chin porwał 11-letniego chłopca, zjadł jego mózg, a zwłoki zakopał na polu. Zaniepokojona nieobecnością syna matka poprosiła miejscowego starostę o pomoc. Jeden z mieszkańców wsi przyznał, że widział, jak pewien mężczyzna stał razem z chłopcem, trzymając go za szyję. W czasie dalszych poszukiwań znaleziono dwa zakrwawione kamienie i fragmenty kości, a wkrótce potem odnaleziono zakopane ciało chłopca. Kanibal przyznał się, że jest epileptykiem, a do zbrodni skłoniło go stare ludowe wierzenie, zgodnie z którym mózg dziecka, zjedzony z mrówkami i robakami, może wybawić od drgawek".

Nie, to nie są wiadomości dla normalnych ludzi. Kiedyś w sklepach sprzedawali wyroby czekoladopodobne, ale przynajmniej życie było prawdziwe. Teraz prawdziwa jest czekolada, a życie coraz mniej. To śmieci – wokół nas krąży pełno informacyjnych śmieci, gazety stają się jak wysypiska. Też w to wchodzę, brnę w tym wysypisku po kolana. Z dobrej i mądrej gazety robię hipermarket, byleby lepiej się sprzedawała, jemioła mnie oplata nie tylko w uczuciach.

*

Uciekam w głąb wirtualnego świata i zaglądam do koszyka Marleny. Na wierzchu leży komplet filmów opatrzonych autografami Piotra Adamczyka, a pod spodem zakupy, takie same, jakie zrobiłem kilka dni wcześniej. To dziwne uczucie – przyglądasz się komuś z ukrycia i nagle spostrzegasz, że on na ciebie patrzy.

Czuję się, jakbym stał przed nią nagi i nie wiedział, co zrobić z rękami – pomachać dłonią, czy może się zakryć; ale dlaczego mam się zakrywać, przecież chcę, żeby mnie podglądała, chcę prowadzić tę grę, ekscytuje mnie każdy nasz kolejny ruch, podnieca obecność tej dziewczyny, lubię, jak na mnie patrzy przez ten dziwny pryzmat, na który się zgodziliśmy, niczego wspólnie nie ustalając.

Wiem już, jak na mnie trafiła; to dość proste, a nawet banalne – wystarczyło powtórzyć mój ruch. Kupiłem od niej jej portret, pewnie chciała zobaczyć, kim jest nabywca, i zajrzała do internetowej listy sprawunków, musiała być zdumiona, gdy zobaczyła, że kupowałem to samo co ona, śledziłem jej gust od kilku tygodni, może nawet się przestraszyła; ciekawe, co zamieniło jej strach w ciekawość.

Byłem na Allegro jej klientem, podałem więc swoje dane, mogła wrzucić je do wyszukiwarki i ma mnie jak na widelcu, teraz powoli rozgryza. Wie, jak się nazywam, gdzie pracuję i mieszkam, czego słucham, co czytam i o czym piszę.

W ciągu następnych tygodni powtórzyła wszystkie moje zakupy; kilka płyt i książek, elektryczna szczoteczka do zębów Sonicare, film Bessona „Angel-A", potem „Klimt" Malkovicha; w końcu wziąłem też jakieś francuskie porno – byłem ciekaw, czy stawia sobie jakieś granice, a na drugi dzień okładkę pornograficznego filmu znalazłem na liście jej zakupów. Dopiero wtedy włożyłem go do odtwarzacza i oglądając, zastanawiałem się, jak ona reaguje, w których momentach przewija film szybciej lub może zatrzymuje, pewnie podobnie myśli o moich reakcjach i może wyobraża je sobie, tak jak ja teraz wyobrażam sobie jej ruchy, i to podnieca mnie bardziej niż gra aktorów, zamykam oczy i wyraźnie widzę, jak przyspiesza, słyszę to także w swoim oddechu.

Przeglądam listę tytułów w księgarniach internetowych. Czy jeśli kupię jednocześnie „W poszukiwaniu straconego czasu", „Monologi waginy" i „Kulturową historię penisa", domyśli się, o co mi chodzi? Jednak ten Proust chyba nie jest tu najlepszy. To musi być coś z bardziej dosłownym tytułem, co jednoznacznie umówi nas na randkę.

PIOTR ADAMCZYK

Teraz mój ruch. Kupuję mapę Europy Wschodniej i następnego dnia widzę, że Marlena kupuje mapę Czech i Słowacji. Nasza gra płynnie idzie do przodu, chwilę się zastanawiam, wrzucam do koszyka mapę Słowacji i czekam na ruch dziewczyny. Nazajutrz zaglądam do jej koszyka i widzę, że wybrała Tatry i przewodnik po miejscowości Bobrovnik. Nazwa nie brzmi zbyt romantycznie, więc przyglądam się temu Bobrovnikowi w necie. Góry, jakiś strumyk, smętna architektura z lat siedemdziesiątych. Dlaczego zdecydowała się na tak banalne miejsce? Myślę, że gdybym miał tu mieszkać na stałe, marzyłbym o tym, żeby stąd uciec. I chyba nie tylko ja, bo gdy sprawdzam bazę noclegową, okazuje się, że nawet tutejszy hotel ucieczkowo nazywa się „Jamajka". Co za absurd, żeby dwugwiazdkowy hotel w słowackich Tatrach nazwać „Jamajka". Mogłem jednak kupić mapę Czech, może pojechalibyśmy do Pragi.

Jeszcze się waham, chociaż przecież chciałbym się spotkać z Marleną, jechać kilka godzin i myśleć o niej, wyobrażać sobie jej wygląd, kolor włosów, kształt oczu, barwę głosu i układać nim pierwsze słowa, które mi powie, na przykład: „Piotr, cieszę się, że przyjechałeś, chodźmy na spacer, a jeśli chcesz, to od razu do łóżka".

No nie, chyba tak nie powie. Jeśliby powiedziała, to wiadomo, że od razu wybrałbym pójście do łóżka, a tak to będziemy najpierw godzinami rozmawiać o imponderabiliach albo o pryncypiach, snuć jakieś gnozeologiczne lub ontologiczne wątki, dojdziemy do sedna istnienia, a ona dodatkowo dojdzie do tego, że jestem idiotą, bo nie będę mógł się skupić, zastanawiając się nad rzeczą ontycznie przecież pierwszą – jaki, do cholery, pod jej bluzką rysuje się biust.

*

Podglądam ją tak długo, że czas, abym ją wreszcie zobaczył, bo co to za podglądanie, kiedy widzi się tylko w wyobraźni. Jeśli się waham, to dlatego, że nieobce mi są rozczarowania osobą, na którą długo czekałem, po czym ona przychodziła i wtedy okazywało się, że milej było jednak czekać. Bywa, że lepiej trwać w niedoczekaniu, mieć nadzieję i wrażenie miłej niespodzianki. W niespodziankach najpiękniejsze jest to, że dopiero się zdarzą.

Wyobrażam sobie jednak sytuację taką, że znajdujemy się już pod wspólnym dachem, ona na mnie patrzy, ja patrzę na nią i żadne (lub jedno z nas) nie dopatruje się niczego fascynującego albo chociaż ciekawego; widzimy tylko przeciętność i nijakość, rozmowa też się nie klei, budujemy dziurawe zdania, ze słów nic nie wynika, a przecież jakże wielkie były oczekiwania. Więc oboje chcielibyśmy wrócić do swoich domów, gdzie pustka lepsza jest od pomyłkowej obecności, ale jest już późno, trzeba razem doczekać przynajmniej świtu, a co będzie, jeśli przypadnie nam pokój z jednym łóżkiem, w którym znajdziemy się jak znudzone sobą małżeństwo. I co będzie rankiem, gdy się obudzimy i od razu dopadnie nas świadomość osób, które przywiozły ze sobą rozczarowanie; może ja miałem być dobrze zbudowanym blondynem lub latynoskim typem z kucykiem, Marlena rano otworzy oczy i zobaczy mnie, a nie Deppa albo Banderasa, pójdę do łazienki i będę się wstydzić, że może sikam zbyt głośno, a nie daj Boże zechce mi się tam jeszcze czegoś groźniejszego. Depp robi to pewnie bezszelestnie, podobnie jak Pierce Brosnan, agent 007, a gdy wychodzi z łazienki, to niczym nieromantycznym tam nie czuć.

Nagle spadły na mnie wszystkie wątpliwości; co ja sobie w ogóle wyobrażałem, dlaczego taka ładna dziewczyna miałaby się spotkać z takim przeciętnym facetem jak ja, pewnie ucieknie, gdy mnie zobaczy. To i tak cud, że w ogóle bawi się ze mną w te sprawunki, ciekawe przy tym – dlaczego.

Być może wciągnęła ją ta gra, sam pomysł wirtualnej zabawy, świadomość, że nikt przed nami jeszcze się w to nie bawił, a kto wie, może zaraz gra w sprawunki stanie się najmodniejszą zabawą w internecie, a przynajmniej najbardziej wyrafinowaną wśród celebrytów i Marlena będzie mogła wtedy powiedzieć, że to ona była na tej planszy pierwsza. Jeśli tak, to nie zrezygnuje w połowie rozgrywki, będzie chciała poznać reguły do końca, zobaczyć, kto i na jakich zasadach zostaje zwycięzcą. Codziennie poruszamy się o kilka oczek, więc na pewno jest też ciekawa, jak to się potoczy i dokąd. Trzymam kostkę w dłoni i zastanawiam się, jak wyrzucić szóstkę, która wygrywa.

*

W telewizji puszczają nową edycję teleturnieju „Randka w ciemno". O względy brzydkiego chłopca walczą trzy urocze nastolatki; szkoda, że go nie widzą, od razu poddałyby się walkowerem. Ale brzydki chłopiec stoi za przepierzeniem i wywołuje romantyczne skojarzenia, mówiąc o gwiazdach, kosmosie i Drodze Mlecznej, spryciarz ukryty po ciemnej stronie księżyca.

Zauważyłem, że coraz częściej wspominam Magdalenę; im bardziej jej nie ma, tym bardziej o niej myślę – wystarczy mały pretekst, z pozoru odległy jak gwiazdy, o których mówi ten chłopak.

Przypomina mi się jedno ze spotkań z nią. Nocna burza zerwała gdzieś linię wysokiego napięcia, zgasły wszystkie lampy na ulicach, w domu nie było nic widać. W ciemności szukaliśmy świeczek, ale wciąż, chichocząc, trafialiśmy na siebie, aż w końcu zrezygnowaliśmy z poszukiwań i pozwoliliśmy naszym dłoniom błądzić po sobie. Cudownie nas odnajdywały, po omacku lepiej i pewniej, bezczelnie i podniecająco, aż rozkosz zamykała nam oczy i trwała, a one po otwarciu były jak nadal zamknięte.

Dotyk nas sycił jak nigdy dotąd, głęboki i penetrujący, ciekawski i wścibski, wszystkie zmysły posłusznie mu się podporządkowały, wzrok został zapomniany, jedynie smak nie uległ dotykowi, i liżąc jej uda, miałem wrażenie, że całe moje ciało staje się językiem, wielkim jęzorem pełnym pożądania, na którym miliardy kubków smakowych budzą apetyt, jakiego dotąd nie odczuwałem. Bałem się, że nie uda się go zaspokoić, głód rósł we mnie wielki, aż w końcu jej spazm gęsto rozlał mi się na podniebieniu. Dotyk i smak dokładnie się przemieszały – miałem wrażenie, że właśnie to uczucie można nazwać pomieszaniem zmysłów.

A potem przyszła noc bezgwiezdna, bezksiężycowa i bezświetlna, nawet jej nie słyszałem, chociaż mrok mruczał przy nas jak czarny kot.

*

Teraz noc jest pusta, głucha i cicha. Oglądam teleturniej i zastanawiam się, jak wyglądałoby takie spotkanie z Marleną; randka w ciemno to coś w sam raz dla mnie; lepiej, żeby nie było mnie widać. Może pomysł wyda się jej kusząco perwersyjny i nie wpadnie na to, że jestem jak tamten brzydki chłopak z telewizji, uwodzący romantycznie po ciemnej stronie księżyca.

Przez chwilę zastanawiam się, jak to zrobić. Potem szukam w internecie opasek na oczy. Nie miałem pojęcia, że oferta jest aż tak bogata. „Knebel kulkowy zakończony z drugiej strony 15-centymetrowym penisem. Knebel połączonych pasem skórzanym z regulacją zacisku. Możesz zakneblować partnera, a on będzie penetrował cię doczepianym penisem. Dodatkowo opaska na oczy".

Nie, na to za wcześnie. Potrzebna mi zwykła opaska, bez knebla z penisem. Jest! Znajduję ją na wyprzedaży teatralnych rekwizytów. Elegancka, czarna, aksamitna. Co prawda „wykorzystywana była w spektaklu podczas sceny ukazującej egzekucję Dantona", ale nie jestem przesądny. Natychmiast loguję się na Allegro i kupuję. Następnie przez kilka godzin niecierpliwie sprawdzam zawartość koszyka Marleny. Czuję, że jest w internecie, musi być, to przecież nasza pora wzajemnego podglądania się.

Tuż przed północą mam odpowiedź. W koszyku Marleny znajduję komplet białej koronkowej bielizny, do której producent dołączył opaskę na oczy obszytą taką samą koronką. Co za miły opis: „Delikatna i wytworna, a przy tym niebywale użyteczna – dzięki tym cechom opaska na oczy jest często uznawana za luksusowy dodatek do bielizny nocnej. Opaska nie przepuszcza światła, ułatwia zasypianie i sprawi, że wreszcie się wyśpisz. Ale to nie wszystko. Jeśli lubisz eksperymentować, opaskę na oczy możesz wykorzystać w bardziej niegrzeczny sposób. W końcu ciemność to sprzymierzeniec kochanków. Jeśli postanowisz wykorzystać ją właśnie tak, nie zapomnij o kompletach zmysłowej bielizny, którą oferujemy w naszym sklepie internetowym". Marlena, jak widzę, nie zapomniała.

Wyobrażam sobie tę noc. Dziewczyna wchodzi do ciemnego pokoju. Widzi tylko tyle, że siedzę na brzegu łóżka. Zakłada opaskę, podchodzi i siada obok. Albo nie. Po omacku przecież nie pójdzie. Poobija nogi, a rano będzie widać siniaki. Najpierw podchodzi i zakłada, a potem siada. „Jesteś, jednak przyjechałaś", mówię. „Tak, przyjechałam, wiedziałam, że będziesz czekać", odpowiada.

Między nami są tylko dotyk i głosy. Nasza wyobraźnia robi się niespokojna. W głosach staramy się zobaczyć to, czego nie widzimy. Usłyszę, jak przeciąga wyrazy, a zwłaszcza drugie sylaby.

Kobiety, gdy uwodzą głosem, zazwyczaj przeciągają drugie sylaby. Jest w tym najpierw jakaś zaczepka, potem obietnica. Kochaaanie. A gdy chcą słowami pieścić, przeciągają pierwsze sylaby. Chooodź. Przyyyytul się. Mężczyźni kłamią z silnym akcentem na pierwszą sylabę. PIĘkna jesteś. MArzyłem o tobie. A gdy jest już po wszystkim, kobiety tulą ich, rozciągając wszystkie samogłoski – to genetyczne i wynika z ewolucyjnie ukształtowanego odruchu pocieszania dzieci. Jaakiiś tyy duużyy. To wobec chłopców. Jaakii oon duużyy. To wobec mężczyzn. Jeesteeś jaak bóóg seeksuu. Tak mi mówiła Marysia Jezus. Akurat ona mogła to mówić całkiem szczerze, byłem jej pierwszym mężczyzną, nie miała bogów cudzych przede mną.

W międzyczasie, w czasie między tymi słowami, będziemy czuć swoją obecność każdym zmysłem, wyostrzonym jak samurajski miecz.

Jeszcze nie jestem pewien, czy Marlena na pewno dobrze mnie zrozumiała, i zasypiam pełen wątpliwości, ale gdy budzę się rano i sprawdzam nocne ślady w sieci, wiem, że gra w sprawunki perfekcyjnie. Na jej profilu na Facebooku widzę świeżo dodany link do piosenki Czesława Niemena.

Hej, baw się razem z nami,
hej, baw się w ciuciubabkę z nami.
Hej, kto się z nami bawi,
do ciuciubabki zapraszamy.
Wystarczy tylko w krąg ustawić się,
chusteczkę jedną mieć
i ciuciubabkę szybko wybrać; raz, dwa, trzy,
a wybrać tylko mnie.
A kiedy ciuciubabkę mamy już,
nie wolno w miejscu stać.
Kłopoty i zmartwienia na bok złóż,
i śmiej się tak jak ja, heeeej...
Hej, baw się razem z nami,
hej, baw się w ciuciubabkę z nami.
Hej, kto się z nami bawi,
do ciuciubabki zapraszamy.

Ciuciubabka. Rozumiem, że babka, ale dlaczego ciuciu?

—

PIOTR ADAMCZYK

20.
Modelka w czerwonej lodówce

Znów dziś chodziłam po sklepach; wiesz, jak lubię robić zakupy, ale nic nie kupiłam, oglądałam tylko. Coś Ci powiem, ale nie będziesz się złościł, dobrze? Przymierzałam sukienki ślubne, zastanawiając się, która z nich najbardziej by Ci się spodobała. Wybrałabym taką w kolorze écru, bardzo króciutką, bo przecież nogi mam ładne, niech Ci zazdroszczą. Och, nie myśl, że od razu namawiam Cię do ślubu! Tak tylko czasami lubię sobie pomarzyć. A wiesz, jak wchodziłam do tego sklepu, to miałam na sobie taki bardzo luźny sweter i ta pani, co obsługuje, pokazała mi najpierw taką ładną suknię srebrno-białą, z dużym dekoltem, ale luźną, bo przez ten mój sweter myślała, że jestem w ciąży! A potem miałam sen, w którym urodził nam się syn, po prostu wyszedł spod tej srebrno-białej sukni taki srebrny chłopczyk i usiadł z nami przy stole. Bardzo był podobny do Ciebie, ale oczy miał niebieskie jak moje. Naprawdę był śliczny. Całuję. Twoja Miriam.

Zamykam laptopa, muszę odpocząć, zresetować się; szkoda, że człowiek nie ma przycisku reset albo nie może na dziesięć sekund wyłączyć się z prądu. Wszystko w nim od nowa by się poukładało i już by się przez jakiś czas nie zawieszał.

Nie chcę już myśleć o Magdalenie i snuć domysłów na temat Miriam, która być może w ogóle nie istnieje. Szukam pretekstów zapomnienia i ścieżek ucieczki; dziewczyna z Allegro świetnie się do tego nadaje, skoro klin klinem, to jemioła na jemiołę, moja reakcja ucieczkowa, piękna nieznajoma, Marlena pocieszenia.

Włączam komputer i widzę, że kupiła lodówkę. Ma nowy link na Facebooku, do Fabryki Ładnych Wnętrz; zajrzałem tam i w księdze klientów znalazłem jej komentarz z podziękowaniem za fachową pomoc w wyborze sprzętu. Komentarz połączony był linkiem z działem opinii, więc czytam przy okazji jej ocenę i przyglądam się zdjęciom czerwonej lodówki marki Smeg, której koszt przekracza sumę trzech średnich krajowych pensji.

Marlena z zakupu jest bardzo zadowolona, bo pisze: „Prześliczny sprzęt, a zwłaszcza kolor, który każdej współczesnej kobiecie pasuje do kuchni, do której wchodzi w czerwonych błyszczących bucikach na obcasiku i otwiera drzwiczki lodówki ręką z czerwonymi paznokietkami". Trochę dziwnie to napisała, nie wiem, skąd u niektórych kobiet taka patologiczna skłonność do zdrabniania. Ciekawe, jak ona klnie, gdy się zezłości. O cholerka? Niech to szlaczek trafi? Kurewka maćka?

Link ze sklepu wiedzie mnie do działu: Aranżacje Naszych Klientów, gdzie widzę czerwoną lodówkę stojącą już w kuchni, a obok jest krótki filmik video, na którym Marlena przechadza się po swoim mieszkaniu, rzeczywiście w czerwonych szpilkach, i widzę, że ma dwa pokoje, w których na pewno mieszka sama.

Na podłogach stoi pełno szklanych wazonów, wykluczających obecność dziecka, a wszystkie ściany są w tonacjach pudrowego różu, co raczej wyklucza wpływ zadomowionego mężczyzny. Za oknem salonu widać wschodnią część wieży ciśnień przy ulicy Wiśniowej – łatwo mógłbym ustalić, gdzie mieszka.

Na razie patrzę, jak ostentacyjnie wachlując się „Vanity Fair", otwiera komorę zamrażalnika, a potem chłodziarki, i prezentuje niemal puste wnętrze (w lodówce jest tylko woda mineralna i kilka opakowań jogurtu truskawkowego, w zamrażalniku nie ma nic), po czym odruchowo kładzie czasopismo na dolną półkę zamrażalnika, wyciąga jogurt i zamyka czerwone drzwiczki, przez nieuwagę zostawiając miesięcznik w środku. Tuż przed ich zamknięciem wyraźnie widać okładkę z przerażająco chudą modelką w czerwonej sukni.

*

W mieszkaniu Marleny straszy chuda modelka z „Vanity Fair" zamknięta w lodówce. Myślę o jej czerwonej sukni za czerwonymi drzwiczkami i o jogurtach w czerwonych pudełkach, o czerwonych szpilkach dziewczyny z Allegro i jej czerwonych paznokciach.

Otwieram swoją lodówkę, a tam nie ma nawet jogurtu, nie mówiąc już o czymś do czytania. Jeszcze wczoraj była papryka, jabłka i rzodkiewki, ale wyrzuciłem, bo zwiędły. Muszę koniecznie zrobić listę zakupów, i tak na niczym sensowniejszym nie potrafię się skupić. Nie mam pojęcia, jak to będzie, gdy wrócę do pracy; tam czeka na mnie gazeta, z której mam zrobić supermarket, a tymczasem we własnym domu nie umiem założyć w lodówce prostego warzywniaka.

Wertuję wczorajszy numer gazety z mieszanymi uczuciami. Wiadomość z pierwszej strony.

„W Chinach 6-letni chłopiec cudem uniknął śmierci dzięki dużym uszom, które utrzymały go między prętami metalowej kraty na wysokości ósmego piętra – podał portal newsru.com. Chłopiec wypadł z okna swojego domu, kiedy wychylił się za parapet. Uratowała go metalowa krata, która znajdowała się pod oknem, i duże uszy, które zaczepiły się o metalowe pręty. Słysząc rozdzierające krzyki chłopca, na miejsce zdarzenia zbiegli się sąsiedzi i przechodnie. Widząc wiszącego na uszach malca, wezwali ratowników. Ratownicy wciągnęli chłopca przez to samo okno, przez które wypadł".

Zasypują nas te chińskie wiadomości jak tanie towary. Czy to jest informacja nadająca się na pierwszą stronę mojej gazety? To nie są wiadomości, to są podróbki wiadomości, nadające się na półkę z przecenami. Ale to właśnie pod tą półką najwięcej ludzi gromadzi się w supermarketach…

Zostały mi tylko dwa tygodnie urlopu, wyjadę, być może spotkam się z Marleną, potem odpocznę i wszystko przemyślę.

Wrzucam do wyszukiwarki trzy słowa: „Słowacja, hotele, Jamajka". Chcę zobaczyć hotel, w którym być może spotkam się z Marleną. Pierwszy link to słowackie biuro podróży. Zgadza się. „Jamajka". Zgadza się. „Hotel Hedonism". Nie zgadza się... Hotel miał się nazywać „Jamajka", a nie „Hedonism". Sprawdzam. Okazuje się, że na stronie słowackiego biura przypadkowo znalazłem ofertę hotelu na Jamajce. Moją uwagę przykuwa zdjęcie, na którym widać basen pełen nagich kobiet. Nomen omen – hedonizm.

Grzecznie wracam jednak do Bobrovnika i oglądam hotel. Budynek jak z peryferii Zakopanego, lobby w stylu sali gimnastycznej albo remizy strażackiej, pokoje gościnne ciasne, a w nich meble na wysoki połysk i wąskie tapczany, w pokojach dwuosobowych zestawione ze sobą. Dlaczego coś takiego Słowacy nazwali „Jamajką"?

Nie podoba mi się, cofam się do tego hotelu na Jamajce i oglądam zdjęcia. Białe plaże, błękitne niebo, szmaragdowa woda. Naturyści, salony masażu, dwuosobowe hamaki w ustronnych miejscach. O, tu byłoby miło spędzić kilka romantycznych wieczorów, a może nawet wakacje. Pieprzę Bobrovnik, chcę na Jamajkę. Uciec daleko od Marii i Magdaleny. I wygrać grę z Marleną, chociaż nie jestem pewien, czy na Jamajkę pojedzie. Ale spróbować warto.

Sprawdzam ofertę hotelu „Hedonism" w polskich katalogach. Znajduję kilka obiecujących zdań: „wieczorki o charakterze erotycznym", „basen wyłącznie dla naturystów", „pokoje posiadają lustra na suficie", „ośrodek przyjmuje gości wyłącznie w wieku powyżej 18 lat" i to, najciekawsze: „istnieje możliwość dokwaterowania dla turystów podróżujących samotnie".

Wrzucam w Google zdanie: „istnieje możliwość dokwaterowania dla turystów podróżujących samotnie". Co to znaczy? Wyskakuje kilkanaście linków, przeglądam je po kolei, ale pod żadnym nie znajduję odpowiedzi.

PIOTR ADAMCZYK

Czy jeśli Marlena zdecyduje się na przyjazd, łóżko już będzie czekać, a jeśli nie przyjedzie, dokwaterują mi jakąś panienkę? Sprawdzam oferty innych biur podróży, wszystkie brzmią podobnie. Dzwonię.

– Co to znaczy, że „istnieje możliwość dokwaterowania dla turystów podróżujących samotnie"?

– To znaczy, że jeśli podróżuje pan sam, a chce mieszkać z panią lub panem, to istnieje taka możliwość.

– Z panem lub z panią?

– W zależności od preferencji.

– Ja jestem hetero.

– Joasia. – Dziewczyna podaje mi rękę.

– Zadam bezpośrednie pytanie: czy ta pani żąda potem pieniędzy ode mnie?

– Oj! Nie! To renomowany czterogwiazdkowy hotel, tyle że bardzo odważny, rzeczywiście. Korzystają z niego w większości panowie i czasami wpisują, że chętnie udzielą gościny jamajskim tancerkom. Tam co wieczór są tańce erotyczne i konkursy w typie mokrego podkoszulka. Ale z tego, co wiem, tak formalnie, to konkrety realizowane są dopiero na miejscu. Na podobnych zasadach pokoje rezerwują też panie, wpisując już na miejscu opcję „możliwość dokwaterowania samotnie podróżującego pana".

– To dość dwuznaczne, prawda?

– Nie, absolutnie nie, proszę pana. Tu nie ma nic dwuznacznego. To jest bardzo jednoznaczne. Wszystkim chodzi o dobrą zabawę. To są ludzie ze świata, a nie z zaścianka. Lubią erotyzm. Tyle mogę przez telefon powiedzieć.

– Była tam pani?

– Powiedzmy, że koleżanka była.

– I co?

– Powiedziała, że chętnie wróci.

– To może tymczasem wróćmy do mojego pytania.

– Tak, proszę.

– Chodzi mi o możliwość dokwaterowania dla turystów podróżujących samotnie.

– Tak.

– Jamajskie tancerki nie są w moim typie.

– Nie wiem, na ile to się uda, ale może pan w liście do menedżera hotelu wysłać swoje preferencje, a on, przeglądając podobne listy od innych gości, być może postara się sprostać pana oczekiwaniom. Oczywiście w miarę możliwości, jeśli uda mu się skojarzyć gości, uwzględniając ich potrzeby. To jest sieć kilku dużych hoteli, jeszcze nie mieliśmy klienta, który nie byłby zadowolony.

– Dobrze, może pani przekazać moje preferencje?

– Tak, proszę.

– Dziewczyna powinna być z Polski i mieć na imię Marlena.

– Marlena? Z Polski? Tylko z Polski Marlena? Dlaczego? To bardzo zawęża…

– I o to chodzi, bo nie wykluczam, że pewna Marlena tam będzie. W sumie to mało prawdopodobne, ale jeśli jednak przyjedzie, to chciałbym, żeby od menedżera otrzymała taką ofertę.

– Dobrze.

– I jeszcze jedno.

– Tak?

– Państwa ofertę chciałbym kupić przez Allegro.

– Ale dlaczego? Możemy zapewnić panu pełną dyskrecję, a voucher może pan odebrać na lotnisku.

– Nie, nie chodzi o dyskrecję, wręcz przeciwnie, chciałbym, żeby ta oferta znalazła się w moim koszyku zakupów. W pewnym sensie będzie to także reklama dla pani biura.

– Skoro pan sobie tak życzy. Czasami korzystamy z Allegro, ale głównie w ofertach last minute. Portale tego typu biorą marżę, będziemy ją musieli doliczyć do pana rachunku.

– Nie ma sprawy, zapłacę.

– Dobrze, za godzinę będzie w opcji „kup teraz". Czy dwa dni wystarczą panu na podjęcie decyzji?

– Już ją podjąłem. Oferta zniknie natychmiast. Zależy mi na tym, żeby szybko znalazła się w moim koszyku.

– Przyznam, że to dziwne żądanie z tym koszykiem.

– Widzi pani, to taka gra.

– Gra?

– Tak, w sprawunki.

– Aha.

Nie mówię więcej, bo przecież nie powiem, że rzuciła mnie dziewczyna, a w międzyczasie wirtualnie uległem urokowi pewnej panny, z którą wzajemnie obserwujemy swoje zakupy, zaglądam jej do koszyka, a chciałbym pod spódnicę.

Im bliżej tej spódnicy jestem, tym większe mam wątpliwości. Dziewczyna Piotra Adamczyka, była miss, mężczyźni oglądają się za nią na ulicy. Ładna, zgrabna, wysoka. To przecież nie moja liga. Cóż – ja? Sto siedemdziesiąt centymetrów wzrostu, półtora metra w kapeluszu, jak mawiała Marysia Jezus.

Może dlatego lubię Woody'ego Allena – w moich rozmowach z wysokimi kobietami stanowi poręczny argument, jest ode mnie niższy, brzydszy i ma większą wadę wzroku. Co jednak nie przeszkadza mu sypiać z kobietami wyższymi o głowę. Lubię go nie tylko z powodu wzrostu, lecz także absurdalnego poczucia humoru, którego zazdroszczę mu nawet bardziej niż pięknych kobiet. Chociaż nie znam dowcipów tak pięknych jak jego wszystkie cztery żony, łącznie z tą ostatnią, o ponad 30 lat młodszą od niego.

Patrzę w lustro; najgorzej nie jest, nie wyglądam na swoje czterdzieści parę lat, chociaż sińce pod oczami rysują mocny cień zmęczenia. Tym bardziej podróż dobrze mi zrobi. Otwieram szafę, przeglądam letnie rzeczy. O, i w końcu przyda się walizka, którą kilka miesięcy temu kupiłem na wyjazd do Oslo. Do tej pory skorzystałem z niej tylko dwa razy, wożąc książki na mur Magdaleny. Na pewno jest już skończony.

21.
Fatalna pomyłka pani nocnej

Hotele mają w sobie tendencję do psucia. Nawet nieposzlakowane kobiety, zwykle niebłądzące po przygodnych szlakach, bałamutnych ścieżkach, nawet te kobiety łatwiej tu schodzą na manowce. Zepsucie jest w ścianach, w materacach łóżek, w świadectwie luster. Hotele bywają miejscem ukrywanych spotkań, małżeńskich zdrad, kradzionego seksu. W żadnym innym miejscu nie krzyżuje się tyle dróg. Młodych par w podróżach poślubnych, rodzin jadących na zaoszczędzone codzienną daniną wakacje, delegatów firm zdobywających akcjonariuszom ziemie obiecane. Akwizytorów sprzętów, komiwojażerów myśli. Nigdzie indziej tak się nie schodzą ścieżki podróży i przygody, prawdy i kłamstwa, uczucia i sprzedajnej miłości. A co dopiero taki hotel, jak „Hedonism".

*

Przyleciałem przedwczoraj, cały dzień przespałem. Wczoraj oglądałem hotel, wypytywałem o Marlenę. Miałem nadzieję, że może już jest, chociaż wylatując z kraju, podejrzewałem, że raczej nie przyleci. Jest jakaś granica szaleństwa, normalni ludzie jej nie przekraczają.

Recepcjonista głupio się uśmiechał i puszczał oko. Dawał do zrozumienia. Wręczyłem mu pięć dolarów, a on powiedział: „No problem". Co drugie zdanie zapewniał, że „no problem". Zupełnie jakbym był na jakiejś terapii.

Hotel urządzono w stylu kolonialnym, wszędzie ciężkie meble z palisandru i hebanu, miękkie sofy, pufy i poduchy. W przestronnym lobby bujane fotele, zapach cygar, wanilii i perfum. Na zewnątrz, między basenem a plażą, wiklinowe łoża z baldachimami. Nieco na uboczu, za podwójną linią palm, basen dla naturystów. Wszędzie muzyka, ale tylko z głośników – reggae, ska, calypso, trochę przebojów z Europy. Prawie sami biali, sporo Amerykanów, poza tym głównie Niemcy, Francuzi i Rosjanie. No i niestety – Anglicy. Ci nie trzeźwieją nigdy. Wrzeszczą, klną, bekają piwem. Niemcy patrzą na nich z pogardą. Francuzi udają, że jednych i drugich nie widzą. Rosjanie trochę niepewni. Jakby chodzili po kruchym lodzie, a nie po wyfroterowanych marmurach. W pierwszym dniu kupują koszulki z Bobem Marleyem. Potem schodzą na obiad i w kilkanaście osób siadają do stołu tak samo ubrani.

*

Od pierwszego dnia mojego pobytu na Jamajce upał jest wściekły. W przewodnikach pisali, że temperatura waha się tu między 24 a 28°C, ale pogoda nie czyta przewodników.

Dziś poranny wiatr szybko się poddał i zastygł w miejscu. W południe żar przekroczył 35°C i powietrze zaczyna falować. Goście hotelowi leżą pod palmami lub moczą się w basenie, a między nami, rzeczywiście jak w ukropie, uwijają się dziewczyny odpowiedzialne za codzienny entertainment. Wieczorem ma być konkurs tańca, dziś dzień tanga.

Nie umiem dobrze tańczyć, od czasów liceum na każdej prywatce zazwyczaj symuluję zwichnięcie kostki, pęknięcie śródstopia lub nagłą żałobę. Zwichnięcie i pęknięcie są skuteczniejsze, w przypadku żałoby zawsze znajdzie się miłosierna dama, która zechce w tańcu pocieszyć. Ale przecież nie mogę za każdym razem mieć zwichniętej kostki lub pękniętego śródstopia. Mało pociągający jest czterdziestoletni mężczyzna cierpiący już na osteoporozę. Ostatnio udawałem, że mam grypę żołądkową, ale to nie był dobry pomysł. Wprawdzie nie musiałem zatańczyć ani razu, ale też żadna panna nie chciała, abym ją odprowadził do domu. W końcu postanowiłem, że nauczę się tańczyć. Nie było wyjścia, wszystkie dziewczyny w redakcji zaczęły nabierać przekonania, że jestem zbyt chorowity, by wiązać ze mną jakieś długodystansowe plany, takie jak prokreacja, dom na kredyt lub wycieczka na rowerach.

Gdy tydzień temu prezes wydawnictwa niespodziewanie zapowiedział wielki bal z okazji planowanych zmian w naszej gazecie, uznałem, że dłużej nie mogę czekać. Nie miałem czasu ani ochoty na ćwiczenia w grupach, więc poszukałem indywidualnych korepetycji. Trafiła mi się czterdziestoletnia tancerka z baletu, która nudziła się na emeryturze. Pierwszy raz widziałem czterdziestoletnią emerytkę, ale widocznie taniec wyniszcza organizm człowieka bardziej niż np. praca na roli lub w hucie.

Marzyło mi się tango. Prawdziwe argentyńskie tango, zmysłowe i eleganckie, skuteczny środek do obezwładniania kobiet. Poza tym odpowiadało mi mentalnie. Pewien poeta napisał, że tango to smutna myśl, którą się tańczy, a ja mam całą głowę smutnych myśli do zatańczenia. Zgubiła mi się gdzieś Marysia Jezus, odeszła Magdalena, przyszły tęsknoty i smutki; dopiero po odejściu Magdaleny zrozumiałem, jak była dla mnie ważna. Nie doceniałem tego, co mi daje, gdy zasypiała z oddechem na mojej szyi. Nauczyłem się miłość zastępować seksem, ale między jednym a drugim jest taka różnica jak między szczęściem a przyjemnością.

Chodziłem na zajęcia z tańca codziennie, chciałem myśleć o czymś innym niż samotność i praca. Przez pierwszy tydzień nauczyłem się kroku podstawowego do przodu: lewa noga w przód, prawa noga w przód, lewa noga w bok, prawa w bok, dostawić. Wolno, szybko, szybko, wolno. Potem zaczęło mi iść jak z górki i w ciągu trzech kolejnych lekcji nauczyłem się kroku podstawowego w tył: lewa noga w tył, prawa noga w tył, lewa noga w bok, prawa noga w bok, dostawić. W analogicznym rytmie. Poznałem też słowo bandoneon.

Pod koniec drugiego tygodnia moja korepetytorka orzekła jednak, że jestem trwale niezdolny do tańca i nic więcej się nie nauczę. Prawdę mówiąc, byłem załamany.

*

Siedzę na plaży okupowanej dziś przez naturystów, tylko kilku mężczyzn nie zdjęło spodenek, kobiety są bez staników, większość bez majtek. Próbowałem zdjąć swoje, ale w połowie zrezygnowałem. Dookoła same pary, nagość par wydaje się tu naturalna i oczywista, a goły singiel wygląda trochę jak wyrzut sumienia. Tak mi się przynajmniej wydaje, więc spodenek nie ściągam, poza tym mam okropnie biały tyłek, pewnie bym go zaraz poparzył. Cały czas się rozglądam, mając nadzieję, że zobaczę Marlenę, a wygląda to tak, jakbym się tylko na gołe tyłki gapił. Aż mi za siebie wstyd.

Siedzę taki tekstylny i z żalem patrzę na dziewczyny, które szukają partnerów do ogłoszonego przez animatorów konkursu. Żaden z młodych chłopców, których tu większość, tańczyć tanga nie chce lub nie potrafi. Marina, ciemnoskóra instruktorka o wielkich biodrach w kusej spódniczce tenisistki, zachęca kilku z nich do wspólnych prób tanecznych na rozgrzanym piachu, ale nie zgadzają się na wyjście z cienia i odmawiają ze śmiechem, wskazując, że są przecież bez majtek. W końcu dziewczyna się rozgląda, spostrzega mnie i widząc, że tylko ja siedzę tu samotnie, a za to w spodenkach, biegnie w moim kierunku, jak fatamorgana falując biustem.

– *Hola*. – Uśmiecha się szeroko.

– *Hola* – odpowiadam grzecznie. – *No hablo español bien* – zastrzegam na wszelki wypadek.

Znów ten uśmiech. Nie muszę nic rozumieć, mam po prostu z nią zatańczyć.

– *Estoy en fermo* – mówię, że źle się czuję.

Jakby nie słyszała.

– *Estoy herido* – dodaję, że jestem ranny, nie potrafiąc przypomnieć sobie stosowniejszego zwrotu ze słownika.

Śmieje się.

– *Necesito un doctor* – kłamię, że potrzebuję doktora.

Marina śmieje się do łez.

– *Llamaré a la policía* – grożę, że zadzwonię na policję, ale już naprawdę innego zwrotu nie pamiętam.

Marina ma mnie za kawalarza.

Oczywiście, że się opieram, ale moje argumenty są mizerne, nawet gdybym przypomniał sobie jeszcze inne zwroty. Przed chwilą biegłem z baru do leżaka z butelką zimnego piwa, więc nie wykręcę się kontuzją stopy, i przecież nikt mi też nie uwierzy, że na plaży dla naturystów właśnie przeżywam żałobę.

Marina zabiera mi piwo i odstawia pod leżak, łapie mnie za nadgarstek silną dłonią, drugą rękę unosi ku górze na znak zwycięstwa, właśnie znalazła ofiarę, oto stoję przed nią, będziemy próbowali tańczyć. Ja, który znam osiem kroków i słowo bandoneon.

W ramionach Mariny, z twarzą przy jej twarzy, ze świadomością pokonanego byka na środku corridy, gubię się od razu, jakbym do ośmiu nie potrafił zliczyć. Dziewczyna jest cierpliwa, spokojna i łagodna, „przecież umiesz tańczyć i lubisz, czuję to", mówi, a ja powtarzam to sobie po trzykroć jak zaklęcie na nieruchomą żabę. Ale żaba we mnie ani się ruszy. Palę się ze wstydu, płonę, mam czerwone policzki i uszy, w stopy piecze piach, a pod pachami klei się pot, lepki płynie też wzdłuż kręgosłupa, czuję go na plecach, między pośladkami i na wewnętrznej stronie ud. Mam już mokre dłonie i krople potu na czole, widzę, jak zwisają na brwiach, za chwilę zaczną kapać. Umrę, umrę ze wstydu, a przecież mogłem, jak zwykle, wykręcić się nogą. Niechby i nikt nie wierzył, ale siedziałbym teraz na leżaku z zimnym piwem i miał wszystko w dupie.

Dziewczyna przystaje, ściąga białą koszulkę specjalistki od entertainmentu, spod koszulki wyskakują rozchichotane piersi. Wyglądają, jakby i one się ze mnie śmiały, lekko zadarte i odchylone na zewnątrz. Patrzę na ich skierowane ku górze sutki, jeden w lewo, drugi w prawo, i z satysfakcją myślę, że piersi Mariny mają zeza rozbieżnego. Przez chwilę mierzymy się tak wzrokiem, ale w końcu się poddaję i swój odwracam, a dziewczyna ociera mi swoją koszulką pot z czoła, nie przestając radośnie się uśmiechać. Nagle gestem torreadora odrzuca koszulkę daleko, ściąga brwi i poważnieje. Potem mruży po kociemu oczy, nabiera w płuca powietrza, tak jakby miała zaraz skoczyć do wody, o której dnie nikt jeszcze nie słyszał.

– *Bachata tango!* – krzyczy triumfalnie, wyciągając do mnie ręce.

Pamiętam, że bachata to rodzaj tańca z pobliskiej Dominikany; moja wrocławska korepetytorka z baletu mówiła, że bachata to salsa lub tango dla ubogich. Dla plebsu, robotników, rolników oraz dla nieszczęśliwie zakochanych gospodyń domowych. Jest spokojniejsza niż tango, tańczy się ją mniej energicznie, ale bardziej zmysłowo, niemal erotycznie. Nie pamiętam natomiast kroków – wydaje mi się, że powinienem zacząć prawą stopą, ale też i iść od razu w prawo, potem dostawić lewą, potem znów prawą na raz, dwa, trzy, do trzech łatwiej zliczyć niż do ośmiu. Potem jest coś na cztery, ale zapomniałem. Wiem, że ważne są biodra, należy nimi krążyć tak, żeby cały czas ocierać się o ciało partnera.

Marina łapie mnie za pośladek i przyciąga do siebie blisko, tak że czuję dotyk jej piersi. Napiera lekko, cofam się o pół kroku, wtedy wciska się między moje uda swoimi i znów lekko napiera, znów się cofam, a ona wtedy wypina do mnie biodra i już nie czuję na sobie jej piersi, lecz krocze na moim udzie, i wiem, że na pewno nie ma na sobie majtek. „O Boże, ona nie ma majtek", myślę oszołomiony, chociaż to akurat nie powinno mnie dziwić, skoro wybrałem się na plażę preferowaną przez naturystów.

– Tak masz mnie czuć, cały czas masz tak mnie czuć – powtarza Marina łamaną angielszczyzną – jakbyś był we mnie i przez cały taniec nie chciał wyjść. Twoje udo między moimi udami, cały czas między moimi udami, jakbyś chciał mnie na oczach wszystkich zerżnąć. To bachata, pamiętaj, ja jestem z Dominikany, gorące dziewczyny na Karaibach tańczą bachatę, zamiast bawić się w wasze gry wstępne.

– Raz kozie śmierć, raz, dwa, trzy – mruczę pod nosem i delikatnie dotykamy się dłońmi, moja lewa, jej prawa, obie wędrują ukośnie ku górze, są bukszprytem żaglowca, którym zaraz popłyniemy.

Pierwsze kroki wychodzą mi bardzo dobrze, słychać nawet pojedyncze oklaski, przy następnych zaczynam się plątać, ale tancerka delikatnie steruje mym ciałem. To proste, mam cały czas czuć udem jej krocze – co za piękne wyzwanie, nasz żaglowiec płynie dumnie, raz tylko siadając na mieliźnie, z której Marina natychmiast go ściąga. Po dwóch minutach nie czuję już potu, nie czuję gorąca, nie czuję niczego z wyjątkiem ciała dziewczyny. Jestem podniecony, ona też.

Jeśli tango to smutna myśl, którą się tańczy, to bachata jest myślą pożądliwą. Tańczymy nasze pożądliwe myśli, pewnie każdy swoją. Ja tańczę najpierw myśl o Marysi Jezus, potem myśl o Magdalenie, mocno przylegamy do siebie podbrzuszami, nikt tu niczego nie ukrywa ani nie udaje, dziewczyna cały czas ociera się o moje udo, a ja ocieram się o nią. To nie jest taniec elegancki i zmysłowy jak tango, to gorąca eksplozja chuci pod pretekstem tańca, nasza wspólna masturbacja, która ma szansę spełnić się publicznie.

Gdy kończymy, Marina całuje mnie jak kochanka, naturyści biją brawo, żar z nieba się przełamuje, a wiatr wyraźnie jest poruszony.

*

Przez trzy dni chodziłem rano nad morze, w południe na basen, a wieczorami siedziałem w barze, wypatrując Marleny, w której przybycie z godziny na godzinę coraz mniej wierzyłem.

Czwartego dnia o pierwszej w nocy ktoś zapukał.

– Kto tam? – zapytałem, zrywając się z łóżka. – Marlena?

– *C'est moi. Mariett* – usłyszałem nieznany mi kobiecy głos.

Sfatygowany upałem, nadciśnieniem dnia oraz alkoholem, nie miałem zamiaru otwierać. Tu codziennie ktoś puka, niektórzy z gości hotelowych bawią się w towarzyską ruletkę, stają przed pokojami nieznajomych i kładą ręce na klamkach do przygód. Drzwi uchylają się chętnie niczym nogi dziewcząt, które z Europy nie po to tu leciały dwanaście tysięcy kilometrów, żeby przez dwa tygodnie teraz się ociągać. Wchodzi się więc gładko, jak bez deklaracji celnej, i wychodzi łatwo, bez deklaracji miłości.

*

Pukanie powtórzyło się i do pokoju weszła trochę nietrzeźwa Francuzka, starsza ode mnie o kilka lat, co uświadomiłem sobie dopiero parę godzin później, trzeźwiejąc z twarzą w jej przyjaźnie ciepłych, acz rozleniwionych piersiach.

Przyszła w samych majteczkach, a ja pomyślałem, że jej piersi są chyba za ciężkie na taką pogodę i powinny przy mnie się położyć. Pachniała mieszanką mgiełki light blue, chardonnay i lekkiego potu kobiety rozgrzanej myślami, które przez otwarte okno sączyły się od strony parującego oceanu. Zmęczony niespełnionym czekaniem na Marlenę poczułem, jak zgęstniała we mnie krew, jak nabrzmiałem w miejscu, w którym Francuzka położyła dłonie. Ostatnie wątpliwości znikły pod wpływem dotyku. Było gorąco i wszędzie mokro; nie wiedziałem, na ile z upału, na ile z pożądania; chciałem przepaść w tej wilgoci, żar stopił drobiny niepewności, a świat za oknem został zapomniany.

Poranek był trudny, gdy w świetle dnia zobaczyliśmy swoje zmarszczki. Nie wiedziałem, co powiedzieć, najlepiej byłoby się rozstać bez słów. Czasami słowom się wydaje, że nawet w beznadziejnych sytuacjach mają jakąś misję do spełnienia, więc przepychają się do ust i tak powstają banialuki.

*

Okno w moim pokoju wychodzi na basen dla naturystów. Patrzę teraz na nagie ciała, młode, piękne, opalone, lgnące do siebie na sto cudownych sposobów: zaczepnych, nachalnych, niecierpliwych, obcesowych, obscenicznych, pożądliwych lub niby niechcących, ledwie muskanych, jakby przez przypadek lub z powodu nieuwagi, ale i wtedy widać, że po obu stronach są ładunki gotowe do odpalenia, wystarczy, że wnętrza ud się zetkną i zaraz nastąpi eksplozja. Tuż obok zastygają ciała mocno przytulone, w długim pocałunku, trwającym do kwadransa, niekiedy nawet do pół godziny; po mężczyznach można poznać, która minuta najbardziej ich podnieca; to banalne, ale tylko pierwsze trzy, potem ich członki nurkują i patrzą na dno basenu, wtedy dłoń kobieca je wzbudza, na jakiś czas; ciekawe, że penisy szybciej się nudzą niż usta.

Są też dotknięcia ciał nieśmiałe – brzydkich chłopców oraz debiutantek, dotknięcia przede wszystkim dłoni, jak na zabawie dla ubranych. Potem dotyk ramion, łokci, znacznie później bioder, jakby biodra stwarzały jakąś barierę, były zbyt nachalne i zdefiniowane jednoznacznie na to, co teraz jeszcze nie do pomyślenia, ale co pod wieczór i tak nieuchronnie się stanie.

Nieopodal opala się dziewczyna podobna do Marysi Jezus, jej sterczące jak radary piersi wysyłają w kosmos obiecujące sygnały. Kosmos je odbiera. Powietrze drga z upału i seksu. Słońce, muzyka, blask zaparkowanych na poboczu kabrioletów, dziesiątki lokalnych gwiazdeczek, setki przecinających się nut perfum, nieskończona podaż pięknych ciał i nie mniejszy popyt.

Patrzę na ten żywioł i czuję ukłucie. Drzazgę samotności, której nie potrafię wyjąć. Chciałbym tu być z Marysią albo z Magdaleną.

Brak mi kobiety, do której mógłbym się przytulić. Żałuję, że nie przyjechała dziewczyna Adamczyka. Mija pierwszy tydzień, a jej nie ma. Codziennie sprawdzam koszyk Marleny, ale nic w nim nie znajduję. Pusto, jakby się znalazła poza netem. Na widok jej pustego koszyka odczuwam niedosyt, wyraźnie czegoś mi brakuje, budzi się we mnie niepokój, zupełnie jakbym był uzależniony od jej zakupów. Jestem wściekły, jestem na siebie wściekły, że uległem złudzeniom.

*

Wieczorem schodzę na kolację. Marmur w lobby wyłożony dziś czerwonym chodnikiem, w restauracji skórzane fotele zamiast krzeseł, kelnerzy eleganccy jakby dla każdego z nich był to akurat dzień ślubu.

Kolacja w świetle reflektorów, bo przyjechała ekipa z MTV kręcić program „Meet the Barkers", codzienne reality z telewizyjnie ekscentrycznym małżeństwem w roli głównej. Ona to Schanna, była miss, lekko już tyjąca blondynka o oczach ze słodziku. On to Travis, perkusista zespołu Blink 182, cały w barwnych tatuażach, ponoć i pod slipkami, jak informuje przez mikrofon reżyser programu. Zna życie celebrytów od podszewki, jak widać. Podczas kolacji Schanna wpatrzona w męża jak w obrazek, oblizuje usta, a rękę trzyma cały czas pod stołem. On udaje, a może wcale nie udaje, że ma orgazm, a potem czesze widelcem postawione na sztorc włosy, taka z nich para na topie.

Na zewnątrz tubylcy zaczynają grać reggae i pierwsze pary się schodzą na tańce, kobiety topless, mężczyźni w kolorowych bokserkach. Nigdy dotąd nie widziałem tylu nagich piersi w tańcu, a widok to urzekający, patrzę jak zahipnotyzowany, oczu nie mogę oderwać, aż mam wrażenie, że wszyscy pokazują na mnie palcem: o popatrzcie, jak ten biały się gapi, przyjechał tu, żeby nas podglądać, pieprzony zboczeniec ze wschodniej Europy. Ale nikt na mnie nie wskazuje, nikt uwagi nie zwraca, nawet kelner nie dolewa mi wina, połowa gości tańczy, a pozostali tak jak ja patrzą.

Widzę dziewczynę z basenu, tę podobną do Marysi Jezus – roześmiana wtula się w wysokiego Jamajczyka. Jest mocno wstawiona, łapie go za biodra, a ja zazdrośnie patrzę, jak rośnie w nim potrzeba, którą wypełniłby dziewczynę po brzegi. Coś szepcze mu do ucha, bierze go za rękę i wychodzą; on idzie dumnie jak kot z podniesionym ogonem, a ona jak mała kotka, która się pyszczkiem ociera.

Przyglądam się hotelowym parom. Po niektórych widać, że parzą się ze świadomością nieuchronnej ucieczki. Ich pocałunki są nerwowe, przerywane wpół, jak niedokończone wyznania. Brak im ukojenia, które zostawiają usta długim dotykiem, brak im spokoju na wargach. Oczy są rozbiegane, tak jak dłonie, w źrenicach już się czai poczucie winy i świadomość rozstania, ale dłonie jeszcze o tym nie wiedzą. To dobrze, tego wieczoru lepiej za dużo nie wiedzieć – niech dłonie prowadzą wzdłuż innych dłoni, ramion i karku, wzdłuż bioder i ud, niech posłuszne dłoniom staną się ciała, a oczy niech będą przymknięte.

Przy sąsiednim stoliku młody chłopak głaszcze po udzie starszą od siebie kobietę. On nie skończył dwudziestu lat, ona jest po czterdziestce. Wciąż atrakcyjna, a może dopiero. Może dopiero odkryta, może to właśnie ten chłopak ją odkrył jak wyspę, przy której nikt przed nim tak chętnie nie zakotwiczył. Patrzy na niego z czułością, podbródek ma uniesiony wysoko, z dumy, podobnie jak piersi.

A oto nowa dziewczyna wkracza do lobby baru. Szczupła, wysoka, kołysze biodrami, idąc w kusej sukience, stukając obcasikami, ale nikt nie patrzy, nie podziwia, nie odwraca za nią głowy, z wyjątkiem barmana. Nie widzę jej twarzy, zasłaniają ją rozpuszczone włosy, ale dziewczyna porusza się tak pewnie, że musi być albo bogata, albo ładna. Albo jedno i drugie, i na dodatek jeszcze jakieś trzecie. Siada przy sąsiednim stoliku, barman od razu niesie jej wino, ledwo przepychając się między stolikami. Jest szeroki w ramionach, niezgrabny, niemal pozbawiony szyi, wygląda jak kopiec Kościuszki. Patrzy na dziewczynę z rozmarzeniem, nalewa jej czerwonego wina, zachwala, że z Izraela, i tutejszym zwyczajem wstawia butelkę do kubełka z zimną wodą.

Lubię czerwone wino i całą przygodę z nim związaną – najpierw poszukiwanie i trudną, ale miłą sztukę wyboru. To trochę jak z kobietą. Może zauroczyć wyglądem, zaintrygować efektowną nalepką lub skusić męską próżność wizją zdobycia łupu z wysokiej półki. Podczas degustacji bywa, że okazuje się cierpkie albo, co gorsza, banalne i płytkie, aż szkoda ryzykować kacem. Albo może sprawiać wrażenie nieszczególne lub skromne, stać obok wielu równie z pozoru przeciętnych i tylko przypadek sprawi, że ktoś po nie sięgnie, po czym nieoczekiwanie odkryje smak aksamitny, głęboki i bogaty, i ma ucztę radosną, której się nie spodziewał.

Podoba mi się kształt kieliszka, który trzyma dziewczyna, przypomina on damski but na wysokim obcasie. Pije z niego powoli, pod stół zsuwając szpilki w kolorze burgunda. Słyszę, jak chwali jakość izraelskiego wina, a ja głośno wyrażam wątpliwość, czy rzeczywiście jest tak wspaniałe, skoro zwykła woda bywa w nie cudownie przemieniana od czasu do czasu. Dziewczyna się uśmiecha, spogląda na mnie z ciekawością i kołysze kieliszkiem tak, jakby chciała, żeby rozstąpiło się szumiące w nim Morze Czerwone.

Dopiero teraz widzę jej twarz, patrzę oniemiały i czuję nagłe uderzenie gorąca. Przecież to Marlena! Przyjechała! Czy mnie poznaje? No nie, jak może rozpoznać, skoro zna mnie tylko z zakupów. Czy wzięła z recepcji przeznaczone dla niej klucze? Czy była już w moim pokoju?

Wstaję od stolika, wbiegam do hotelu, pędzę korytarzem. Otwieram drzwi, pod lustrem w przedpokoju stoi czerwona walizka. Więc jednak już tu była! Na walizce złożone w kostkę dżinsy, obok niebieskie sandały. Wchodzę do łazienki, na toaletce szczotka, duży grzebień, damski dezodorant, perfumy. Dotykam suszarki do włosów, wydaje mi się, że jest jeszcze ciepła. Obok łóżka znajduję opaskę na oczy z białej koronki. Nie mam pojęcia, co dalej. Co robić? Jak mam się teraz zachować?

Wychodzę z pokoju, muszę się napić. Idę na plażę, jest pusta, nie licząc dwóch par siedzących na piachu i popalających trawkę. Wrzucam do automatu dwa euro, otwieram puszkę zimnego piwa. A więc jednak przyjechała. Co ją skłoniło? Ciekawość? Nuda? Chęć zabawy? Może coś jeszcze?

Gdy wracam do pokoju, światła są już zgaszone, w blasku księżyca widzę dziewczynę. Śpi przykryta prześcieradłem, sen się pasie pod opaską zakrywającą oczy. Jest piękna jak z obrazka, dokładnie taka, jaką widziałem na zdjęciach, prawdziwa miss, mój Boże drogi, prawdziwa miss czeka na mnie w łóżku!

Podchodzę do niej najciszej, jak mogę, i zgodnie z umową zakładam opaskę, odchylam ostrożnie prześcieradło i nie wiem nawet, czy jest naga, wyciągam dłoń powoli, żeby nie spłoszyć snu tak od razu, niech się dośni, niech Marlenę przebudzi dopiero pocałunek kochanka.

Dotykam palcami jej gorącego brzucha, najdelikatniej, jak potrafię, sunę opuszkami nad puchem miękkich włosków i wtedy czuję jej dłoń na karku, mocno przyciąga mnie do siebie, zaraz przywita mnie namiętnym pocałunkiem. Moje palce łagodnie suną wzdłuż jej ud i gdy są już u celu, nasze usta się odnajdują, a ona nagle tężeje, jakby nie wiedziała, co palcom strzeli do głowy. Cofa usta, potem znów mam na swoich ich dotyk, znowu je cofa, jakby nagle ogarnęła ją wątpliwość; przez kilka sekund czuję na wargach jej język, ale nie liże mnie ani nawet nie muska, lecz po prostu nerwowo dotyka, przez co mam wrażenie, że wysłała go tylko na przeszpiegi. Przez chwilę boję się, że zostałem przez usta nierozpoznany, a język tylko by to potwierdzał. Wydaje mi się, że jestem nie na miejscu, że zamiast mnie powinien leżeć tu ktoś inny, inny mężczyzna był oczekiwany z tą opaską na oczach, z tymi ustami i językiem. Uda dziewczyny sztywnieją i zaciskają się na mojej dłoni, są bramą strzegącą dostępu do warownego zamku, a ja nagle staję się nieproszonym gościem.

– Piotrek?

– Marlena?

– Piotrek?

Przez sekundę mam wrażenie, że nieporozumienie było przejściowe i po krótkiej wymianie imion kryzys między ustami został zażegnany, ale sztywne uda nadal nie pozwalają na pokojową misję mojej dłoni. Po chwili dziewczyna gwałtownie zrzuca mnie z siebie, wyskakuje z łóżka i krzyczy o wiele za głośno jak na tak późną porę.

– Co ty tutaj, kurwa, robisz!

Siadam na łóżku i ściągam z oczu opaskę, w której czuję się idiotycznie, patrzę na dziewczynę i nie wiem, co powiedzieć.

Marlena zapala światło i widzę, że jest czerwona z wściekłości, stoi na środku pokoju i tupie nogami.

– Co ty tu, kurwa, robisz! Co ty tu robisz? – powtarza jak złe zaklęcie, którym nie umie mnie odczarować, zamienić w mężczyznę, którego się spodziewała.

– Co ty tu robisz? – pyta, ale zaklęcie wciąż nie działa, nadal zamiast księcia siedzi przed nią żaba.

Nie mówię nic, bo nie rozumiem, co się dzieje, głowę mam pozbawioną jakichkolwiek słów, nie mówiąc już o jednym sensownym zdaniu. Coś tylko jęczę, niezrozumiale dla samego siebie, najchętniej przykryłbym się prześcieradłem i się z tego obudził.

– Kim ty, do cholery, jesteś?

Jej oczy są pełne zdumienia.

– Jak to kim? Żartujesz? Jestem Piotrek. Przecież znamy się od wielu tygodni. Z internetu.

– Zaraz, chwileczkę, bo oszaleję. Jaki Piotrek?

– No, ten z Allegro. Codziennie zaglądam ci do koszyka. A ty do mojego. Coś się stało? Zrobiłem coś nie tak?

– Zaraz, kurwa, bo ja oszaleję! To ty kupiłeś dwa tygodnie temu czarną maskę na oczy z wyprzedaży teatralnej rekwizytorni?

– Ja.

– To ty kupowałeś na Allegro kolejno: kurtkę do jazdy konnej, maskę do nurkowania, zabytkowy korkociąg do win?

– Tak.

– A potem książki o teatrze?

– Zgadza się.

– I wystawiłeś na licytację filmy?

– Tak.

– Czyje to były filmy?

– Piotra Adamczyka. Tego, co grał papieża.

– Wiem, że grał papieża! A ty kim jesteś? Dlaczego się pod niego podszywasz?

– Jestem dziennikarzem! Nie podszywam się pod nikogo!

– Dziennikarzem? Jakim dziennikarzem? Dlaczego tu jesteś zamiast niego?

– Zamiast niego?

– Zamiast Piotra! Zamiast Piotra Adamczyka!

– Ależ ja się nazywam Piotr Adamczyk!

– Nie wierzę!

– Mam ci pokazać dowód? O co ci chodzi?

– O niego mi, kurwa, chodzi! O mojego Piotra Adamczyka! Myślałam, że to on tak wszystko ładnie wymyślił, żeby do mnie wrócić!

– To znaczy, że myślałaś… Myślałaś, że ja to on? Ten aktor?

– Pewnie, że myślałam! Myślisz, że co? Że dla byle kogo bym tu przyjeżdżała? Byłam pewna, że to on! Po tych wszystkich przedmiotach! Kurtka, maska, korkociąg, ta maska! To jakby on to kupował! Konie, nurkowanie, wina to przecież jego hobby! No i te autografy! Myślałam, że to taka jego gra, że chce do mnie wrócić!

Nagle wybucha płaczem. Stoi pośrodku pokoju i płacze, wciąż naga, tylko twarz chowa w dłoniach.

– A już ci chciałam szminką czerwone serduszko na klatce piersiowej wymalować, tak jak on to lubił – mówi nagle zupełnie bez sensu.

– Czerwone serduszko?

– Czerwone serduszko.

Potem zaczyna chichotać, w końcu wybucha histerycznym śmiechem.

– Czerwone serduszko chciałam ci wymalować!

Pada na kolana, trzyma się za brzuch i przez kilka minut nie potrafi opanować śmiechu.

– Czerwone serduszko! Szminką! Tak jak jemu!

Płacze i śmieje się na przemian. Skręca się.

– Czerwone serduszko!

Dostaje czkawki, ale nadal nie może powstrzymać płaczu ani śmiechu.

– Czerwone serduszko! – krzyczy, po czym bierze ze stolika otwartą szminkę i uderza mnie nią w klatkę piersiową, zupełnie jakby wbijała mi sztylet.

Żal miesza się we mnie z niedowierzaniem. Nic nie potrafię powiedzieć. Przełykam ślinę ciężko, jakbym przełykał trudne wyrazy. Stoję bezradnie, rozkładam ręce, opuszczam je, podnoszę; jakaś beznadziejna pantomima. Nigdy nie wiedziałem, co znaczy określenie „beznadziejny jak męska cipa", teraz wiem. Tak właśnie się czuję. Beznadziejnie jak męska cipa.

Nie przestając płakać i śmiać się, dziewczyna wstaje, wrzuca swoje rzeczy do walizki, zakłada szlafrok i wychodzi. Przez chwilę słyszę ją jeszcze, po czym znika za zakrętem korytarza. Robi się cicho i pusto.

Za oknem opowiadają sobie o wszystkim szeleszczące cykady.

*

Myślała, że ja to on. Pytała o filmy Adamczyka, książki o teatrze i o rekwizyt. Ale co ma do tego ta kurtka do jazdy konnej, maska do pływania, korkociąg? Włączam internet i do wyszukiwarki wpisuję cztery słowa: „hobby aktora Piotra Adamczyka". Czytam: jazda konna, nurkowanie, kolekcjonowanie win.

Wychodzę z pokoju, teraz tym bardziej muszę się napić. Noc staje się nie do przełknięcia, ciężka gula w przełyku, upał stężał i wszystko zastygło, czas się lepi do blatu w lobby barze, a ja razem z nim. Jestem wściekły na siebie. Mam efekt swojej idiotycznej zabawy! Gry w sprawunki mi się zachciało! Jestem zawiedziony, ale najbardziej to mi wstyd. Czuję wstyd przed tą biedną dziewczyną. Boże, jak ona musi być rozczarowana! A ja? Jestem rozczarowany podwójnie, za siebie i za nią, ale jej rozczarowanie boli mnie bardziej, bo to w nim ja jestem przyczyną rozczarowania nas obojga.

Pani nocna powtarzała, że po przedmiotach ich poznacie, a nie po słowach, słowa bywają złudne, dla niepoznaki lub dla zmylenia, albo dla świętego spokoju, a przedmioty są do zaspokojenia potrzeb, powszednich lub wyuzdanych, mówią o nas na pewno nie wszystko, ale z pewnością wiele. Całe życie myślałem, że ma rację. W fundamentalnych kwestiach najważniejsze dla nas kobiety nie powinny się mylić. A ta się pomyliła. Przedmioty nic o nas nie mówią, to my mówimy o nich.

Myślę o tym, jak Marlenę przedmioty wprowadziły w błąd. Sądziła, że czeka ją schadzka z aktorem, potem zdjęcia w kolorowych tygodnikach, kwitnące życie towarzyskie. Oboje się przeliczyliśmy; w sieci nigdy nie wiadomo, kto jest graczem, a kto pionkiem. W internecie jest jak w „Państwie" Platona. Człowiek nie widzi prawdziwych rzeczy, ludzi, zjawisk, lecz złudzenia i cienie. U Platona ludzie siedzieli w jaskini i patrzyli na ścianę przed sobą. Za nimi palił się ogień. Między ogniem a nimi działa się rzeczywistość. Nie widzieli jej, bo byli do niej odwróceni plecami. Widzieli tylko cienie, które na ścianę rzucał płonący z tyłu ogień. Układali z nich swój złudny świat, nigdy nie poznając prawdziwego. Tak Platon przewidział istnienie świata wirtualnego, dziś w nim żyjemy jak jego ludzie w jaskini. Internet to współczesna jaskinia Platona. Tworzymy rzeczywistość ze swoich wyobrażeń. Budujemy światy, które nie powstają, wskrzeszamy ludzi, którzy nie istnieją. W świecie wirtualnym możemy być młodzi, piękni i bogaci. Nie mamy krzywych nóg ani cellulitu, próchnicy, kurzajek ani hemoroidów, zmarszczek, pryszczy na nosie, dziurawej skarpety, niewyprasowanej koszuli, nieświeżego oddechu. Nie wydzielamy brzydkich zapachów, lecz pięknie pachniemy. Możemy urosnąć o dziesięć centymetrów, schudnąć o dwadzieścia kilogramów. Możemy latać. A tam, po drugiej stronie klawiatury siedzą mieszkańcy jaskini Platona, którzy nam wierzą.

22.
Dziennik czasu katastrofy

Odkąd Marlena zamknęła za sobą drzwi, nie wychodziłem z pokoju. Piłem i gapiłem się w telewizor. Kilka razy widziałem program „Meet the Barkers" z Schanną, aż w końcu mi się śniła. Bawiła się mną pod stołem. Potem śnili mi się Travis z Marleną. Nie mam pojęcia, po co sny wprowadzają w człowieku takie zamieszanie.

W drodze na lotnisko wypiłem piwo. Byłem w stanie wyraźnie wskazującym.

– Może podać coś do picia? – od razu zaproponowała stewardesa.
– Wodę, sok, kawę?

– Mocną kawę i coś do czytania, proszę.

Ręce i umysł zajmuję prasą pokładową. Czytam w niej informację o tym, że „premier Izraela Beniamin Netanjahu polecił zainstalować na pokładzie samolotu, którym miał lecieć wraz z żoną Sarą z oficjalną wizytą do Francji i Kanady, ogromne, podwójne łoże małżeńskie, które kosztowało skarb państwa 310 tysięcy dolarów. Kłopot w tym, że nie zmieściło się ono do samolotu. Administracja szefa rządu Izraela, gdy okazało się, że do zwyczajnego Boeinga 757 nie zmieściło się łóżko premiera, była zmuszona wyczarterować większy samolot, Boeing 767. Wczoraj premier dotarł nim do Francji. Wizyta Netanjahu jest związana z wstąpieniem Izraela do OBWE".

„Cholera", myślę sobie, „nie tylko moja pani nocna była opętana przez przedmioty. Wszyscy zwariowali na ich punkcie". Milion złotych za łóżko. Równowartość domu we Wrocławiu. Zastanawiam się, co to za łóżko, skoro takie drogie. Wyobrażam je sobie na różne sposoby, z baldachimem, atłasowym materacem, złoconym wezgłowiem. Ale podoba mi się tylko z Marysią Jezus.

Na lotnisku tłumy witających, radośni, machający dłońmi, niektórzy z kwiatami. Przechodzę przez nikogo niezauważony, mnie nikt nie wita.

W drodze do domu dopada mnie smutek. Już się chcę rozkleić i poprosić taksówkarza, żeby zatrzymał się przy monopolowym, ale nagle okazuje się, że okoliczności nie sprzyjają prywatnej histerii.

Spiker radiowy drżącym głosem podaje komunikat, w który nie mogę uwierzyć. W Rosji rozbił się polski samolot rządowy. Spikerowi też chyba trudno to przyjąć do wiadomości, bo powtarza informację, jakby chciał być pewien, że się nie pomylił i wszystkie słowa są na właściwym miejscu.

Świat wokół zastyga z niedowierzaniem jak w gorącym powietrzu fatamorgana.

Patrzę na ludzi w mijanych samochodach. Wszyscy zwalniają, niektórzy zjeżdżają na pobocza, słuchają relacji z rosyjskiego lotniska. Ludzie na przystankach sięgają do dzwoniących telefonów. Dowiadują się. Patrzą po sobie. Nie rozumieją.

Nikt nie może uwierzyć w to, co z minuty na minutę staje się przerażająco prawdziwe i nieprawdopodobnie tragiczne. W końcu płacz w pospolitym ruszeniu zmywa resztki złudzeń.

PIOTR ADAMCZYK

*

Rano kupuję stertę gazet, na pierwszych stronach wielkie nekrologi. Wraz z parą prezydencką zginęły 94 inne osoby, w tym 18 polskich parlamentarzystów i całe główne dowództwo armii.

– Kto pozwolił, żeby oni wszyscy lecieli jednym samolotem? – dziwi się kioskarz.

– Nie potrzebujemy wojny, żeby masowo ginąć – odpowiada ktoś z kolejki. – Dzięki Bogu i głupocie potrafimy unicestwić się sami. Jesteśmy narodem samowystarczalnym.

Gdy przyjeżdżam do redakcji, wszystkie dziewczyny płaczą. Marzenka siedzi przed telewizorem.

– Patrz, z całej katastrofy przetrwał tylko wieniec żałobny, który delegacja wiozła pod Katyń – chlipie. – Co za mistyka!

O dziesiątej spotykamy się na kolegium.

– Prawica pisze o bohaterach narodowych – zaczyna prezes.

– Twierdzą, że polska delegacja poległa śmiercią męczeńską.

– Mnie najbardziej żal młodych stewardes, nad których grobami nikt nie będzie strzelał z armat i nikt nie powie, że zostały męczennicami, bo według narodowo-patriotycznych norm one nie poległy bohatersko, im zdarzył się jedynie wypadek przy pracy – mówię. – Coś jak jakiś tragiczny skutek nieprzestrzegania przepisów BHP.

– W „Wyborczej" piszą, że całe dowództwo nie powinno lecieć razem, bo razem nie latają nawet członkowie zarządu Coca-Coli – wtrąca szef działu politycznego.

– Podobnie jest w Motoroli – dodaje dyżurny. – Tam nawet wiceprezesi nie latają razem.

– Ale gdzie nam tam porównywać się z Motorolą albo Coca-Colą – sumuje Marzenka. – My jesteśmy z pochodzenia Polo Cocktą.

– A widzieliście dzisiejsze internetowe wydanie „Super Expressu"? – pyta prezes. – Specjalnie zrobiłem wydruki. Przyjrzyjmy się im, to coraz lepiej sprzedająca się gazeta.

– Dziwna ta ich dzisiejsza strona tytułowa. – Oglądam wydruk z niedowierzaniem. – Na górze duże zdjęcie wczorajszej katastrofy, a w połowie strony, po lewej, taka informacja, posłuchajcie: „Najdroższy wibrator na świecie. Ta zabawka będzie dostępna tylko dla najbogatszych ludzi świata. Francuzi wprowadzili do sprzedaży najdroższy na świecie… wibrator. To cudeńko wysadzane jest tym, co kobiety lubią najbardziej, czyli 18-karatowymi diamentami. Kosztuje, bagatela, 160 tysięcy złotych. – Ta luksusowa sekszabawka została zaprojektowana dla bogaczy, którzy pragną, żeby ich miłość wyglądała wyjątkowo – wyjaśnia Jean Tokars z firmy, która zaprojektowała wysadzany diamentami erotyczny gadżet".

– Żartujesz? – niedowierza Marzenka. – Mimo tej katastrofy dali to na pierwszej stronie?

– Tak, a zobacz co obok – czytam dalej. – „Chcesz, by oszalał w łóżku? Przeczytaj, czego nie lubi. Nie pompuj jego penisa jednostajnym ruchem w górę i w dół, bo to nie jest parówka, z której masz zamiar zrobić solidną kiełbaskę. Nie tym sposobem. A większość pań popełnia taki właśnie błąd, ograniczając się do jednostajnego pompowania. Różnicuj swoje ruchy i siłę ręki. Nie ściskaj jego jąder tak mocno, jakbyś chciała z nich zrobić jaja na miękko".

– Przestań! – protestuje Marzenka. – To obrzydliwe.

– A słuchaj co przy tym tekście – nie przestaję. – „Ciało prezydenta było rozczłonkowane. Noga i ręka były oderwane od korpusu. Jarosław Kaczyński (61 l.) zidentyfikował ciało swojego brata bliźniaka Lecha Kaczyńskiego (†61 l.). – Trzymał się dzielnie, ale jak zobaczył zwłoki prezydenta, nadszedł moment kryzysowy. Wszyscy byliśmy wstrząśnięci tym widokiem – opowiada nam jeden z polityków PiS, który wraz z byłym premierem przebywał w sobotę wieczorem na miejscu katastrofy".

– Porzygam się! – grozi Marzenka. – Penisy i taka katastrofa obok siebie! Tym powinna zająć się Rada Etyki Mediów!

– Akurat – powątpiewam. – Ona ma to w dupie.

– Wyrażaj się!

– Przepraszam. Rada Etyki Mediów ma to w otworze odbytowym.

– Też jesteś obrzydliwy!

– Ja? To ci poczytam dalej „Super Express". Co my tu mamy na tej samej stronie z rozczłonkowanym prezydentem? Słuchajcie: „Temperament seksualny można wyczytać... z koloru oczu. Wulkanem seksualnej energii są zielonoocy. Wystarczy, że dziewczynie o takich oczach szepniesz czułe słówko, a już jest twoja. Niebieskooka wymaga nieco więcej zachodu, ale odwdzięczy ci się gorącymi uściskami i sztuczkami, o których możesz nie mieć pojęcia. Posiadaczki oczu brązowych oczekują dłuższej gry wstępnej, za to potem chętnie przejmują pałeczkę".

– Daj już spokój z tą gazetą – ucina prezes. – Jest w tym jakaś konsekwencja.

– Wielka! – złości się Marzenka. – Redaktorom „Super Expressu" nawet „ciało rozczłonkowane" tylko z jednym członkiem się kojarzy. Pojebało ich, po prostu ich pojebało!

– Marzenka! – Nie mogę ukryć zdziwienia. – Takie słowa w twoich ustach? Pierwsze słyszę.

– Dobra, jedziemy dalej – niecierpliwi się prezes. – Co piszą inni?

Redaktor dyżurny podnosi się znad komputera:

– Onet podaje, że Gabon uczci pamięć Lecha i Marii Kaczyńskich. A konkretnie nie cały Gabon, tylko mieszkańcy maleńkiej wioski Essassa, oddalonej o 24 kilometry od stolicy Gabonu, Libreville, postanowili nadać imię Marii i Lecha Kaczyńskich przychodni, którą zamierzają wybudować. Nieznany jest jeszcze termin budowy, bo na razie nie ma funduszy, ale już od trzech lat są gromadzone.

– Gabon? – Wstyd przyznać, ale nawet nie bardzo kojarzę, gdzie to jest. – Co wiesz o tym Gabonie? – pytam dyżurnego.

– Przepraszam, ale nic, zaraz sprawdzę.

Stuka w klawiaturę.

– Sprawdziłem w internecie – melduje. – Gabon ma największą populację goryli na świecie.

– Jaja sobie robisz?

– Nie dzisiaj.

– Coś jeszcze w necie jest ciekawego?

– Na Allegro pojawiają się ogłoszenia – mówi dyżurny. – „Sprzedam za 500 złotych dwie wejściówki na pogrzeb Pary Prezydenckiej (18.04.2010). 50 metrów od kościoła Mariackiego. W związku z licznymi pytaniami wyjaśniam, że wejściówki były rozdawane za darmo, ale ja sprzedaję czas, który poświęciłem na ich uzyskanie".

– Boże, przecież to wszystko jest jakieś chore! – protestuje Marzenka. – Przecież to są dni żałoby!

– Istotnie, nawet na Arktyce ogłoszono dzień żałoby narodowej – dopowiada dyżurny.

– Skądinąd to ciekawe – zauważa prezes. – Bo to będzie chyba najdłuższa żałoba na świecie. Trafiło tam akurat na porę, podczas której dzień polarny następuje po sześciomiesięcznej nocy polarnej i też będzie trwał pół roku.

Przez chwilę nie wiem, czy mówi serio, po czym mam ochotę wezwać karetkę. Niech nas odwiozą do szpitala wariatów. Jestem tym wszystkim zmęczony, bardzo zmęczony, i czuję potworny niesmak. Wychodzę z kolegium i zamykam się w gabinecie. Coś przykuwa moją uwagę. Patrzę na biały krzyż. Wielki biały krzyż. Nie zauważyłem go tu przedtem. Teraz go widzę. Jest wpisany w ramę okna mojego pokoju. Codziennie siedzę twarzą w twarz z krzyżem. Bo przecież krzyż ma twarz, nawet jeśli nikt na nim nie wisi. To twarz kobiety. Wyraźnie ją widzę.

23.
Krwiożercze prezerwatywy i gwałcący kangur

Przeglądam materiały, które w gazecie mają się ukazać jutro. Na czołówce strony sportowej tekst pod tytułem: „Krwiożercze prezerwatywy na mistrzostwa świata". Czytam:

„Doktor Sonnet Ehlers z Republiki Południowej Afryki pełniła dyżur pewnej nocy czterdzieści lat temu, kiedy na jej oddział trafiła ofiara gwałtu. Jej oczy wydawały się martwe.

– Spojrzała na mnie i powiedziała: »Gdybym tylko miała tam zęby« – wspomina. Czterdzieści lat później narodził się Rape-aXe, kobiecy kondom, który jest pułapką na gwałcicieli. Lekarka tłumaczy, że kobieta używa lateksowego kondomu, wkładając go do pochwy jak tampon. Wewnątrz prezerwatywy znajduje się szereg haczyków w stylu zębów, które przyczepiają się do penisa podczas penetracji. Tylko lekarz może ją potem usunąć. Ehlers ma nadzieję, że jej wynalazek pomoże władzom w aresztowaniu ewentualnego gwałciciela.

– On odczuwa ból, nie może sikać ani chodzić – wyjaśnia lekarka. – Jeśli spróbuje usunąć kondom, ten wczepi się jeszcze bardziej.

Republika Południowej Afryki jest jednym z tych państw, gdzie gwałty zdarzają się najczęściej na świecie; 28% ankietowanych mężczyzn przyznało, że zgwałciło kiedyś kobietę. Ehlers argumentuje, że kobiety w jej kraju i tak podejmują różne drastyczne działania, by zapobiegać gwałtom – niektóre decydują się nawet na wkładanie do pochwy żyletek zawiniętych w gąbki".

Straszne, zdumiewające, okropne. Ale dlaczego ta informacja ma iść na stronie sportowej? Idę do sekretariatu redakcji. Marzenka stoi w oknie, patrzy na ulicę.

– Coś się stało?

– Nie, nic.

– Słuchaj, kto dał na czołówkę sportu tę dziwną informację o zębatych prezerwatywach?

– Ja.

– Jezu, dlaczego? Co to ma wspólnego ze sportem?

– Jak to co, w RPA wkrótce będą mistrzostwa świata.

– Marzenka, ale to nie jest informacja na czołówkę strony sportowej! To w ogóle nie jest informacja na tę stronę!

– To ją zdejmij.

– Pewnie, że zdejmę. Ale nie rozumiem, dlaczego ją tam dałaś.

– Sam mówiłeś, żeby dawać te informacje, które są jak towary na półkach w hipermarkecie. Te, po które sięgnie niemal każdy.

– Nie o to mi w tym wszystkim chodziło, Marzenko.

– Twórczo rozwijamy myśl mistrza.

– Boże! Przestań ze mnie kpić! A co dajesz na czołówkę drugiej strony?

– A, taką informację o kangurze, z Onetu. Od kilku tygodni, odkąd wziąłeś swój cały zaległy urlop, daję na dwójkę to, co ma najwięcej komentarzy w necie. Przykładowo: przygotowania do pogrzebu pary prezydenckiej miały tysiąc sto komentarzy, a informacja o kangurze trzy tysiące czterysta już po godzinie od opublikowania jej w internecie.

– Marzenka, ale przecież liczy się nie tylko liczba komentarzy!

– Nie było pana redaktora długo w pracy, a tu zarząd nowe wytyczne nam wprowadził. Aż dziwne, że pan redaktor nic nie wie.

– Nie ironizuj, proszę.

– Nie ironizuję.

– To o czym mówisz?

– Teraz jest tak, Piotrusiu, że zarobki dziennikarzy zależą od tego, ile towaru się sprzeda. Tak jak w tych twoich marketach. Wycenia się to w oparciu o liczbę komentarzy pod każdym tekstem gazety online oraz o liczbę odsłon danego tekstu. Bo im więcej kliknięć jest na stronie, tym więcej sponsorzy są gotowi zapłacić za reklamę.

– Ale przecież są informacje ważniejsze niż zębata prezerwatywa!

– Masz rację. Prawdopodobnie większą popularnością cieszyłaby się depesza o molestującym kangurze, ale nie znalazłam pretekstu, żeby ją dać na stronę sportową. Dlatego dałam na drugą. Zobaczysz, zarząd będzie zadowolony. W internecie jutrzejsze wydanie będzie miało kolosalną liczbę odsłon. Kto wie, może nawet dostaniesz premię. Więc też będziesz usatysfakcjonowany! – krzyczy, po czym wychodzi z pokoju, trzaskając drzwiami.

Patrzę na rozłożone dookoła wydruki jutrzejszego wydania gazety. Diabeł w kaplicy Kancelarii Prezesa Rady Ministrów, UFO przed Wawelem, cudowne objawienie Matki Boskiej na kominie Nowej Huty. Więc to jest ten towar, którego ludzie potrzebują najbardziej? Te idiotyzmy jak z „Faktu" lub „Super Expressu"? Kiedyś wydawało mi się, że jest jakaś granica głupoty, przed którą rozsądny człowiek zdąży się zatrzymać. Teraz wiem, że z granicą głupoty jest jak z horyzontem – nie można tam dotrzeć.

Szukam w Onecie tekstu o kangurze. Jest:

„Olbrzymi kangur poczuł zew miłości niedaleko obrzeży Tennant Creek w Australii. Lokalna policja otrzymała zawiadomienie, że za spacerującą kobietą podąża zwierzę.

– Wydawało mi się to wszystko trochę dziwaczne, ale szłam dalej i nie myślałam o tym zbyt wiele. W drodze powrotnej okazało się, że czeka na mnie – relacjonuje kobieta i wyjaśnia, że jego zachowanie nie pozostawiało wątpliwości, iż szuka partnerki. Kobieta bezskutecznie próbowała przepłoszyć zwierzę. Pomogli jej w tym inni ludzie. Policja z Northern Territory zapowiedziała, że na razie nie będzie interweniować w sprawie dziwnego zachowania kangura, pod warunkiem że taka sytuacja się nie powtórzy".

Sprawdzam liczbę komentarzy. Rzeczywiście, najwięcej spośród wszystkich na stronie, ponad siedem i pół tysiąca. Czytam najnowsze:

„Kangur chciał, ale się rozmyślił. Kobieta z zemsty zadzwoniła na policję".

~Robot

„A może on chciał tylko pogadać?"

~zuzan

„To jeszcze nic! Jak ostatnio byłam nad morzem, to podążał za mną samiec wieloryba!"

~Anna

„Podobał mi się jeden goryl w zoo, ale żeby kangur… kurczę, nie pomyślałam…"

~Kasia z Huty

„Z Polakami w UK też tak było".

~Mw

„Inne kangury oskarżą teraz tego biedaka o zoofilię".

~Ares

„Czy kangury o odmiennych preferencjach seksualnych są ścigane z urzędu czy prywatnie?"

~myszka

„Gdzie jest ten park? Gdzie?"

~agunieczka

„Dziecko z tego związku mogłoby nie nosić plecaka do szkoły".

~cicha woda

„To kangurzyce też mają migrenę?"

~Głodny wiedzy

„mmmmmmmmmmm, romantyczne"

~takajedna

„A co, partnera miał szukać? Chciałabyś, gejowska propagando!

~REPPU

„Pewnie to była Angielka, one mają takie końsko-kangurze mordy"
~tt
„Tak to jest z babami – najpierw z nim esemesowała, mailowała,
a jak przyszło do spotkania w realu, to skrewiła…"
~gacek
„co w tym złego, że się kobieta podoba? zaraz sensację z tego robią"
~stefan
„Pewnie Senyszyn walizkę już pakuje".
~kibol
„Ach! Jaka szkoda, że ta Australia tak daleko!!!"
~wielebna_matka
„to zdecydowanie najważniejsza wiadomość w dniu dzisiejszym"
~bolek medioznawca

Kilka minut później liczba komentarzy rośnie do ośmiu tysięcy.

Tak, doprowadziliśmy do tego, że to zdecydowanie najważniejsza wiadomość w dniu dzisiejszym.

24.
W drodze do Magdaleny

Dzień wstaje niezdecydowany, zagląda przez okno trochę słońcem, a trochę chmurami. Nie wie jeszcze, na jaką pogodę się zdecydować, a ja nie wiem razem z nim. Dopiero się obudziłem i może będę radosny, a może pochmurny, na razie leżę jeszcze pod kołdrą i bawię się sobą jak dorastający chłopiec, trzymając rękę w bokserkach. Zrywa się wiatr i dmucha w ciemne żagle na niebie, słońce znika przykryte chmurami – mam wrażenie, że naciągnęło kołdrę na oczy, przewróciło się na drugi bok i znowu poszło spać. Nie widzę powodu, dla którego miałbym wstawać, skoro słońce, bardziej niż ja pracowite, robi sobie dziś wolne. Czuję zbliżającą się przyjemność i po chwili miły skurcz poniżej podbrzusza. Sięgam po leżący obok ręcznik, wycieram brzuch. Zawsze po masturbacji mam lekkie wyrzuty sumienia – mój ojciec po przebudzeniu się modlił. A ja? Jak to się stało, że w ciągu jednego pokolenia poranny onanizm zastąpił poranną modlitwę? Pieprzona jutrznia niedopieprzonych. Odkładam ręcznik i myślę o liście, który wczoraj dostałem.

Podniosłam dziś z ziemi liść. Palcami przesuwałam po jego żyłkach i krawędziach, wyobrażając sobie, że dotykam Twoich ramion, a pod palcami czuję napięte mięśnie i nitki żył pulsujące energią. W blasku słońca goniłam nosem zapachy, jakbym Twój odszukać próbowała. Teraz mogę się tylko mglistemu światłu dnia oddać, choć wolałabym wtulić nos w Twoją szyję. Słońce... Chodź ze mną, daleko. Chodź ze mną tam, gdzie gwiazdy nago tańczą, kłaniając się niebu. Daj rękę i chodź ze mną. Próbuję Ci spojrzeć w oczy, jakbym duszę Twoją chciała z nich wyczytać. Widzę w nich uśmiech dziecka i mądrość dojrzałego mężczyzny. Wiesz... rozczulasz mnie. Chcę się obudzić w Twoich ramionach i szeptać Ci do ucha moje zaklęcia. Zamknij oczy i czytaj między wierszami. Wokół Ciebie wiele jest pięknych kobiet, które mówią, że Cię potrzebują. Nie ulegaj ich pokusie, bo jesteś przeznaczony tylko dla mnie. Twoja Miriam.

Nie ma w moim życiu tych kobiet z listu – pięknych, które mnie potrzebują. Gdyby były, nie budziłbym się sam na sam z ręcznikiem. Czytam list ponownie. To dziwne, jak łatwo dajemy się uwieść cudzym fantazjom. Z jaką naiwnością wchodzimy w świat ze słów i jak miękko się w nim zapadamy. Ulegamy ich nastrojom, emocjom, obietnicom. Wierzymy, że piękne krainy istnieją, chociaż na razie to tylko wiodąca w nieznane ścieżka. Nic o nich nie wiemy, wystarczy, że mają coś z obietnicy, a już jesteśmy spakowani, by wybrać się w podróż. Myślę o dziewczynie, która mi ją obiecuje. Trzymam jej list przed sobą, jakbym trzymał bucik Kopciuszka. Jednak nie wiem, komu dać go przymierzyć.

Z Magdaleną widujemy się niemal codziennie, nasze biura są na tym samym piętrze, ale od czasu jej ślubu rozmawialiśmy ze sobą tylko kilka razy. Chciała oddać kopertę z pieniędzmi, jednak upierałem się, że to nie ode mnie. Chyba uwierzyła, bo w końcu przestała nalegać. Potem przez kilka tygodni nie przychodziła do pracy, aż wreszcie pojawiła się z dziecięcym wózkiem i znów zaczęła się do mnie uśmiechać.

– Jak twoja dziewczyna z Allegro? – zagadnęła mnie wczoraj przy wyjściu z pracy.

– Porażka.

– A twój eksperyment z gazetą na wzór hipermarketu?

– Jeszcze gorzej. Chciałbym się z tego wycofać.

– Jednak?

– To był fatalny pomysł. A co u ciebie?

– Awansowałam. Po sukcesie muzyki sklepowych wózków zarząd zaproponował mi stanowisko menedżera.

– Gratuluję!

Spogląda na mnie z powagą. Marszczy czoło, ściąga brwi.

– Muszę ci coś powiedzieć.

– Co?

– Ach, coś, co ma związek z tobą i ze mną.

– Co takiego?

Milczy.

– No, co chciałaś mi powiedzieć?

Zastanawia się.

– A, może innym razem.

– Przestań, tak się nie robi! Powiedz!

– Nie tutaj, nie teraz.

– To gdzie i kiedy?

Mam ją.

– Jutro. Jutro u ciebie. Ale przyjdę z dzieckiem, bo dałam niani wolne. Przesyła dłonią pocałunek, odwraca się, patrzę, jak odchodzi, mocno kołysząc biodrami.

Czy robi mi jeszcze nadzieję? Może chce do mnie wrócić? Czyżby to ona pisała do mnie miłosne anonimy? Miriam to Magdalena? Ale podczas dzisiejszego spotkania ani razu mnie nie dotknęła, nie pocałowała na dzień dobry, nie musnęła dłonią, nie pogłaskała, nie złapała za rękę. W jej oczach nie zobaczyłem niczego, co mogłoby wskazywać na to, że jest autorką tych listów. Kryje się z tym? Ale dlaczego? Tego dowiem się jutro. Na wszelki wypadek już dziś włożę szampana do lodówki.

*

Sprawdzam w Wikipedii: „Miriam, imię pochodzące z hebrajskiego, jedno z jego znaczeń to »pragnąca dziecka«". Akurat to pasowałoby jak ulał.

Pamiętam ostatnią noc spędzoną z Magdaleną. Wiedziałem o jej związku z marynarzem i wiedziałem, że z jednym z nas jest w ciąży. Gdybym miał w zwyczaju odmawianie modlitw, modliłbym się, żeby to było moje dziecko. Nie wiem, czy są możliwe modlitwy wsteczne, zmieniające bieg minionych wydarzeń, nie wiem, czy u Boga można coś wyprosić do tyłu – tak, żeby zaingerował w przeszłość lub przynajmniej w niej sprawdził, czy wszystko będzie po naszej myśli. Ale gdybym był człowiekiem choć trochę wierzącym, z pewnością bym o to prosił: „Panie Boże, niech poczęcie Magdaleny będzie niepokalane dotykiem tamtego mężczyzny. Zobacz, czyje to dziecko, i jeśli moje, niech ci będą dzięki, lecz jeśli stało się tak, co przecież jest mniej prawdopodobne, że w łonie dziewczyny wzeszło nasienie innego kochanka, jeśli rzeczywiście zło takie się stało, zmień to, Boże, mocą swojej dobroci, mądrości i łaski, i uczyń tak, żebym to ja zasiał wtedy w niej nowe życie, ku chwale Twojej".

PIOTR ADAMCZYK

Gdybym był choć trochę wierzący, to modlitwą zmieniającą przeznaczenie prosiłbym do skutku, a ten musiałby nadejść, bo nie ma żadnego powodu, dla którego Bóg miałby lekceważyć swoich wiernych, którzy o coś proszą.

Jako człowiek niewierzący nie mogłem jednak o nic Boga prosić i w kwestii ewentualnego cudu musiałem polegać tylko na sobie. Tej ostatniej nocy całowałem Magdalenę po całym ciele, aby nawet najmniejszy jego skrawek poruszyć do głębi, a potem wchodziłem w nią z desperacją i szaleństwem obłąkanego kochanka, i opętany swoją wizją kochałem ją raz za razem, ufając, że jeszcze nie jest za późno, że jeszcze jest czas na to, by złe nasienie wymienić w niej na dobre i zatrzeć wszystko, co tamtej nocy z innym mężczyzną nie powinno w jej łóżku się zdarzyć.

Jutro ma przyjść do mnie z dzieckiem, a ja wiem, że bez względu na to, jak bardzo bym chciał, dłoni innego mężczyzny z jej ciała nie cofnę.

*

Cały dzień myślę o czekającym mnie spotkaniu. Marzenka powtarza po trzy razy to samo pytanie.

– Co się z tobą dzieje?

Nie potrafię odpowiedzieć. Na szczęście dziś sobota, jutro gazeta nie wychodzi, mój stan skupienia nie musi być lotny. Fatalnie się czuję, tak jakbym z nerwów miał dostać rozstroju żołądka. Wracam do domu.

Wsiadam do samochodu i mam wrażenie, że dwie karuzele poruszają się w przeciwnych kierunkach. Otwieram okno, biorę głęboki oddech, trochę się uspokoiły, przeszło. Puszczam muzykę, spokojnie jadę. Jakiś objazd, bo kopią. Potem drugi, bo znów kopią. Szlag, cały Wrocław rozkopany, wywlekło mnie na peryferie, tymczasem karuzele wracają. Ależ to dziwne, ta cała metafizyka tak bardzo jest w nas ulotna, wystarczy odrobina fizycznego ciśnienia i w ciągu kwadransa przestaję myśleć o gazecie, o Magdalenie i dziecku, czuję tylko, jak brzuch mi pęcznieje, karuzele są coraz szybsze... cholera, muszę się zatrzymać i wejść do toalety, kurwa, nie ma gdzie, wszędzie jakieś domki jednorodzinne, żadnego kibla, o Boże, muszę natychmiast do kibla.

Jadę powoli i szukam restauracji, baru, w końcu parku, a nawet krzaków, wszystko jedno czego, byle tylko znaleźć toaletę lub przynajmniej drzewo. A tu nic – domki, płotki, kwiatki. Nagle, Chryste, komisariat. Wpadam, nikogo nic ma, przede mną zdezelowane drzwi z najpiękniejszym słowem świata: „Toaleta". Otwieram; co za brud, ale jaki cudny klopik, to nic, że bez deski sedesowej, na komisariacie pełno złodziei, może ukradli. Boże, jak to wspaniale, że wymyśliłeś komisariat.

Wychodzę, rozglądam się dookoła i trochę czuję się zagubiony. Nie ma wolnego wejścia, przez które wchodziłem, zagradzają je kraty. Obok jest dyżurka, zaglądam.

– Może mi pan otworzyć? – pytam policjanta.

– A pan od kogo?

– Od nikogo, byłem tylko w toalecie.

– A kto pana wprowadził?

– No nikt, ta krata była otwarta, więc wszedłem.

– Panie, mi tu płacą za to, żeby nie była otwarta. Z którego pokoju pan wychodził?

– Z toalety.

– Ale wcześniej. Gdzie był pan wezwany? U kogo pan był?

– U nikogo, naprawdę.

– Zaraz się zobaczy.

Dzwoni gdzieś, po paru minutach przychodzi dwóch policjantów. Jeden wybitnie ważniejszy, bo ogolony i w swetrze bez śladów zmechacenia. Z wyrazu twarzy podobny do Schwarzeneggera.

– Kto pana tu wprowadził? – pyta.

– Nikt, musiałem skorzystać z toalety.

Patrzy z niedowierzaniem.

– Sprawdzałeś, Janek? – pyta tego z dyżurki.

– Co miałem sprawdzać? – obrusza się policjant Janek. – Ale widziałem, że stamtąd wychodził.

– To dziwne – ocenia Schwarzenegger, policjant gładko ogolony.

– Komisariat zamknięty, w pokojach trwają przesłuchania, a tu niezidentyfikowany pan wychodzi. Janek, legitymowałeś pana?

– W zasadzie nie – odpowiada zgodnie z prawdą policjant Janek.

– Ma pan dowód tożsamości?

Już mam odpowiedzieć, że w samochodzie, gdy krata się otwiera i wchodzi policjant w żółtej kamizelce odblaskowej.

– Co za głupota i bezczelność, dwa metry od komisariatu jakiś ważniak na środku jezdni zaparkował samochód, w dodatku tuż za zakazem. Myśli, że jak ma volvo, to wszystko mu wolno...

– Kto ma volvo, temu wolno – sentencjonalnie zauważa Schwarzenegger. – Przepraszam, to mój samochód – wtrącam nieśmiało, podejrzewając, że teraz to już na pewno stąd nie wyjdę.

– A co pan jest i co tu robi, i dlaczego zostawił pan samochód na środku drogi, za zakazem?

– Ja tylko wszedłem tu, żeby skorzystać z toalety. Tak mnie przypiliło, że rzeczywiście samochód głupio postawiłem.

– Janek, o co tu chodzi? – pyta ten w żółtej kamizelce.

– No, pan widać wszedł za kimś niezauważony i skorzystał sobie z toalety – prowadzi śledztwo policjant Janek.

Schwarzenegger dodaje natomiast zupełnie celną uwagę, że nawet na filmach toalety w komisariatach są po to, żeby ktoś przez nie uciekał, a nie po to, żeby z nich do komisariatu wchodził.

Oficer dyżurny prosi jednak o moje dokumenty i powoli je przepisuje. Ja tymczasem oglądam wystawę w policyjnym kiosku. Chcę coś kupić dziecku, żeby miało czym się zająć – dzieci zawsze tarmoszą coś w rączkach. W kiosku mają dla dzieci tylko książeczki, wybieram tę z największymi obrazkami. „Mała książeczka o kupie"

Pernilli Stalfelt. Temat fekalny mnie dziś nie opuszcza. To widocznie na szczęście.

Przeglądam pośpiesznie książeczkę. Tylko Szwedka mogła napisać coś podobnego: „W Afryce nawet chaty buduje się z kupy. Na słońcu kupa twardnieje. Wyobraźcie sobie, co by było, gdyby wszystkie panie i wszyscy panowie zrobili kupę w jednym miejscu. Jaki wysoki dom można by z niej zbudować".

Przypominają mi się ściany, które Magda stawiała wewnątrz apartamentu. Każdy buduje z tego, co ma po ręką. Jedni z książek, inni z kupy.

Już mam wychodzić z komisariatu, gdy nagle zatrzymuje mnie głos policjanta w żółtej kamizelce.

– Zawsze pan zostawia w niezamkniętym samochodzie kilka tysięcy euro?

– Proszę?

– To leżało na tylnym siedzeniu pana samochodu – policjant podaje mi kopertę. – Wziąłem, bo samochód był bez opieki, a z koperty wystawały banknoty.

– O Jezu, nie wiedziałem. To ktoś mi podrzucił. To znaczy, moja dziewczyna. Była dziewczyna. Chyba mam z nią dziecko, ale ona ma męża. To jego pieniądze, zapłacił mi, żebym od niej odszedł. Chciałem mu oddać, ale ona nie wie, że to jego, więc pewnie podrzuciła mi z powrotem.

– Tak. To oczywiste, to takie oczywiste – mówi policjant w żółtej kamizelce.

– Nigdy w życiu nie słyszałem nic bardziej oczywistego – dodaje ten z dyżurki.

Patrzą po sobie w milczeniu. Kiwają głowami.

*

Jest za kwadrans osiemnasta – fatalnie, spóźnię się na spotkanie z Magdaleną. Powiem jej, że był wypadek po drodze albo że pękła

PIOTR ADAMCZYK

mi opona, to brzmi jakoś bardziej po męsku niż pilna wizyta w policyjnej toalecie. Przecież ta historia jest tak idiotyczna, jakbym ją wziął z mojej gazety. Kiedyś takie rzeczy mi się nie przytrafiały. Słowa tworzą rzeczywistość. Głupie i niepotrzebne historie zdarzają się głównie tym, którzy je czytają.

Jadę trochę za szybko, ostatnie skrzyżowanie przejeżdżam na żółtym świetle, w tylnym lusterku błyszczy mi czerwone bmw, mknie, nie zważając na sygnalizację skrzyżowań, wyprzedza mnie i widzę, jak błyskawicznie zmienia lewy pas na prawy, wyprzedza, znów jest na lewym i wpada na następne skrzyżowanie, przecinając je na czerwonym świetle.

„Wariat, cholerny wariat", myślę i ruszam spokojnie, bo jestem już blisko domu, ale przed sobą widzę samochód stojący na awaryjnych światłach, dookoła tłumek gapiów, widocznie coś się stało; skręcam w bok, mały objazd i już parkuję przed klatką, wbiegam na schody, za chwilę spotkam się z Magdaleną.

25.
Mężczyzna, który czeka

Mężczyzna czeka na kobietę. Rozgląda się po mieszkaniu, kolejny raz sprawdzając, czy wszystko w porządku. Obrus jest czysty, niepognieciony, talerzyki lśniące, sztućce równo poustawiane.

Dotyka butelki szampana, jeszcze jest chłodna. Kieliszki czyste, chociaż na jednym coś jakby mały zaciek. Mężczyzna podnosi kieliszek do ust, chucha, wyciera rąbkiem koszuli. Odkłada kieliszek z powrotem, wygładza lekko pognieciony koszulę. Wzdycha. Podchodzi do lustra, patrzy.

Jest blady, więc szczypie się lekko w policzki, tak jak kiedyś szczypała go matka, gdy szli do znajomych, a ona chciała, żeby zdrowo, rumiano wyglądał.

Idzie do okna, spogląda na chodnik, potem na ulicę. Jakaś kobieta w zielonym sweterku. Może to ona? Nie, trochę za niska. Poza tym bez wózka, bez dziecka, któremu musi się uważnie przyjrzeć. Zobaczy je po raz pierwszy, ciekaw jest podobieństw. Prawdopodobnie jest jego ojcem, ale mąż tej kobiety nic o tym nie wie. Jednak to nie byłaby kwestia przypadku lub przygody, lekkomyślnego romansu. Kobieta miała plan, mężczyzna doskonale w tym planie się mieścił. Nie mieściła się tylko jego miłość.

Mężczyzna słyszy szmer za drzwiami, biegnie do przedpokoju, uchyla je, wygląda na klatkę schodową. Sąsiadka, młoda, ładna dziewczyna, wyprowadza psa na spacer.

– Idziesz ze swoim pieskiem? – ciepło zagaduje.

– Nie. Czekam na kogoś.

– A to miłego wieczoru życzę.

– Wzajemnie. Dziękuję. – Uśmiecha się, zamykając drzwi i znów biegnąc do okna.

Wie, że to nie jest normalne zachowanie. Powinien raczej usiąść przed telewizorem, oglądać cokolwiek i cierpliwie czekać, a nie ganiać od drzwi do okna.

„Boże, ja chyba mam jakąś obsesję", myśli z niepokojem.

Znów chodzi od okna do drzwi, wygląda to na ulicę, to na korytarz.

Ponownie dotyka szampana. Za ciepły, wstawia go z powrotem do lodówki. Najpierw się niecierpliwił, a teraz niepokoi, bo kobieta miała przyjść dwie godziny temu. Mieszka blisko, zaledwie dwa skrzyżowania dalej.

Wciąż jej nie ma. Nie odbiera telefonów, a co gorsze, nie podchodzi do domofonu, kiedy mężczyzna wybiega z domu, przecina ulice, staje na dole i naciska guzik dzwonka, bo myśli, że może o spotkaniu zapomniała.

*

Gdy nazajutrz mężczyzna wychodzi z psem na spacer, tuż za drzwiami spotyka swą młodą sąsiadkę.

– Wiesz, że wczoraj, jak wyprowadzałam psa, nieopodal naszego domu był wypadek? Czerwone bmw wjechało na przejście dla pieszych i potrąciło kobietę z wózkiem. Kierowca uciekł. Wózek na szczęście został nietknięty, ale kobieta leżała na ziemi i nie poruszyła się aż do przyjazdu karetki.

Mężczyzna staje oniemiały. Puszcza psa i biegnie z powrotem do domu.

– Czy mam wyprowadzić twojego psa? – woła dziewczyna. – Czy mam ci go przypilnować?

Przez chwilę czeka na odpowiedź, po czym z dezaprobatą kręci głową i zbiega za psem.

Mężczyzna dopada do telefonu i dzwoni na policję, potem do szpitala. Tak, był wypadek. Lekarz dyżurny odmawia jednak udzielenia jakichkolwiek informacji przez telefon. W dodatku osobie, która nie jest członkiem rodziny.

Kilka godzin później mężczyźnie udaje się wejść do szpitala.

Kobieta płacze i mówi mu, że szła z wózkiem, gdy ktoś ją potrącił na przejściu dla pieszych.

Mężczyzna, który czekał na kobietę, słyszy, że założono jej osiem szwów na twarzy, ma pękniętą kość udową, strzaskane kolano i wstrząs mózgu. Niewykluczone, że będzie miała kłopoty ze wzrokiem.

Mężczyzna nie wie, jakie są rozrywki bogów, teraz ma wrażenie, że się bawią w przełomowe momenty ludzkości, ale częściej się nudzą albo nas przesypiają i wtedy nie potrafimy się z tego obudzić. Nie wie, dlaczego nie nauczyli się takich sztuczek, jakie zna David Copperfield.

Dzięki temu wszystko można by odwrócić.

Na przykład przecinaliby piękne kobiety na pół, a one wracałyby do nas całe i rozbawione, a linie szczęśliwego życia znów pojawiałyby się na ich dłoniach.

Mężczyzna czuje nienawiść. Przypominają mu się filmy, w których bohaterowie mścili krzywdy swoich kobiet.

*

Mężczyzna myśli o zemście. Chciałby, tak jak twardzi bohaterowie emitowanych wieczorami filmów, sięgnąć po długolufową broń. Stanąć w rozkroku, przycisnąć policzek do kolby i nacisnąć spust. Słyszeć ten ogłuszający huk i widzieć, jak kula czyni sprawiedliwość. Zastrzelić czerwone bmw.

Wracając do domu, widzi sklep Militaria. Wchodzi do środka. Chciałby kupić sztucer z lunetą.

Sprzedawca pyta o pozwolenie na broń.

Mężczyzna odpowiada, że gotów jest dużo zapłacić.

Sprzedawca mówi:

– Bez pozwolenia na broń niczego pan u mnie nie kupi.

Mężczyzna zaciska usta.

– Niech pan posłucha – mówi sprzedawca. – Po co panu kłopoty? Widać, że jest pan porządnym człowiekiem, niech pan nie robi głupot. Może doradzę panu coś innego. Wie pan, karabin to rekwizyt filmowy. A porachunki można załatwić inaczej.

Mężczyzna słucha uważnie.

Sprzedawca mówi:

– Za broń palną bez pozwolenia pójdzie pan do więzienia. Chce pan?

Mężczyzna milczy.

Sprzedawca kontynuuuje:

– Mamy inne groźne urządzenia. Niech pan nie lekceważy na przykład procy. To jedna z najstarszych i najskuteczniejszych broni miotających. Używały jej wojska Tutenchamona, używały armie rzymskie i kastylijskie. Jeszcze podczas hiszpańskiej wojny domowej w ubiegłym wieku miotano nią granaty. Procę opisano nawet w Biblii, w Księdze Samuela. Pamięta pan, jak Dawid pokonał Goliata? Nikt nie śmiał wyjść naprzeciw olbrzymowi. Wyszedł tylko Dawid uzbrojony w procę.

Mężczyzna nadal milczy.

Sprzedawca mówi:

– Niech pan patrzy. Oto silna proca z mechanizmem ułatwiającym naciąg. Dzięki temu uzyskujemy zdecydowanie większy zasięg miotanych pocisków oraz lepszą celność strzałów. Pociski to stalowe kulki, wyrzucone z tej procy mogą być śmiertelne. Proca jest bardzo wytrzymała, posiada mocną i dobrze wyprofilowaną rękojeść. Element mechanizmu opierającego się o rękę jest wykonany ze skóry, co zapewnia pełen komfort użytkowania.

Mężczyzna nie dba o komfort użytkowania, ale słucha z uwagą.

Sprzedawca z pamięci recytuje dane techniczne jak jakiś wiersz.

– Wysokość: 180 mm, długość po rozłożeniu: 180 mm, waga: 260 g, stalowe kule: średnica 0,8 cm, opakowanie: 50 sztuk, producent: Stil Crin, Włochy.

To współczesny, nowoczesny wiersz; taki, który się nie rymuje.

Sprzedawca dodaje do procy garść stalowych kulek gratis.

Mężczyzna jest trochę rozczarowany, proca to nie karabin, ale dokupuje następną garść kulek w promocji.

Nocą staje w pobliżu skrzyżowania, które dzieli jego dom od domu kobiety.

Czeka.

Czeka na samochód, który się nie zatrzyma.

Który się nie zatrzyma, jak nie zatrzymał się tamten.

Po kilku minutach widzi czerwone bmw, które mija przechodzącą na pasach młodą kobietę.

Mężczyzna naciąga procę i strzela. Cel jest łatwy, duży, czerwony.

Czerwony przyciąga uwagę.

Czerwony przyciąga uwagę i metalową kulkę.

Mężczyzna nie jest zadowolony, bo kulka trafia w reflektor.

Kierowca naciska hamulec i zatrzymuje się kilka metrów za przejściem.

Biegnie do kobiety, która nie rozumie, co się stało.

Kierowca krzyczy na nią, szarpiąc jej parasolkę. Pokazuje roztrzaskany reflektor.

Parasolka to domniemany przez kierowcę dowód winy.

Mężczyzna ponownie naciąga procę i tym razem jest ze strzału zadowolony.

Kulka trafia w sam środek przedniej szyby.

Szyba natychmiast pokrywa się białą pajęczyną pęknięć, zupełnie jak lodowa tafla. To jest szyba z bezpiecznego szkła. Gdyby kierowca był w środku, nie groziłyby mu odłamki.

Kobieta, która kilka dni temu szła tędy do mężczyzny, nie była osłonięta bezpieczną szybą. Osłaniała ją tylko skóra, która na samej twarzy pękła kilka razy.

Kierowca, który byłby bezpieczny za swoją szybą, nie jest bezpieczny na ulicy. Rozumie to, widząc mężczyznę, który w niego celuje.

Kierowca nie wie, że to proca, może myśli, że pistolet, bo krzyczy przeraźliwie i pada na ziemię, zasłaniając głowę rękami. Leży na przejściu dla pieszych, w najlepszym dla siebie miejscu. To bardzo dobrze dobrane miejsce, najbezpieczniejsze dla pieszych.

Mężczyzna chowa broń do kieszeni.

Jutro przeczyta w gazecie, że na kierowcę czerwonego bmw najechał samochód.

Świadkowie twierdzą, że kierowca z nieznanych przyczyn leżał na przejściu dla pieszych.

Właśnie chciał wstać, gdy potrącił go rozpędzony chevrolet.

Ciemnozielony prawdopodobnie, ale świadkowie nie są pewni.

W tym miejscu ulica jest źle oświetlona.

Kierowca chevroleta zbiegł z miejsca wypadku.

Kierowca czerwonego bmw trafił do szpitala.

*

W internecie pojawia się strona o nazwie „Proca Dawida". Mężczyzna czyta, uśmiechając się.

Piątek, dwudziesta pierwsza dwadzieścia, opel astra z wyłączonymi światłami pędzi ponad sto na godzinę, przejeżdża przejście i coś go nagle zatrzymuje, pod samochodem kałuża wody, ktoś przestrzelił chłodnicę.

Piątek, dwudziesta druga dziesięć, ciemny volkswagen golf trąbi na przechodzących pieszych, po czym hamuje gwałtownie, popękana przednia szyba wypada na zewnątrz, kierowca, młoda dziewczyna, głośno płacze, wychodząc z samochodu.

Sobota, dwudziesta trzydzieści, czarny ford przejeżdża niemal po stopach kobiety z zakupami. Tuż za pasami przejścia dla pieszych przednia szyba pęka, samochód wpada na drzewo. Kierowca zostaje odwieziony do szpitala.

Wzdłuż kręgosłupa mężczyzny pot powinien spływać strugą wyrzutów sumienia. Ale nie spływa.

Daty, godziny, dokładne opisy zdarzeń.

Tak jakby ktoś całymi wieczorami siedział na balkonie w pobliskim wieżowcu i wszystko notował.

26.
Atak molestujących nietoperzy

W redakcji, na porannym kolegium, wszyscy mówią o wypadkach na skrzyżowaniu.

– Szeryf z procą. Jakie to romantyczne – zachwyca się Marzenka.

– Taki trochę Piotruś Pan, z tą procą.

– Zwariowałaś? – protestuje prezes. – Przecież to jakiś niepoczytalny wariat. Strzela do ludzi! Równie dobrze ciebie mógłby ostrzelać. To maniak!

– Ja, w przeciwieństwie do ciebie, pierwszeństwa na przejściu dla pieszych nie wymuszam – odcina się Marzenka. – Nic nie rozumiesz. On się mści, bo na pasach potrącono jego dziewczynę.

– A skąd ty to wiesz?

– Jest już cała strona internetowa o nim. Wszystko zostało tam opisane.

– A ja niby wymuszam? – z pewnym opóźnieniem złości się prezes. – Uważam tylko, że od karania jest prawo, a nie samosąd. Jak go złapią, dostanie minimum pięć lat.

– Najwyżej dwa – prostuje Marzenka. – Działa w obronie słabszych, niewykluczone, że jest obarczony pewną niepoczytalnością.

– Dajcie spokój – przerywam, czując kłótnię nadchodzącą wielkimi zdaniami. – Dlaczego w ogóle zakładacie, że to mężczyzna? Może to kobieta?

– Widziałeś kobietę z procą? – dziwi się Marzenka.

– Widziałem.

– Na filmie o Wilhelmie Tellu chyba. Swoją drogą, ciekawe, kto prowadzi stronę internetową o tym strzelcu – zastanawia się Marzenka.

– Może to on sam o sobie pisze? Chce, żeby było o nim głośno – podsuwam najbardziej oczywistą odpowiedź.

– To najbardziej oczywista odpowiedź – diagnozuje Marzenka. – W życiu takich nie ma.

– Zostawmy to – proponuję. – Nie mamy tekstu na czołówkę do piątkowego magazynu.

– Możecie napisać o nim – proponuje prezes.

– Od dwóch dni piszemy, to żaden news – mówię. – Na czołówkę się nie nadaje.

– To napiszmy o autorze tej strony internetowej – proponuje Marzenka. – Poszukajmy go, a nawet jak go nie znajdziemy, to napiszemy o tym, jak go szukaliśmy. Tak czy owak…

– Tak czy owak, Zenon Nowak – przerywam, nie chcąc nagłaśniać tematu. – Wolałbym czołówkę z czegoś innego.

– A ja myślę, że pomysł Marzenki jest dobry – wtrąca prezes.

– Ludzie o niczym innym na mieście nie mówią. To się robi taka legenda miejska, jak kiedyś ta o czarnej wołdze.

– Jakiej wołdze?– dziwi się Marzenka.

– Za młoda jesteś – śmieje się prezes. – Kiedyś czytelników straszyło się tym, że po miastach jeździ czarna wołga i dzieci porywa.

– Wołga to samochód taki – uzupełniam. – Był produkowany w Związku Radzieckim.

– To fajnie, mamy nową legendę miejską. W dodatku romantyczną – zachwyca się Marzenka.

– Gdzie ty tu widzisz jakiś romantyzm? – Podnoszę się lekko poirytowany.

– A coś ty taki poirytowany i dlaczego ci zależy, żeby o tym nie pisać? – dziwi się prezes.

– Dlaczego miałoby mi zależeć?

– Napiszmy! Napiszmy! – słychać z newsroomu.

– Napiszmy – decyduje prezes.

– Chętnie sama to zrobię – deklaruje Marzenka. – Mam przeczucie, że tam jest wątek romantyczny.

– W porządku – niechętnie, ale jednak się poddaję.

*

Po kolegium zamykam się w pokoju, przeglądam pocztę.

Widziałam, z jaką niecierpliwością czekałeś na tamtą dziewczynę. Zazdrościłam jej. Potem słyszałam od innych, co się stało, ale nadal jej zazdroszczę. Patrzyłam później na Twoją twarz. Teraz leżę w wannie z walkmanem na uszach i widzę ją nadal. Widzę ją w takich detalach, że zaczynam czuć ból. Boję się o tę twarz. To jest twarz, którą chciałoby się zdjąć z szyi, schować pod kurtką i wynieść. Potem w ja-

kimś przestronnym, odludnym miejscu znaleźć godne jej tło, ustawić ją w świetle i patrzeć jak na niepowtarzalny widok. Nie zazdroszczę sobie. Przysypiam w waniliowej pianie, smolista kropla olejku spływa mi po brzuchu do pępka. W głowie mam muzykę, pod palcami skórę, włosy, zaplatam je w maleńkie wstążeczki, którymi obwiążę się dla Ciebie jak prezent.

Zastanawiałeś się, kim jestem? Myślę, że tak... Nie jesteś pewien, czy w ogóle się znamy, czy może dopiero poznajesz mnie na podstawie tych e-maili? Czy jesteś mną zainteresowany? Po drugiej stronie jestem ja – cielesna i prawdziwa. Gotowa do niesienia Ci orgazmów. Miriam.

A więc nie Magdalena te listy pisze. Miriam to nie Magdalena. Ale wie, że na nią czekałem. Co jeszcze wie? Czuję niepokój. Kim jest ta dziewczyna?

*

– Co czytasz? – pyta Marzenka, wchodząc do pokoju. Patrzy w okno; widzę, że myślami jest gdzieś indziej. A może to ona? Może to Marzenka te listy pisze?

– Spójrz, takie listy dostaję – postanawiam zaryzykować. – Nie wiem od kogo. Co o tym sądzisz?

Szybko przelatuje wzrokiem.

– O, miłe. Naprawdę nie wiesz od kogo?

– Nie mam pojęcia.

– Widocznie jakąś pannę uwiodłeś.

– Nie ma takiej opcji.

Marzenka podchodzi do okna.

– Nie wiem dlaczego, ale nie chcesz, żebym o tym pisała, prawda?

Patrzy na sznur samochodów jadących Podwalem.

– O czym?

– O tym mężczyźnie z procą.

– A bo to jakaś dziecinada.

– To dlaczego jesteś taki spięty, gdy o tym mówię?

Odwraca się, patrząc mi w oczy.

Spuszczam wzrok.

– Wydaje ci się, miałem ciężki tydzień.

– To nie jest dziecinada, dobrze o tym wiesz.

– W porządku. Wiem.

– Zarezerwujesz mi miejsce w magazynie?

– Tak, ale na wszelki wypadek przygotuj też coś innego.

– Prezes rekomendował tekst o molestowaniu, bo to ostatnio na topie. Znalazł w serwisie Onet.pl. Można by rozbudować temat, dodać np. wypowiedzi naukowców z Wrocławia, żeby był taki bardziej nasz. Wrzuciłam ci go do sieci, rzuć okiem. Ale gdyby nie prezes, wyrzuciłabym ten tekst do kosza.

Przeglądam teczki na pulpicie, jest: „Naukowcy molestują się nietoperzami". Co za tytuł... Czytam: „Artykuł o seksie oralnym nietoperzy wywołał skandal w środowisku naukowców. Doktor Dylan Evans, psycholog z University College Cork zajrzał pewnego dnia do gabinetu swojej koleżanki, doktor Rosanny Kennedy. Wywiązała się między nimi dyskusja, w czasie której Evans pokazał jej artykuł naukowy o seksie oralnym nietoperzy. Dwa tygodnie później doktor Evans otrzymał zawiadomienie, że doktor Kennedy oskarża go o molestowanie seksualne za pokazanie artykułu o nietoperzach i wypowiedzenie komplementów pod jej adresem.

Zwołano komisję, która przyznała, że artykuł mógł obrazić panią doktor. Teraz irlandzki psycholog przez dwa lata będzie znajdował się pod nadzorem i jeśli dojdzie do podobnej sytuacji, zostanie zwolniony z pracy.

Artykuł, który oburzył badaczkę, dotyczył tematu, który był jedną z sensacji naukowych. Badanie chińskich naukowców, którzy schwytali 30 samic i 30 samców nietoperzy, by obserwować ich zachowania seksualne, wywołało wielkie zainteresowanie czytelników prestiżowego »New Scientist«. Jak się okazało, w 14 na 20 przypadków samice podczas kopulacji pobudzały językiem podstawę penisa samca, co wiązało się z przedłużeniem czasu trwania stosunku…".

Chociaż temat o lubieżnych batmanach wydaje mi się trzeciorzędny, muszę prezesowi przyznać, że pasuje do nowego formatu gazety. Trochę sensacji, wątek seksualny, ale prestiżowo, na bazie nauki, w dodatku chińskiej, z czego zarząd będzie zadowolony. Wśród jego członków większość to Chińczycy. Ponoć to jedyna w całej Europie perspektywiczna grupa czytelnicza. Stąd tyle chińszczyzny nie tylko w supermarketach, lecz także w gazetach.

– W porządku, Marzenko. Temat odpowiada parametrom hipermarketu. Ale nie masz wrażenia, że to wszystko idzie w jakimś złym kierunku? Nie masz wrażenia, że marnujemy łamy na jakieś totalne pierdoły?

– Mógłbyś zdefiniować pojęcie: „totalne pierdoły"?

– Wiesz, o czym mówię. Ty akurat wiesz.

– Wiem. Dobra. Też mam takie wrażenie. Totalne pierdoły. Więc dasz mi szansę na coś prawdziwego? Na coś z życia? Dasz mi szansę na reportaż o tym człowieku z procą?

– Nie wiem jeszcze, może dam.

– Nie jesteś taki zły, jakiego udajesz, wiesz?

Posyła mi całusa, stojąc już w drzwiach.

Pochylam się nad klawiaturą, wchodzę do internetu i po chwili jestem w świecie pełnym sympatyków strzelca z Wrocławia. Wszystkie serwisy zamieszczają na pierwszym miejscu informację o dziwnych wypadkach na wrocławskim skrzyżowaniu. Internetowej strony „Proca Dawida" w ogóle nie mogę zobaczyć, bo serwer jest przeciążony i nie jest w stanie przepuścić inwazji wejść. Na Facebooku liczba osób popierających mężczyznę z procą przekroczyła 25 tysięcy.

Prezydent miasta apeluje do nieznanego sprawcy wypadków o natychmiastowe zaprzestanie samosądów. Policja kieruje do mieszkańców miasta prośbę o informacje, które mogłyby pomóc w złapaniu winnego. Na swojej stronie publikuje portrety pamięciowe oraz zdjęcia z monitoringu tych osób, które jako świadkowie były widziane w okolicy i są proszone o kontakt z komendą. Jednemu z nich przyglądam się ze zdumieniem. Ten mężczyzna jest bardzo podobny do aktora Piotra Adamczyka. Dlatego tym bardziej nie rozumiem, dlaczego do pokoju wchodzi zdenerwowana sekretarka i drżącym głosem mówi:

– Panie redaktorze, policja do pana.

W drzwiach staje Schwarzenegger.

– Mam dla pana wezwanie. Ale widzę, że już się spotkaliśmy. Pan będzie łaskaw odwiedzić nas w komisariacie. W tym samym, w którym uciekł pan z toalety.

Patrzę na zdumione oczy sekretarki i widzę w nich dwa lata więzienia:

– Trzymali pana w toalecie?

27.
Powrót Marysi Jezus

Dziwnie wygląda w tych pomieszczeniach, po męsku surowych, urządzonych nie tylko bez gustu, lecz także bez intuicji jego istnienia. Ma na sobie służbowy strój policjantki, czarną spódniczkę i białą bluzkę, z materiałów za szorstkich i za sztywnych, by mogły pochodzić z wyboru kobiety. Przez chwilę myślę o jej ciele pod spodem, ciepłym i delikatnym. Potem zastanawiam się, czy jej czarne rajstopy też są z sortów mundurowych. Bo buty na pewno nie – delikatne pantofelki na nieregulaminowo wysokim obcasie.

Przyglądam się drobnym dłoniom o długich palcach, niekiedy przez sekundę muskają usta. Zazdroszczę ustom dotyku dłoni, a dłoniom dotyku ust, gdy gestykuluje podczas rozmowy, w której uczestniczę tylko pomrukami, bo na niczym innym, z wyjątkiem niej samej, nie mogę się skupić. Widzę w pamięci, jak jej dłoń wędruje w kierunku moich ud i zawija palce na znalezisku oczywistym i banalnym – aż mi wstyd, że patrzę na to z takim zachwytem, jakby to był pędzel w dłoni malującej stworzenie świata w Kaplicy Sykstyńskiej. Marzę, żeby znów stwarzała mną cokolwiek; kto powiedział, że od razu cały świat, wystarczy coś mniejszego na początek. Mogła być moją żoną, moglibyśmy mieć dzieci, byłem jej pierwszym kochankiem. Jakie to wszystko przypadkowe. Nie wiem, gdzie są w życiu te chwile, o których decydujemy krótko – po to, by później one decydowały o nas na zawsze.

Marysia Jezus pachnie wodą cytrusową i lekkim zmęczeniem. Ten zapach zmęczenia intensywnieje, gdy otrząsam się ze wspomnień i proszę, żeby powiedziała mi, co tutaj robi i dlaczego akurat ona przysłała mi wezwanie.

*

Wiele razy wyobrażałem sobie to spotkanie, nasze pierwsze spotkanie po latach. Myślałem, że będzie podniośle i romantycznie, a przynajmniej nastrojowo. Mieliśmy rzucić się sobie w ramiona, przytulić się, wycałować.

– Cześć, Piotr – powiedziała, wyciągając rękę. Prawie się nie zmieniła, tylko parę zmarszczek pojawiło się w miejsce piegów. – Szkoda, że spotykamy się w takich okolicznościach. Pracuję tu. Czy ty mnie w ogóle pamiętasz?

Pamiętam.

Pamiętam wszystko.

Jak uciekała z lekcji do mnie na wagary, siedzieliśmy na kanapie, słuchając muzyki, wsadzałem jej ręce pod bluzkę, a ona się nie broniła.

Pamiętam, jak się bałem, że któregoś dnia nie przyjdzie, i jak zacząłem dawać jej drobne upominki, tak jakbym chciał nimi kupić jej chude uda, na których jeszcze niedawno tańczył hula-hoop, a ja przyglądałem się temu z okna wychodzącego na podwórkową piaskownicę. Jak w końcu nauczyłem ją brać pieniądze – myślałem, że tylko od siebie, ale ona uznała, że taki jest dorosły porządek rzeczy, i brała także od innych mężczyzn.

Pamiętam swoją zazdrość, która mnie wtedy oślepiała. Odszedłem po omacku, niesiony egoizmem, myśląc o sobie, o swojej ranie, o urażonej dumie, tak jakby ta duma była mi do czegokolwiek potrzebna, jakbym mógł się na niej później wesprzeć, przytulić lub chociażby poprosić, by zjadła ze mną kolację.

Pamiętam pierwszego mężczyznę, z którym Marysia mnie zdradziła. To był student medycyny. Przyniosła od niego garść kosmetyków i starą czaszkę.

– Patrz, ten człowiek ponad sto lat temu popełnił samobójstwo, z wielkiej, niespełnionej miłości – opowiadała wtedy z zapałem. – Absurdalnej, takiej od pierwszego wejrzenia. Panna nawet nie wiedziała, że on ją kocha. Widzieli się zaledwie raz, na polowaniu w puszczy. Zostawił piękny list, który jest w archiwum wrocławskiej medycyny sądowej, ale od wielu lat nikt już go nie czytał. Czaszka trafiła do zbiorów nie dlatego, że pięknie kochał. Strzelił sobie w łeb tak przypadkowo precyzyjnie, że kula weszła u podstawy żuchwy, wyszła lewym oczodołem i nawet nie drasnęła czaszki. Co za przypadek! Fenomen balistyki na skalę światową. Do dziś kryminolodzy mówią o tym z podziwem. A paradoks polega na tym, że nikt już nawet nie wspomina o jego nieszczęśliwym uczuciu.

Marysia Jezus była wtedy jak Hamlet z czaszką Yoricka, patrzyła na nią godzinami i budziło się w niej uczucie, którego ze mną nie znała. Wołała ją daleka tęsknota, dręczył niepokój, którego nawet nie starała się uspokoić. Czułem, że odchodzi ode mnie, daleko poza zasięg moich słów, które nigdy nie były wyznaniami miłości. Ona ich potrzebowała, a ja byłem pusty, takie słowa we mnie nie mieszkały, a przynajmniej ich w sobie nie znajdowałem. Sądziłem, że mężczyzna musi być twardy i chropowaty, że czułość rozmiękcza. Potem żałowałem, ale żal zawsze ma tę cechę, że przychodzi za późno.

Myślałem o Marysi przez te wszystkie lata, wyobrażałem ją sobie, marzyłem; była moim wzorcem z Sevres, do którego porównywałem później wszystkie kobiety i żadna nie pasowała do formy, która pozostawała pusta wewnątrz mojego ciała.

*

Teraz siedzę przed nią na krześle dla podejrzanych, a ona wpatruje się we mnie zza policyjnego biurka jak w jakimś złym śnie. Tak, to mógłby być zły sen. Mogłaby mnie w nim oskarżyć o nadużycie jej młodego ciała, a potem o wydanie go na pastwę innych mężczyzn i o niewypowiedzenie nigdy słów o uczuciu, na które czekała.

– Wiesz, dlaczego tu jesteś?

– Bo pozwoliłem ci odejść? – próbuję żartować.

– Tak, za to chętnie bym cię wsadziła do więzienia… W coś ty się wpakował, Piotr?

– W co się wpakowałem?

– Nic nie wiesz o tym idiotycznym strzelaniu z procy?

– Sądzisz, że to ja?

– Niektórzy z mojego wydziału tak sądzą.

– A ty?

– Internet huczy od plotek. Ponoć jakiś mężczyzna mści się za kobietę potrąconą na tym skrzyżowaniu. Ale ani świadków, ani dowodów nie ma.

– Mam z tym coś wspólnego?

– To była twoja dziewczyna.

– Ale żona innego!

– Piotr, a skąd wiesz, o jakiej dziewczynie mówimy? Przecież ja nic o niej nie powiedziałam.

– Jasne. To powiedz mi, skąd ten portret pamięciowy na waszej stronie. Przecież od razu widać, że to nie ja na nim jestem!

– To nie portret pamięciowy, tylko zdjęcie aktora. Zniknął gdzieś i wszyscy go szukają. Tak samo się nazywacie i ktoś na komendzie wrzucił do internetu jego zdjęcie zamiast twojego. Głupia pomyłka. Jest nawet nagroda za odnalezienie aktora. 100 tysięcy złotych. Tyle wrocławska Wytwórnia Filmów Fabularnych gotowa jest zapłacić natychmiast. Ma podpisany kontrakt o współpracy z Hollywood, a każdy dzień opóźnienia to strata kilku tysięcy dolarów.

– Dawno zniknął?

– Dwa tygodnie temu. Początkowo sprawie nie nadawano rozgłosu, sądząc, że zaszył się gdzieś z kochanką. W końcu rodzina postanowiła powiadomić policję. Szef postawił na nogi wszystkich funkcjonariuszy. Początkowo myśleliśmy, że to jakaś gra, może kampania reklamowa, ale odkąd znaleziono na śmietniku przy Wiśniowej ubranie oraz dokumenty aktora, nie ma wątpliwości, że został porwany.

Marysia Jezus pokazuje na mapę miasta.

– Wiśniowa, to tuż przy Sudeckiej, ulicy, przy której mieszkam.

Zaginięcie aktora postawiło na nogi nie tylko policję, lecz wszystkich wariatów w mieście. Wariaci zawsze dzwonią, jak jest halny lub coś się dzieje wokół celebrytów. Dziś trzech widziało Piotra Adamczyka siłą prowadzonego przez tajemniczych mężczyzn, każdy w innej dzielnicy, tak jakby ktoś piechotą postanowił go uprowadzić przez cały Wrocław. Kilku dzwoniło z podejrzeniami, głównie takimi, że aktor sam się porwał, żeby wyłudzić okup. Jakaś kobieta przysłała link z internetu. Na krótkim filmie ktoś łudząco podobny do aktora leży przywiązany do łóżka. Nad nim pochyla się młoda kobieta o figurze modelki. Ma bikini i opaskę na oczach. W dłoni trzyma zapaloną świecę, przechyla ją i wówczas gorący wosk grubymi kroplami kapie na jego nagie ciało. Na klatce piersiowej mężczyzna ma tatuaż w kształcie serduszka.

Marysia widziała wiele filmów kręconych w domach przez różne pary, więc nie zwróciła na tych dwoje większej uwagi. Ciepła parafina to nic nowego w sypialniach kochanków. Uśmiecha się jedynie na widok czerwonej lodówki. Identyczną kilka dni temu kupiła na Allegro. Dzisiaj powinni ją przywieźć.

28.
Krwawe wiadomości
na stoiskach z dżemem

– Coś ci przeczytam – proponuje Marzenka, przeglądając depesze. – „Chińscy policjanci przeprowadzili nalot na nielegalną fabrykę prezerwatyw w prowincji Hunan. W ukrytym zakładzie robotnicy produkowali środki antykoncepcyjne i wprowadzali je na rynek – informuje serwis time.com. Policja ostrzega, że prezerwatywy są zaniżonej jakości i mogą prowadzić do niechcianego rodzicielstwa. Produkty smarowano olejem roślinnym, by były gładkie i błyszczące".

– Pierwszy raz słyszę o nielegalnej fabryce prezerwatyw – mówię zdziwiony. – Chociaż w tych Chinach to oni przecież wszystko podrabiają, pewnie większość fabryk jest nielegalna.

– Ale żeby prezerwatywy?

– W Polsce, przed Euro, podrobili nawet autostradę. Dajemy te prezerwatywy do gazety? W naszym biurowcu jedna czwarta załogi to Chińczycy. Jak nie piszemy o nich, to się skarżą, że są wyobcowani.

– Ale to nie jest pozytywna informacja, nie poprawia wizerunku chińskich towarów – zastrzega Marzenka. – Nasz chiński zarząd nie będzie zadowolony.

– Dlaczego uważasz, że nie poprawia?

– No, daj spokój. Przecież te towary są też w naszych marketach. Kto kupi prezerwatywę posmarowaną olejem roślinnym?

– A co złego jest w oleju roślinnym? Przecież ma mniej cholesterolu.

– To jest jakiś argument. Możemy dać tę informację do rubryki o zdrowym żywieniu.

Marzenka się śmieje, przez chwilę jest zajęta przeglądaniem serwisów prasowych.

– Piszą o tobie, widziałeś?

Podnosi wzrok i patrzy na mnie z zainteresowaniem.

– Gdzie piszą?

– W internecie, na tych stronach o strzelcu z procą. Sugerują, że to ty i że przesłuchiwała cię policja.

– To plotki. Popraw lepiej swój reportaż o Magdalenie, pójdzie w piątkowym wydaniu.

– Podoba ci się?

– Może być. W końcu coś normalnego i nie o Chińczykach.

– Mówię o Magdalenie. Czy Magdalena ci się podoba?

– A jakie to ma znaczenie?

– Wiele razy widziałam was razem.

– To o niczym nie świadczy.

– Wyraz twoich oczu świadczył.

– Zajmujesz się irydologią?

– Wiedziałeś, że to jej mąż założył tę stronę „Proca Dawida"? Tak jakby chciał podziękować…

– Nie. To on? Skąd miałbym wiedzieć… Nie napisałaś o tym w swoim reportażu. Nawet nie wspomniałaś o wypadku Magdaleny.

– Bo to zupełnie inna historia, do której chciałabym jeszcze wrócić. Poczekam na rozwój wydarzeń.

– Chcesz pisać do gazety powieść w odcinkach? A w końcu napiszesz o mnie?

– Możemy to jeszcze zatrzymać. Możesz wycofać ten materiał.

– A zamiast niego damy tekst o seksie oralnym nietoperzy w Chinach?

– Albo o tym chłopczyku z Chin, któremu za duże uszy uratowały życie.

– A pamiętasz tę historię o kobiecie, która się skarżyła, że napastuje ją krokodyl?

– To chyba był kangur?

– Wiesz, czasami trudno mi uwierzyć, że ludzie chcą to czytać.

– Dlatego cieszę się, że napisałam o Magdalenie.

Marzena spogląda z uśmiechem chowanym na specjalne okazje. Opiera dłonie na biodrach, przechyla głowę. Puszcza oko, które do mnie leci.

*

Myślę, że moje poprzednie listy mogły Cię wprowadzić w błąd – przeczytałem pierwsze zdanie listu od Miriam i zrobiło mi się przykro. Pomyślałem, że za chwilę dziewczyna przyzna się do pomyłki w adresie i dowiem się, że byłem tylko przypadkowym odbiorcą. Niby spodziewałem się tego, ale jednak jakiś cień nadziei się we mnie pałętał. *Nie chciałabym, byś myślał, że dam Ci długo na siebie czekać* – czytam dalej. – *Nie chcę się z Tobą droczyć ani drażnić. Prawdę mówiąc, już dziś pomyślałam, że odwiedzę Cię w redakcji. Nie było pierniczków, więc kupiłam po drodze pączka z lukrem i nadzieniem różanym, takim jak lubisz. Ale nie zastałam Cię już, Twoja sekretarka powiedziała, że przed chwilą wyszedłeś. Było mi smutno, bo już nastawiłam się na nasze spotkanie. Z tego smutku zjadłam Twojego pączka, najpierw lukier, potem obgryzłam go dookoła, na końcu nadzienie. Może jutro do Ciebie przyjadę. Tym razem nie zjem Ci pączka, a lukier wyjem tylko do połowy. Miriam.*

Nazajutrz uważnie przyglądam się każdej dziewczynie przechodzącej przez korytarz redakcji. Łapię wzrok każdej kobiety, wierząc, że któraś się zdradzi, odpowie długim spojrzeniem, zawstydzi się, zaczerwieni, znacząco się uśmiechnie. Ale nic takiego się nie dzieje. Dziesiątki kobiet i dziewcząt przechodzą w pośpiechu właściwym porze zbliżającego się weekendu, mijając mnie równie obojętnie jak innych mężczyzn. Korytarz niczego nie obiecuje, nie zapowiada i widać, że nic nie ma nim nadejść; jest jak zamknięta uliczka, całkowicie na mnie ślepa.

Pod wieczór, gdy wszyscy zbierają się już do domów, idę przed wyjściem do toalety. Przez chwilę sekretariat redakcji jest pusty i po moim powrocie nie ma nikogo, kto mógłby powiedzieć, kim była dziewczyna, która na moim biurku zostawiła pączka z różanym nadzieniem i wyjedzonym do połowy lukrem.

*

Tymczasem na forum o strzelcu z Wrocławia aż kipi i się przelewa. Trzydzieści tysięcy wejść dzisiaj, a od początku założenia strony – cztery miliony osiemset.

Ktoś napisał, że człowiek z metalową procą został aresztowany, na co ktoś inny proponuje natychmiastowe zorganizowanie marszu poparcia i w ciągu trzech godzin podpisuje się pod tym wnioskiem 9 tysięcy internautów. W kilkunastu postach pojawia się moje nazwisko, ale zdania są rozbieżne, niektórzy twierdzą nawet, że dla sławy mam zamiar podszywać się pod bohatera.

Uśmiecham się do monitora i dopisuję na forum komentarz, że policja ma przecież portret pamięciowy sprawcy, który bardziej niż mało znanego redaktora przypomina słynnego Piotra Adamczyka. Przez chwilę zastanawiam się, jak podpisać swój post, spoglądam w okno, a tam jakiś urwis wykręca wentyle z rowerów zaparkowanych pod bramą redakcji. Przed wysłaniem komentarza podpisuję się więc jako Wykręcam Wentyle.

– Co robisz? – zagaduje Marzenka spod telewizora.

– Wykręcam wentyle.

– Jasne, wentyle – powtarza. – Mógłbyś podejść? Zobaczysz coś dziwnego.

Siadam obok niej, pilotem poprawiam głośność. Z ekranu powieszonego na ścianie patrzy na nas mężczyzna w granatowym garniturze; ten sam, którego z autorem muzyki wózków widziałem w markecie z Magdaleną.

– To szef marketingu sieci chińskich supermarketów w Polsce – wyjaśnia Marzenka. – Mówi o nowych sposobach pozyskiwania klientów, ale redaktor prowadzący program jest tym wyraźnie zdegustowany.

*

Kamera pokazuje wnętrze wielkiego sklepu. Reporter, wskazując pełne koszyki, tłumaczy:

– W tym sklepie zastosowano wszystkie znane socjotechniki oddziaływania na klienta. Jednak tradycyjną muzykę relaksacyjną zastąpiono specjalnie skomponowanymi utworami, w których dominują dziecięce głosy, zaniepokojone, niekiedy bliskie płaczu, co wśród kupujących ma budzić instynkt opiekuńczy i pilną potrzebę zwiększenia domowych zakupów.

Przebitka na studio.

– Czy doczekamy się też puszczanego przy muzyce odgłosu burczenia w brzuchu? – dopytuje ironicznie redaktor prowadzący program.

– Były takie próby, ale jako elementy bliskie reklamie podprogowej zostały zakazane – przyznaje szef marketingu. – Ale mamy inne nowości. W naszych sklepach wielkopowierzchniowych zrezygnowano z tradycyjnych ekspozycji tanich samochodów osobowych w holu sklepu, bo badania wskazały, że ekspozycje te budzą u kupujących skłonność do oszczędzania. A to odbija się na skróceniu listy codziennych zakupów. Wstawiono natomiast modele luksusowych marek, niedostępnych dla średnio zamożnych klientów hipermarketu. To ma wywołać u nich odruch kompensacji. Wiedzą, że na luksusy ich nie stać, więc tym bardziej kupują to, co jest w zasięgu. Dodatkowo w holu ustawiono dotowane ze środków Unii Europejskiej wystawy zdjęć ukazujących głód, kataklizmy, skażenie środowiska oraz sytuacje wywołujące u konsumentów przeświadczenie końca świata, przed którym trzeba szybko użyć życia, napić się i najeść.

Operator kamery robi zbliżenie czerwonego ferrari stojącego nieopodal kas, po czym pokazuje dwóch młodych mężczyzn, upychających w wózku butelki z wódką. Nad stoiskiem wisi informacja: „PRZY ZAKUPIE DZIESIĘCIU BUTELEK ALKOHOLU ZRÓB DZIECKU RADOŚĆ I ODBIERZ GRATISOWY MODEL FERRARI NA BATERIE W PUNKCIE OBSŁUGI KLIENTA".

Poznaję sklep – to ten, w którym pracowała Magdalena. Reporter idzie wzdłuż półek, sięga po kolejne artykuły.

– Spójrz, co oni wymyślili! – krzyczy zdumiona Marzenka.

Tak jak kiedyś gumy do żucia owinięte były komiksami, a na kartonach mleka drukowano kolejne przygody bohaterów Walta Disneya, tak teraz większość sprzedawanych tu towarów ma doklejoną historię. I to nie taką, jaką do tej pory można było przeczytać na butelkach win z Nowego Świata; kto odkrył ląd, kto zasadził pierwszy szczep słodszej niż inne winorośli i kto wygrał z zarazą, zdobywając potem złote medale na targach wszystkich kontynentów. Historie na sklepowych półkach są historiami z gazet drukowanymi na papierze samoprzylepnym. Zmieniane co kilka dni, a nawet codziennie, wystarczy przykleić nową nalepkę.

Na pudełkach z makaronami umieszczono najciekawsze informacje kryminalne.

Kartony z mlekiem zachowały komiksy dla dzieci.

Na puszkach piwa pojawiły się sprośne dowcipy.

Pięciokilogramowe pudła proszków do prania zaopatrzono w rzewne romanse.

Płyny do mycia naczyń w horoskopy.

Jabłka, pakowane po sześć sztuk, w nalepki z wytypowanymi przez wróża numerami totolotka, na każdym jabłku jeden numer.

Świeżo krojone tortowe ciastka są zawijane w papier z prognozą pogody na weekend.

Nawet chleb jest pakowany w papierowe torby opatrzone nadrukiem plotek z najświeższych depesz, które w prasie, drukującej się przecież nocą, ukażą się dopiero następnego dnia. Niemal wszystkie towary wzbogacono o jakiś przekaz, zupełnie tak, jakby informacje poprzechodziły ze stoisk eksponujących nieopodal okładki kolorowych gazet.

Niesieni obłędną weną szaleńcy z marketingu nawet na pudełkach z nabiałem nalepili znaczone mocnymi czcionkami tytuły typu: „Morderstwo w hotelu Orbis", „Porwanie Miss Polonii" czy „Kradzież stulecia na Poczcie Głównej", pod którymi to tytułami grzecznie przycupnęło po tuzin jajek.

Reporter pokazuje twarze oszołomionych klientów zatrzymujących się pod stoiskami, przy których jeszcze do wczoraj widniały obiecujące plansze z napisami „Przecena", „Okazja dnia" lub „Promocja", a dziś zamiast tego widzą napis „Kto zgwałcił piętnastolatkę?", co ma zwrócić uwagę na półkę pełną słoików dżemu.

– Nasze badania wykazały, że tradycyjne metody kierowania percepcją klienta już nie przynoszą efektów – tłumaczy szef marketingu. – Słowo „promocja" na nikim nie robi już wrażenia, bo nawet dziadek sprzedający grzyby z lasu przekonuje, że ma je w promocji i w bonusie do każdego kilograma dodaje maślaka. Postanowiliśmy więc skorzystać z doświadczeń innych i sięgnęliśmy do technik prasowych. Duże, wymowne hasło, mocny tytuł mający przyciągnąć wzrok. A co pod tym tytułem, to wtórna rzecz. Fakty nie są mocną stroną dziennika „Fakt", a szybkość „Super Expressu". Związku z wyborami nie ma „Gazeta Wyborcza", podobnie jak „Rzeczpospolita" z Rzeczpospolitą. Dlaczego w sklepie pod półką z dżemami ma wisieć napis „Dżemy", skoro pod nazwą dziennika „Polska" jest zawsze angielskie logo i napis „The Times"? Dla nas też jest ważne, by nasz klient spojrzał tam, gdzie my chcemy. Dzięki temu dostrzeże nie tylko to, co chciał kupić, lecz także to, co my chcemy mu przy okazji dodatkowo sprzedać. Nazywamy to tabloidyzacją hipermarketu.

Kamera pokazuje zbliżenie twarzy redaktora prowadzącego program.

– Tak, nie przesłyszeli się państwo. Nowe trendy w marketingu zapowiadają tabloidyzację hipermarketów. To tyle ze stacji TVN Biznes, dziękuję za uwagę.

– Patrz, co za paradoks – wzdycha Marzenka. – Ty chcesz gazetę robić jak supermarket, a oni chcą supermarket prowadzić jak gazetę.

– To wszystko nie ma sensu, Marzenko – mówię, mając wciąż przed oczami pudełka jajek, które wypychają się do przodu, każde pod sensacyjnym tytułem.

29.
Kobiety takie rzeczy wiedzą

Za oknem chłodny wiatr przegania lato i szura liśćmi po Podwalu, tak jakby jesień stała w przedsionku i wycierając buty, szykowała się do wejścia. Dwie kaczki otrzepują skrzydła nad brzegiem fosy, kwacząc na różne tematy. Ze wschodnich dzielnic nadchodzi szarość, tuż za nią będzie szedł zmrok, miasto ziewa i ruch samochodowy słabnie, ulice oddychają z ulgą, a domy ścielą się wieczornie.

Wychodzę z redakcji i widzę dwa rowery z wykręconymi wentylami, oparte o znak miejsca parkingowego dla niepełnosprawnych. Dziwi mnie ekipa telewizyjna i młoda reporterka o jasnych włosach, która stoi przy rowerach i mówi coś w kierunku kamery, nie mogąc powstrzymać gestykulacji. Ma czarny golf i czerwoną spódniczkę, odrobinę za krótką, bym mógł utrzymać wodze fantazji. Dookoła kilku gapiów, którzy zebrali się za dziewczyną i robią miny z nadzieją, że uda im się trafić do telewizji w porze wieczornych wiadomości.

Patrzę na dziewczynę i z żalem uświadamiam sobie, że moje mieszkanie jest puste jak łupina orzecha. Przyleciała wrona i wszystko wydziobała. Do takiego domu mi się nie spieszy, przechodzę więc na drugą stronę ulicy i siadam nad fosą, a kaczki patrzą zaniepokojone.

*

Zamykam oczy i pod powiekami widzę Magdalenę, która idzie do mnie z małą dziewczynką. Potem widzę czerwony samochód i szpital, potem marynarza, który przywozi je ze szpitala, a potem dziewczynka jest już większa i wszyscy siedzą przy stole, mama uczy ją czytać, pokazując litery z tytułów absurdalnych depesz, które od lat wkładałem do gazety, a potem dziewczynka sama z niedowierzaniem je czyta i zaczyna wierzyć, że te wszystkie głupie historyjki są naprawdę ważne.

W końcu idzie po raz pierwszy na samodzielne zakupy do sklepu, ma już siedem lat, granatową spódniczkę, białą bluzeczkę z tarczą szkoły, a za nią filuternie podąża warkoczyk, machając aksamitną kokardą. Wchodzi do sklepu i bardzo jest dumna z siebie i zadowolona, bo taka już duża i ma całe 5 złotych na pierwsze zakupy i torebkę tak małą jak jej zmartwienie, czy wszystko na pewno się w tej torebeczce zmieści.

Bierze koszyczek czerwony i idzie wzdłuż półek, szukając soku malinowego i garści słodyczy, a za nią ze złymi podszeptami idą przepite krasnale. Podłe skrzaty siedzą też na półkach, machają nogami i zapraszają, żeby koło nich usiadła. „Pokaż, dziewczynko, swój pieniążek, a my ci powiemy, co najlepiej kupić; po co ci sok malinowy, maliny są bardzo niezdrowe".

Nie podobają mi się podstępne krasnale, nie podobają mi się tytuły, na których dziewczynka uczy się alfabetu, chociaż to ja w większości je układałem.

Czuję potworną pustkę, jakbym był czteropiętrową kamienicą, na którą spadł niewypał i poprzebijał wszystkie stropy, aż do piwnicy – tam, gdzie trzymało się w moim domu ziemniaki i pozakręcane w słoikach ogórki, które z roku na rok marszczyły się coraz bardziej z powodu nadkwasoty. Jestem fasadą, ścianami, które otaczają jedynie lej po bombie. To wszystko jest bez sensu, całe moje życie wydaje mi się dziś bez sensu, praca, gazeta, moje miłostki i romanse, z których i tak za każdym razem wychodzi tylko tęsknota do drobnych piersi Marysi Jezus, zwłaszcza gdy się wcześniej napiję.

I przypomniały mi się piersi, które pod jej bluzką widziałem na komisariacie. Nie były już ani tymi dwoma stożkami wzrostu, ani tymi dwoma guziczkami w windzie do nieba, jak je wtedy nazywałem; były spokojną zapowiedzią przytulnego miejsca na ziemi i dowodem na istnienie Boga oraz wszystkich cudów, jakich się dopuścił, zwłaszcza cudu przemienienia idioty, jakim jestem, w człowieka, który powinien pragnąć odkupienia.

*

Idę wzdłuż fosy Podwalem do komisariatu na Łąkową, zajmuje mi to niecały kwadrans. Chciałbym zobaczyć Marysię Jezus; na pewno jest w pracy, może ma dyżur albo po prostu czeka, bo wie, że przyjdę – kobiety takie rzeczy wiedzą.

Mijam rząd poniemieckich budynków z czerwonej cegły, wbiegam po schodkach i pytam w dyżurce o panią inspektor, „wie pan, przyszedłem nieumówiony, ale może tu na mnie czeka", na co młody policjant patrzy ze zdziwieniem i mówi, że pani inspektor poszła do domu dwie godziny temu. Niby dlaczego miałaby czekać w komisariacie, zwłaszcza jeśli się nie umawiałem.

W dyżurce włączony jest telewizor, właśnie rozpoczynają się „Wiadomości" i ze zdumieniem słyszę, że człowiek z żelazną procą powołał młodzieżowe bojówki do zaprowadzenia porządku, bo miasto sobie nie radzi.

*

Kamera pokazuje dwa rowery zaparkowane przed moją redakcją, a dziewczyna w czarnym golfie mówi, że grupki nastolatków wykręcają w całym mieście wentyle ze źle zaparkowanych pojazdów, nie szczędząc nawet rowerów.

Być może dziewczyna w czarnym golfie jeszcze tego nie wie, ale ja wiem, że nawet jeśli te dwa wentyle wykręcił jakiś łobuz dla draki, to inna informacja już poszła w eter i jutro wyjdą na ulice pierwsi nią obudzeni, a za nimi następni, bo przecież trzeba się przyłączyć do grupy, o której mówili w dzienniku.

Napiszą o tym gazety, pojawią się komentarze, sprzeczne opinie, dyskusje i tak w ciągu paru dni powstanie rzeczywistość, której by nigdy nie było.

– Kim jest człowiek z żelazną procą? Kim jest strzelec z Wrocławia? – pyta reporter, a kamera pokazuje okna mojej redakcji, jakby sugerując.

Szybka zmiana kadru i oto nagranie z drugiej kamery, przed którą stoi rzecznik prasowy policji:

– Poznamy go po IP komputera, którym się posługuje; podejrzewamy, że ostatnio podpisywał się na forum jako człowiek, który wykręca wentyle. Ta z pozoru niewinna zabawa może prowadzić do utrudnienia życia w mieście, a nawet do dezorganizacji ruchu, bo tylko w ciągu ostatniej godziny otrzymaliśmy ponad dwadzieścia zgłoszeń o chuligańskich wybrykach skierowanych przeciw kierowcom niepoprawnie parkującym samochody.

Kolejna kamera pokazuje lawetę pomocy drogowej.

– W chwili obecnej wszystkie samochody naszej firmy są już na mieście – mówi kierowca lawety. – Wzywają nas kierowcy, którzy utracili wszystkie cztery wentyle. Zazwyczaj napraw nie można dokonać na miejscu, samochody odwozimy więc do warsztatów.

Ponownie rzecznik prasowy policji:

– Chcemy ostrzec wszystkich, którzy w ten sposób odpowiedzieli na apel człowieka chcącego na własną rękę zaprowadzić porządek w mieście. Od tego są odpowiednie służby porządkowe, a nie akcje poszczególnych obywateli. Osoby złapane na aktach wandalizmu będą odpowiadały prawnie.

Przedstawiciel partii opozycyjnej:

– Mamy do czynienia z kolejnym przypadkiem nieudolności struktur państwa i dowodem na to, że obecny rząd nie jest w stanie egzekwować prawa, co zmusza mieszkańców miasta do pospolitego ruszenia w obronie własnego życia oraz prawa ustalonego w oparciu o struktury demokratyczne. Obywatele, w ten symboliczny sposób, właśnie poprzez wykręcanie wentyli, występują w obronie prawa. Wentyl jest symbolem degrengolady tego państwa, na którą szerokie rzesze społeczne pragną zwrócić uwagę. Zauważmy, że zaczęło się od incydentu na przejściu dla pieszych, gdzie pędzący samochód potrącił kobietę. Dlaczego policja toleruje piratów drogowych? Dlaczego rząd toleruje atrofię działań policji? Uważam, że rząd powinien się podać do dymisji.

Przedstawiciel partii rządzącej:

– To jest niedopuszczalne nadużycie, aby z pojedynczych ekscesów wyciągać tak daleko idące wnioski. Chciałbym też podkreślić, że zachowanie opozycji, usprawiedliwiające tego typu przypadki chuligaństwa, może prowadzić do zwiększenia ich skali w obrębie całego państwa.

Socjolog z Uniwersytetu Wrocławskiego:

– Nie ulega wątpliwości, że tym razem zwykłe wentyle stały się orężem w walce politycznej. Zwykły pojedynczy wypadek tego typu nie miałby najmniejszego znaczenia, ale z chwilą politycznej interpretacji on takiego znaczenia nabiera i jest oczywiste, że jeśli politycy mówią o groźbie rozprzestrzenienia się zjawiska na całą Polskę, uruchamiają mechanizm samospełniającej się przepowiedni. Dlatego z dużym prawdopodobieństwem można przyjąć, że jutro o podobnych przypadkach usłyszymy w całym kraju.

Prezenter „Wiadomości" zapowiada połączenie ze studiem w Katowicach.

Reporter z Katowic, stojący wśród familoków z czerwonej cegły:

– Od lat mieszkańcy tego osiedla bezskutecznie interweniują w sprawie rewitalizacji tego zabytkowego obiektu. Władze miejskie tłumaczą się brakiem prywatnych inwestorów, których zniechęca panujący tu smród uryny, co jest zmorą na klatkach schodowych nie tylko tej dzielnicy i nie tylko tego miasta. Ale to właśnie mieszkańcy tego osiedla postanowili powiedzieć: „dość" i powołać oddolny ruch o dość dziwnej nazwie. To Ruch Walki z Obszczymurem, wzorowany, jak przyznają jego członkowie, na wrocławskich ruchach skupionych wokół człowieka, który strzela żelaznymi kulkami do samochodów wymuszających pierwszeństwo na przejściach dla pieszych.

*

Czuję, jak w kieszeni wibruje mój telefon.

– Piotrek, co się dzieje? – słyszę przerażony głos Marzenki. – W redakcji znowu jest policja, zabrali twój komputer, mówią, że to twoje IP jest pod apelem o wykręcanie wentyli.

– Jezu, ja tylko tak się podpisałem pod jakimś postem na forum – tłumaczę.

– No, ale sam mi mówiłeś dwie godziny temu, że wykręcasz wentyle.

– To taka przenośnia była! Widziałem, jak jakieś małolaty pod oknem wykręcają, więc tak mi się skojarzyło!

– No, ale widzisz, co się porobiło z tego? Wszyscy mówią, że to zaplanowana akcja i wezwanie, żeby w obronie prawa wykręcać wentyle ze źle zaparkowanych samochodów!

– A czy to moja wina, że źle parkują? Niech parkują dobrze, to nikt im nie będzie niczego wykręcał!

– Ale to przecież chodzi o symbol, o pretekst. Najpierw proca, teraz wentyle, a co potem?

– Nie wiem, przecież to wszystko żyje własnym życiem.

– Może lepiej nie wracaj już dziś do redakcji – radzi Marzenka, odkładając słuchawkę.

*

Telewizja pokazuje byłego prezydenta Lecha Wałęsę. Jest w szarej marynarce ze sztruksu, w klapie ma nieodłączną Matkę Boską. W dłoniach trzyma stalowy zawór zakończony rureczką z czerwonej gumy.

– Ja pamiętam, że jak walczyliśmy o wolną Polskę, to niektórzy z nas nosili wpięte w swetry oporniki z radia, żeby drwić z ubecji i pokazać, że jesteśmy w ruchu oporu. Dziś znalazłem w garażu taki stary zawór rowerowy i wpinam go teraz w klapę, bo chcę pokazać, że każdy ruch oddolny w obronie prawa jest spełnieniem demokracji i wymaga wsparcia – mówi, przyczepiając wentyl nad Matką Boską.

Ponownie kamera telewizyjna pokazuje moją redakcję.

– Tu pracuje człowiek, który prawdopodobnie jest organizatorem tego ruchu – mówi reporterka w czarnym golfie, wyciągając w kierunku kamery zdjęcie z moją podobizną.

*

Policjant w dyżurce powoli podnosi się z krzesła i podchodzi do okienka.

– Mógłbym pana na chwilę poprosić? – Wskazuje na mnie palcem.

Odwracam się i zbiegam na dół, skacząc co trzy stopnie, na ostatnim potykam się, tracę równowagę i lecę wprost w ramiona kobiety, która akurat otwiera drzwi i wchodzi do środka.

Widzę, że na zewnątrz jest już zmrok, w którym się zaraz ukryję; chcę przeprosić tę kobietę, ominąć, biec dalej, ale zatrzymuje mnie jej głos.

– Wartownik dzwonił, że jakiś wystraszony osobnik się o mnie wypytuje. Od razu się domyśliłam, że to ty. Wiedziałam, że przyjdziesz. Kobiety takie rzeczy wiedzą.

30.
Areszt domowy

Przyglądam się jej dłoniom na kierownicy, podoba mi się widok długich palców Marysi Jezus, delikatnie zmienia bieg, a ja myślę nad tym, czy innym mężczyznom szczupły nadgarstek na drążku skrzyni biegów też jednoznacznie się kojarzy. Mam nadzieję, że tak, że wcale nie jestem nienormalny, ale pewności nie mam.

Głupio zastanawiać się, po co kobieta maluje paznokcie na czerwono, jednak gdybym miał podać jakąś antropologiczną hipotezę, chyba powiedziałbym, że to atawizm z czasów, w których rozrywała nimi surowe mięso, na widok czego pierwotny mężczyzna nabierał apetytu. Ja nie jestem pierwotnym mężczyzną, lecz wtórnym, po ewolucyjnych przejściach, ale nadal głodnym. I teraz tego głodnego mężczyznę kobieta piękna jak miłość z dzieciństwa wiezie do swojego domu, wbrew rozsądkowi udającemu, że jest zdrowy.

Czerwone paznokcie błyszczą hipnotycznie, na szyby samochodu zaczynają padać krople deszczu, monotonny szum wycieraczek uspokaja mnie i całe miasto, które powoli się wycisza. Hałas dnia ustaje, a ulice mruczą sennie cichnącymi silnikami samochodów. Parkowe skwery są puste, jest zimno i z ławek zniknęły już przytulające się pary. Jesień nie jest dobrą porą dla romansów na świeżym powietrzu, miłość pochowała się w bramach.

Marysia parkuje przed poniemiecką kamienicą na ulicy Sudeckiej, nieopodal wieży ciśnień – to tu umawialiśmy się na pierwsze randki. Na klatce ciepłe światło wskazuje marmurowe schody, wchodzimy na drugie piętro, zza drzwi snuje się zapach piernika.

– Wiem, że lubisz, ale to przypadek, że akurat upiekłam – śmieje się Marysia, szerokim gestem zaprasza do środka.

– Skąd wiesz, że lubię?

– Wiem. Kobiety takie rzeczy wiedzą.

*

Do mieszkania prowadzi wąski, ciemny korytarz. Po lewej stronie drzwi do zamkniętego pokoju.

– To córki, teraz jest u babci.

Z prawej salon połączony z kuchnią, wielka, jasno oświetlona przestrzeń, przez okno widać czerwone cegły wieży ciśnień przy Wiśniowej. Pośrodku drewniany stół upaćkany kolorowymi farbami. Za nim materac na podłodze, wystarczająco szeroki, by można odpłynąć we dwoje. Pastelowe ściany pełne grafik. Drobiazgowe studium ciała. Dziesiątki rąk, palców, profilów twarzy, nosów, ust. Męskich ramion, łydek, kolan, ud, piersi, jąder, uśpionych penisów. W życiu nie widziałem, żeby ktoś rozpracowywał człowieka na takie detale. Czuję się jak pośrodku pracowni, w której pan Bóg robił szkice przed stworzeniem człowieka. Bez wątpienia miał to być Adam, na ścianach nie ma ani jednego szkicu do aktu kobiety.

– Lubię rysować, trochę się uczę, taki samouk ze mnie – mówi Marysia.

– Skąd bierzesz modeli?

– Z łóżka; szkicuję ich, gdy śpią.

Ściana wzdłuż korytarza zastawiona jest regałami. Dolne półki pełne książek, na górnych dziesiątki kartonowych pudeł. Jeszcze fabrycznie owiniętych folią lub przewiązanych sklepową taśmą. W jednym żelazko, w drugim toster, dalej ekspres do kawy, prodiż, frytkownica, elektryczna maszynka do mięsa, obok aluminiowy pająk do wyciskania cytrusów, ten z firmy Alessi, dalej pyszny zestaw stołowy Villeroy & Boch, niżej komplet sztućców, pościel, waga łazienkowa i jeszcze ze dwadzieścia innych pakunków, pełnych domowego sprzętu, poukładanego równo i zamkniętego – trochę jak w domowym skarbcu, trochę jak na półkach w sklepie.

– Gromadzisz sobie posag?

– Tak jakby. Nie gromadzę, ale miałam wyjść za mąż. W ostatniej chwili zrezygnowałam. To są prezenty ślubne, czterdzieści pięć pudełek zostawionych przez gości. Nie wiadomo, co z tymi kartonami zrobić; goście nie chcieli ich zabrać z powrotem, mówili, że może się jeszcze namyślę. Ale się nie namyśliłam. Leżą tu od dwóch lat. Tak sobie z nimi mieszkam.

W kącie stoi czerwona lodówka Smeg. Taka sama jak ta w mieszkaniu Marleny, szalonej dziewczyny z Allegro, która złamała na mnie czerwoną szminkę. Odnalazłem na jej profilu na Facebooku link do Fabryki Ładnych Wnętrz, zajrzałem tam i w księdze klientów przeczytałem komentarz z podziękowaniem za pomoc w wyborze sprzętu, a na krociutkim filmie wideo zobaczyłem czerwoną lodówkę stojącą już w kuchni, a obok Marlenę przechadzającą się po swoim mieszkaniu. Za oknem salonu widać było wschodnią część wieży ciśnień przy ulicy Wiśniowej, łatwo mógłbym wtedy ustalić, gdzie dziewczyna mieszka. Rozbawiła mnie tym filmikiem, bo pozowała do kamery, dumnie wachlując się miesięcznikiem „Vanity Fair", na okładce była przeraźliwie chuda modelka w czerwonej sukni; Marlena otwierała komorę zamrażalnika i zamykała, prezentując puste wnętrze, po czym odruchowo położyła czasopismo na dolną półkę i zatrzasnęła czerwone drzwiczki, przez nieuwagę zamykając chudą modelkę w środku.

– Dlaczego się uśmiechasz? – dziwi się Marysia Jezus.

– Coś mi się przypomniało. Co masz w zamrażarce?

– Jeszcze nic, dopiero kupiłam. Na razie korzystam tylko z górnej komory. Dlaczego pytasz? Głodny jesteś?

– Nie. Znałem dziewczynę, która trzymała w zamrażarce „Vanity Fair".

– Tak, to bardzo typowe. Każda kobieta trzyma w lodówce „Vanity Fair".

– Ładny sprzęt.

– Kupiłam na Allegro, cena była atrakcyjna. Podobała mi się, ale ostatnio w internecie pojawiły się filmy, na których młoda kobieta maltretuje przywiązanego do łóżka mężczyznę. W tle widać taką samą lodówkę, spać przez to nie mogę. Prześladuje mnie taka absurdalna myśl, że to właśnie ta lodówka. Chociaż może mi się wydawało, bo na tym ostatnim filmie lodówki chyba nie było.

– Może to właśnie ta lodówka i masz w środku trupa?

– Tylko dwie wody mineralne, nie zdążyłam jeszcze zrobić zakupów.

Marysia Jezus znika w kuchni, a ja szukam w radiu jakiejś muzyki; przez chwilę zatrzymuję się na serwisie najnowszych wiadomości. W całym kraju pojawili się naśladowcy, prawdopodobnie kieruje nimi ten sam człowiek, który we Wrocławiu ostrzeliwuje samochody. Pół godziny temu ktoś w Łodzi przestrzelił szybę pędzącego przez miasto forda mustanga. Samochód wpadł w poślizg, dachował, rozbił się o latarnię. Podobne informacje docierają z Krakowa, Warszawy, Lublina i Poznania. Kierowców ogarnęła panika. Niektórzy przestali korzystać z samochodów, większość nie przekracza 40 kilometrów na godzinę. Opozycyjna koalicja, złożona z konserwatystów i katolików, domaga się dymisji premiera i chce, żeby formowanie nowego rządu powierzyć człowiekowi, który za pomocą zwykłej procy wywrócił cały porządek w kraju. Konserwatystom odpowiada jego bezkompromisowość w karaniu za łamanie prawa, a katolikom bliskie jest biblijne skojarzenie z procą Dawida. Poza tym motyw zemsty, oko za oko, też jest biblijny. Przełączam stację na muzyczną.

– Zgodnie z rzymską zasadą, każdy człowiek jest niewinny, zanim nie udowodni mu się winy – mówię, czując na sobie wzrok Marysi. – I to się nazywa domniemanie niewinności.

Patrzy na mnie długo. Odwraca się, podchodzi do okna. Po czym mówi coś, czego w tej sytuacji zupełnie nie rozumiem.

– Zgodnie z moją obserwacją, człowiek ma w sobie tyle tęsknoty, że w każdej chwili może się zakochać. I to jest domniemanie miłości.

*

Po kolacji Marysia Jezus podchodzi do mnie i pyta, czy pamiętam pierwsze prawo dialektyki Hegla. Nie przypominam sobie sposobu, w jaki jedna rzeczywistość może płynnie przechodzić w drugą, dopóki nie podaje mi przykładu: jestem wciąż młodym mężczyzną, ale siedzę w areszcie, gdzie prycze są okropnie niewygodne. Śpię po pięć godzin i wstaję przed świtem, bo budzą mnie na przesłuchanie. Po miesiącu nadal jestem młody i po dwóch miesiącach też, ale przychodzi taki dzień, w którym odwiedza mnie najlepszy przyjaciel i mówi, że źle wyglądam, mam nowe zmarszczki i oczy podpuchnięte z niewyspania, i to się właśnie nazywa prawem przechodzenia ilości w jakość.

Teraz sobie przypominam.

– Tak, prezes pewnie tylko na to czeka.

Niebawem trafia się sposobność zaprezentowania lepszego przykładu. Siadamy obok siebie na kanapie. I od razu powstaje między nami dylemat dialektyczny. Jeśli spotyka się dwoje ludzi i z powodów, na ten przykład, służbowych, jedno nie powinno całować drugiego, to gdzie jest ten moment, że ich bezpośrednia bliskość przechodzi w zdradę.

– Ale pamiętaj, jestem policjantką, a ty jesteś podejrzany, nie mogę dopuścić się zdrady – chyba żartuje, chociaż minę ma poważną.

– Boże święty, ale przecież nie jesteś na służbie.

– Formalnie cały czas jestem policjantką.

– Nie bój się, nie musisz zdradzać policji.

Całuję ją w usta.

– A czy to nie jest zdrada?

– Coś ty.

– To dobrze, bo szef byłby wkurwiony.

*

W nocy śpi, leżąc na wznak. Patrzę, jak oddycha – łapie powietrze szeroko otwartymi ustami, jej piersi wznoszą się i opadają w tym samym rytmie, a ja zupełnie absurdalnie myślę o powietrzu, które się przez nią pompuje, przy każdym wdechu mniej więcej pół litra, a w ciągu minuty kilkanaście litrów przezroczystej mieszaniny azotu, tlenu i całej tej reszty, złożonej zarówno ze śladowych części wodoru, jak i równie śladowych wspomnień dnia, który minął.

Wychodzę na taras, jest chłodny jesienny wieczór, momentalnie stygnę i wypełniam szczelnie przewidzianą na ten wieczór formę. Dotykam dłonią swoich ust, są zimne, mam ochotę sprawdzić, czy skroplone powietrze rzeczywiście jest bladoniebieskie, więc wracam do pokoju i muskam nimi gorące wargi Marysi Jezus. W pokoju robi się niebiesko. Czuję, jak pierwsza kropla rosy powstaje na krawędzi moich ust i spada na jej wargi.

– Patrz – mówię. – To nasza wspólna kropla wody, razem ją stworzyliśmy, z powietrza – podobnie jak Bóg jeziora, morza i oceany; cóż z tego, że skala mniejsza, liczy się cud, a nie objętość.

Marysia Jezus otwiera oczy i patrzy na mnie z niedowierzaniem.

– Zawsze szukasz tak dziwnych pretekstów, żeby pocałować dziewczynę? Przynieś mi lepiej szklankę zimnej wody.

Idę w kierunku czerwonej lodówki, wyciągam butelkę wody mineralnej, mimowolnie patrzę na zamrażalnik i czuję dreszcz na plecach. Wiem, że to niemożliwe i absurdalne, ale muszę sprawdzić. Otwieram drzwiczki. Na półce leży plik różnojęzycznych instrukcji obsługi. Gdy biorę je do ręki, ze środka wypada „Vanity Fair".

– Co tak długo? – ponagla mnie głos z sypialni. – Zobaczyłeś ducha?

– Mniej więcej. Skąd wiesz?

– Kobiety takie rzeczy wiedzą.

31.
Opowieść wigilijna

Magdalena jest kobietą innego mężczyzny. Z nim się dzieli codziennie łóżkiem, a w Wigilię opłatkiem. Jest jego kobietą powszednią jak chleb, wtedy smaruje na niej swoje kaprysy, humory i żądze; jest także jego kobietą świąteczną, wówczas dekoruje ją koralami, ozdabia broszkami, składa daninę prezentów.

Wieczorem korzystają z jednej łazienki, na zmianę myją zęby nad wspólną umywalką, potem idą do łóżka, cicho zamykając drzwi pokoju, który należy do dziecka. Dziecko nie ma jeszcze świadomości, że coś do niego należy. Jest niemowlęciem, co znaczy, że jak coś chce, to nie mówi, tylko wyciąga rączki, śmieje się lub płacze, ewentualnie, bez ostrzeżenia, robi kupę.

Znów widzę Magdalenę, która idzie do mnie z małą dziewczynką. Potem widzę czerwony samochód i szpital, potem marynarza, który przywozi je ze szpitala, a potem dziewczynka jest już większa i wszyscy siedzą przy stole, mama uczy ją czytać, pokazując litery z tytułów absurdalnych depesz, które od lat wkładałem do gazety, a potem dziewczynka sama z niedowierzaniem je czyta i zaczyna wierzyć, że te wszystkie głupie historyjki są naprawdę ważne.

W końcu idzie po raz pierwszy na samodzielne zakupy do sklepu, ma już siedem lat, granatową spódniczkę, białą bluzeczkę z tarczą szkoły, a za nią filuternie podąża warkoczyk, machając aksamitną kokardą. Wchodzi do sklepu i bardzo jest dumna z siebie i zadowolona, bo taka już duża i ma całe 5 złotych na pierwsze zakupy i torebkę tak małą jak jej zmartwienie, czy wszystko na pewno się w tej torebeczce zmieści.

Bierze koszyczek czerwony i idzie wzdłuż półek, szukając soku malinowego i garści słodyczy, a za nią ze złymi podszeptami idą przepite krasnale. Podłe skrzaty siedzą też na półkach, machają nogami i zapraszają, żeby koło nich usiadła. „Pokaż, dziewczynko, swój pieniążek, a my ci powiemy, co najlepiej kupić; po co ci sok malinowy, maliny są bardzo niezdrowe".

Nie podobają mi się podstępne krasnale, nie podobają mi się tytuły, na których dziewczynka uczy się alfabetu, chociaż to ja w większości je układałem. Świetne tytuły do fantomowej rzeczywistości.

*

Zielone światełko w laptopie mruga, informując o nadejściu poczty.

Miły mój,

czy wiesz już, kim jestem? Zauważyłeś, że imiona Twoich kobiet, Mariola i Marlena, lecz także Miriam, to różne formy imienia Marii? Twojej Marysi Jezus? A Magdalena to przecież tylko przydomek Marii z Magdali, zwanej Marią Magdaleną. Magiczne, prawda? Może to różne wcielenia tej samej kobiety? Może one wszystkie są jedną? Może to właśnie ja nią jestem? Przekonaj się. Twoja na zawsze, Miriam.

– Nie aresztowali cię? – odrywa mnie od laptopa prezes, wchodząc do newsroomu.

– Mam żelazne alibi na każdy z ostatnich wieczorów.

– Kobieta? Ta policjantka, która cię dziś odwiozła do pracy? – Zagląda przez drzwi Marzenka.

– Nieważne. – Robię tajemniczą minę.

– Masz rację – zgadza się prezes. – Ważne jest to, że znów pełno o tobie w internecie.

– To tylko plotki...

– Nie szkodzi, jest dobrze, bardzo dobrze. – Zaciera ręce. – Dzięki tobie nasz tytuł ma dwa miliony internetowych wejść dziennie, to rekord niespotykany w kraju. A każde wejście to dodatkowe pieniądze od ogłoszeniodawców. Zarząd będzie zadowolony. Możesz liczyć na podwyżkę.

– CBOS zrobiło badania preferencji politycznych – dodaje Marzenka. – W wyborach prezydenckich na kandydata partii rządzącej głosować będzie 25%, trochę jest niezdecydowanych, ale zgadnij, na kogo chce głosować 55% uprawnionych...

– Nie mam pojęcia. – Wzruszam ramionami.

– Na ciebie! Nieważne, czy te wszystkie plotki są prawdziwe, czy to tylko taki zbieg okoliczności, ludzie już zdecydowali!

– I co? – Zaciera ręce prezes. – Będziesz kandydował?

– Kto wie... – Robię tajemniczą minę, mimo że przecież nie mam takiego zamiaru.

– Masz rację, nie zdradzaj jeszcze swoich planów – zgadza się prezes. – Ważne, że znów pełno o tobie w internecie. W wyszukiwarkach wyprzedzasz nawet tego aktora, Piotra Adamczyka.

– Aktora? Nie słyszałam o takim – droczy się Marzenka.

– Nie żartuj, wszędzie wiszą jego zdjęcia – poważnieje prezes. – Cała policja go szuka. Prawdopodobnie został porwany. Plotki mówią, że przez byłą kochankę.

– Kto by tam jakiegoś Adamczyka porywał! – wątpi Marzenka.

– No, nie licząc pewnej wrocławskiej policjantki...

– Dobra, czas do roboty – poważnieje prezes. – Przed świętami ma przyjechać do nas przedstawiciel inwestora z Pekinu, więc zarząd prosi o jakąś miłą redakcyjną niespodziankę.

– Mam wzruszający materiał o Magdalenie – mówi nieśmiało Marzenka. – W sam raz na opowieść wigilijną.

– E tam, Chińczyków to nie zainteresuje – wyrokuje prezes. – Wymyśliłem coś ciekawszego. Pekin nie przepada za Koreą. A tu mam taką fajną informację z Onetu. Poszerzcie to i z tego zróbcie opowieść wigilijną.

„Trzymiesięczna Kim Sa-rang zmarła z wygłodzenia, kiedy jej rodzice bez opamiętania grali po 12 godzin w grę zwaną Prius Online. Jest to gra fantasy 3D, w której gracze wychowują niebieską dziewczynkę Animę. Uzależniona od internetu para, która zagłodziła na śmierć swoje dziecko, została skazana na karę więzienia.

Podczas procesu sąd usłyszał, że niemowlę tuż po urodzeniu ważyło 2,9 kilograma, ale w momencie śmierci, trzy miesiące później, już tylko 2,5 kilograma.

Ta sprawa, zwracając uwagę na ciemną stronę internetu, stała się bardzo głośna w Korei Południowej – państwie, które słynie ze swej wyjątkowo zaawansowanej infrastruktury technologicznej oraz szybkiej adaptacji nie tylko internetu, lecz także wszelkich technologii mobilnych".

*

Od czasu Gwiazdki stoi na moim biurku lampka od Tiffany'ego, którą dostałem w prezencie od zespołu. Włącza się ją kryształowym czerwonym serduszkiem wiszącym na łańcuszku. Prezes zachwala tekst o wirtualnym dziecku, snuje wizje, gestykuluje, trąca lampkę łokciem. Lampka zsuwa się z biurka, łapię ją tuż nad podłogą. Prezes schyla się, podnosi czerwony okruch kryształu i podając mi go, mówi:

– Na szczęście nic się nie stało, tylko serduszko pękło.

Marzenka jest chyba zmęczona tym wszystkim, bo nagle wybucha szlochem:

– No jak nic się nie stało, skoro serce pękło?

Prezes wzrusza ramionami i wychodzi.

– Naprawdę jako opowieść wigilijną chcesz dać ten tabloidowy materiał o wirtualnym dziecku zamiast mojej prawdziwej historii o Magdalenie? – pyta Marzenka.

Nadal ma łzy w oczach.

– Po moim trupie – mówię. – Zauważyłaś, że prezes ma już skośne oczy?

– Nie, co to znaczy? – chlipie Marzenka.

– Naciągnął sobie skórę, zrobił operację plastyczną, żeby się upodobnić do Chińczyka.

– Żartujesz. – Uśmiecha się w końcu.

– Zmieniamy kurs. Koniec z chińszczyzną. Wyrzuć z gazety wszystkie wiadomości z Chin, a z redakcyjnej lodówki wszystkie chińskie produkty z marketów.

– Robi się! – Marzenka podskakuje, klaszcząc w dłonie jak dziewczynka. Przystaje w drzwiach. – Prezes nie toleruje niesubordynacji, wyrzuci cię z pracy. – W jej głosie słyszę niepokój.

– To prawdopodobne. Chwila! Masz już tytuł do swojej historii o Magdalenie?

– Właśnie go powiedziałeś.

– To znaczy? Jaki to ma tytuł?

– Właśnie taki. „Historia o Magdalenie". Dla mnie ona jest taką Magdaleną ze współczesnego apokryfu, trochę grzeszną, a trochę świętą. Taką prawdziwą, żyjącą w naszym świecie, a nie w zmyślonym.

32.
Historia o Magdalenie
(reportaż Marzeny)

Znali się od dziecka. Szymon zawsze chciał być astronomem. Magdę to dziwiło, bo miał dużą wadę wzroku, bez okularów nie widział nawet gwiazdy polarnej. Ale zakładał je i pokazywał Magdzie wszystkie konstelacje. Mieszkali w tej samej klatce schodowej, on piętro niżej, stukał do niej w sufit, a ona odstukiwała w podłogę. Po raz pierwszy pocałowali się, gdy ona miała piętnaście, a on dwadzieścia trzy lata.

Gwiazdka

W drugi dzień Świąt Bożego Narodzenia rodzice Magdy musieli wyjechać. Cały dzień spędziła w domu Szymona. Rozmawiała z jego ojcem, po raz pierwszy od kilku lat. Pewnego dnia po prostu przestał się pokazywać sąsiadom, widzieli go tylko czasami, gdy wyglądał przez okno, podobnie jak syn oglądając gwiazdy. „Dziwak", myśleli.

Podczas tej wizyty ojciec Szymona trochę ją przestraszył. Mówił tak, jakby język bolał go ze wszystkich stron. Od czasu do czasu podrygiwał. „To taniec św. Wita", powiedział nieco zawstydzony Szymon.

Po powrocie do domu przeczytała: „Taniec św. Wita – nieuleczalna choroba dziedziczna, współcześnie nazywana pląsawicą lub chorobą Huntingtona, ujawnia się w wieku dojrzałym".

Dla Magdy wiek dojrzały to były lata świetlne. O dziedziczeniu też nie myślała, zakochana po uszy pierwszą miłością nastolatki.

Lato

Magda zdała maturę i poszła na studia. Rodzice wyjechali za granicę i zostawili jej swoje mieszkanie we Wrocławiu. Szymon skończył astronomię, ale nie mógł znaleźć pracy w swoim zawodzie. Zaczął wyjeżdżać za granicę i pływać na statkach. Przeszedł kilka szkoleń, zrobił kurs, zaczął dobrze zarabiać. Przyszłość wydawała się piękna.

Z ojcem Szymona nie można było się porozumieć. Słowa w jego ustach gubiły znaczenia, drżące ręce nie pozwalały pisać. Magdę zaczęły dręczyć pytania. A co będzie, jeśli Szymon zachoruje? Czy można zmniejszyć ryzyko przekazania choroby? Czy istnieje badanie na wykrycie wady genu przed wystąpieniem objawów?

Poszła do genetyków i dowiedziała się, że można poznać przyszłość. Ale ostrzegli ją, że wiedza, jaką da badanie, może być przerażająca. Wynik będzie wyrokiem, bo na pląsawicę nie ma lekarstwa. Szymon nie chciał poznać przyszłości. Magda nie namawiała. Ale zaczęła uważnie go obserwować.

Następne lato

Matka Magdaleny przyjechała w odwiedziny i została dłużej niż zazwyczaj. Po kilku dniach zapytała, czy nic ich nie niepokoi. Zaobserwowała różne rzeczy. Zastanawiał ją Szymon, jego częste przekręcanie imion znajomych, niepewność ruchów, kiwanie się, sposób trzymania sztućców, liczba prób, jakiej potrzebuje, aby prawidłowo wybrać numer w telefonie.

Ale czy to jest to, czego trzeba się bać? Przecież każdemu zdarza się mylić imiona lub numer telefonu.

Zima

Magda rozmawiała z lekarzem, który chciał przebadać krew zagrożonych członków rodziny. Znowu pojawiło się pytanie: czy chcą wiedzieć? Magda na pewno. Gdyby miała zostać z niepełnosprawnym partnerem, wolałaby się przygotować. Ale chyba przede wszystkim po to, by w pełni przeżyć te lata, które im zostały, by nie żałować, że coś odłożyli na później – na takie później, którego się nie doczekają.

Chciała czerpać z każdego dnia i nie szczędzić miłości. A jeśli się okaże, że choroby nie ma, to raz na zawsze odetchnąć z ulgą. I co najważniejsze – Magdalena chciała mieć dziecko, ale Szymon się nie zgadzał. Nie chciał ryzykować. Nie chciał też iść na badania. Wolał nie wiedzieć.

Gwiazdka

Podczas Wigilii podzielili się opłatkiem. Magda ze zgrozą obserwowała u Szymona mimowolne, bardzo delikatne ruchy, jakby pukał opuszkami palców. Próbował to opanować, ale nie potrafił. Uśmiechał się smutno, Magdzie leciały łzy. Pobiegła do sypialni i schowała się pod kołdrą.

– Tak bardzo chciałam, żeby to był tylko zły sen. Tak bardzo chciałam się z niego obudzić.

Ale jeszcze miała nadzieję. Może to tylko jakiś tik, nic groźnego.

Wakacje

Magda zauważyła, że Szymon nie kontroluje też ramienia. Wieczorem siedzieli koło siebie wśród znajomych, a on co chwilę wstrząsał barkiem, jakby miał dreszcze. Magdę przeszył mrożący smutek. A więc jednak… Dlaczego tak szybko? Ile czasu im jeszcze zostało?

Ale może myliła się w obserwacjach. Dopóki nie zrobili badań, wszystko było przecież możliwe.

Jesień

Szymona zaczęła zawodzić pamięć. Pamiętał rzeczy, które zdarzyły się dawno, ale o tych sprzed paru minut zapominał. Wiedział, jak Magda była ubrana w ten wieczór, kiedy po raz pierwszy się pocałowali, ale nie pamiętał, co miała na sobie wczoraj. Coraz częściej upuszczał przedmioty, zasypiał przy stole. Mimo to podpisywał kontrakty na dalekie rejsy. Magdę dziwiło to, że rejsy były coraz dłuższe.

Zima

Po jednym z nich w rzeczach Szymona znalazła zdjęcia, na których całował się z jakąś kobietą. Nie mogła uwierzyć. Wieczorem wzięła jego telefon komórkowy i zamknęła się z nim w łazience. Znalazła kilka wiadomości SMS, które nie pozostawiły wątpliwości. Szymon miał kochankę.

Magda szalała z rozpaczy. Spakowała swoje rzeczy, wyprowadziła się i robiła wszystko, żeby zapomnieć.

Wiosna

Zapisała się na drugi fakultet, zaczęła dorabiać w sklepie. Szukała kochanka, który zetrze z niej smutek. Chciała mieć dziecko, coś tylko dla siebie. Obojętnie z kim. Z pierwszym mężczyzną była przez kilka miesięcy i sprawdzała regularnie test ciążowy, ale mężczyzna go nie zdał. Rzuciła go i poznała drugiego. Był miły, sympatyczny i wyraźnie nią zainteresowany. Spotkała się z nim kilka razy, po czym poprosiła go, żeby zrobił badania. Gdy okazało się, że może być ojcem, postanowiła na jakiś czas z nim zamieszkać. Przez kilka tygodni kochali się codziennie.

Lato

Magda spotkała matkę Szymona. Ta nie potrafiła dochować tajemnicy. Zdradziła, że Szymon bał się choroby, ale jeszcze bardziej bał się, że unieszczęśliwi nią Magdalenę. Nie chciał być dla niej obciążeniem do końca życia. Spreparował zdjęcie z kochanką. Na wszelki wypadek postarał się też o kilka erotycznych wiadomości SMS.

Magda była w szoku. Szczęśliwa i nieszczęśliwa jednocześnie. Pojechała do Szymona. Bez słowa zaprowadziła go do sypialni. Na przemian kochali się i płakali.

Nazajutrz znowu próbował ją zniechęcić. Uderzył ją, mówiąc, żeby się wynosiła, ale gdy wybiegła z domu, natychmiast zaczął żałować.

Lato

Magda zaszła w ciążę. Nie miała pewności, czy ojcem jest Szymon. Może nawet wolałaby, żeby był nim tamten mężczyzna. Wtedy dziecko nie byłoby zagrożone chorobą genetyczną.

Kochała Szymona, chciała z nim żyć, jakby nic się nie działo. Wziąć ślub i wychowywać dziecko.

Wszystko było przygotowane, pojechali do kościoła.

Przed ślubem Szymon postanowił zrobić badania. Łudził się, że wyniki będą dobre, wtedy wniesie je w prezencie. Przyszły dokładnie w dniu ceremonii. W rubryce „genotyp" widniało najgorsze ze słów: nieprawidłowy.

Magda powtarzała za księdzem formułkę „...i nie opuszczę cię aż do śmierci" i patrzyła na łzy spływające po policzkach Szymona.

Ferie zimowe

Szymon ubezpieczył się na życie, wykupił polisę, chciał zapewnić rodzinie przyszłość na czas, kiedy go już nie będzie.

Na świat przyszła mała dziewczynka. Co z nią będzie? Czy też nosi w sobie tę okropną chorobę? Tym razem Magda nie chciała tego wiedzieć. Tak jak nie chciała wiedzieć, kto tak naprawdę jest ojcem. Niepewność dawała nadzieję. Magda kochała męża, ale pragnęła, by dziecko nie było jego, oddałaby wszystko za zdrowie swojego aniołka.

Lato

Szymon przewrócił się na rowerze. Wstał i próbował wsiąść z powrotem, ale nie potrafił już jeździć. Jego pasją były wyprawy do parku i obserwacja gwieździstego nieba.

– W tym roku można zobaczyć roje meteorów, perseidy – cieszył się mimo upadku. – Będą takie jasne i wielkie jak nigdy dotąd. Wczoraj nie udało nam się dojechać, ale dziś wieczorem wybierzemy się na piechotę.

*

Magdzie nie jest łatwo leżeć z głową na drgającym ramieniu męża. Nie jest łatwo trzymać go bez rozpaczy za drżącą rękę. Ale próbują ocalić, co się da.

– Tak mi tego żal – mówi Magda. – Powoli odchodzą od nas takie piękne czynności, o których zawsze myśleliśmy, że są naturalne i oczywiste, a dziś nam się wydają cudem.

Nie chcą jednak myśleć o tym, co tracą. Pragną wykorzystać wszystkie dobre godziny do ostatniej minuty.

– Ach, one są dla nas jak pazie królowej – mówi Magdalena.

– A my biegniemy za nimi z siatką na motyle i żaden nie może nam uciec.

– Nie mogę się już doczekać wieczoru – mówi Szymon. – Pójdziemy sobie powolutku do parku i może uda nam się zobaczyć spadające perseidy.

33.
Mężczyźni takie rzeczy wiedzą

W tym reportażu tyle jest o mnie: „miły, sympatyczny i wyraźnie nią zainteresowany. Spotkała się z nim kilka razy, po czym poprosiła go, żeby zrobił badania. Gdy okazało się, że może być ojcem, postanowiła na jakiś czas z nim zamieszkać. Przez kilka tygodni kochali się codziennie".

Nie wiem, co tak naprawdę kierowało Magdą. Może spotykała się ze mną tylko po to, żeby przynieść do domu zdrowy materiał genetyczny. „Magda kochała męża, ale pragnęła, by dziecko nie było jego, oddałaby wszystko za zdrowie swojego aniołka".

Nie wiem, na ile reportaż oszczędza mnie, a na ile męża Magdaleny, na ile ją oskarża, a na ile broni. Wiem tylko to, że jest reportażem o miłości. Prawdziwej, a nie takiej jak moja do Magdaleny – fantomowej, złudnej, pasożytniczej jak jemioła. Może Magda nie była ze mną uczciwa, ale ja z tą swoją terapią lustra też nie.

*

Miły mój,
nosisz w sobie smutek, czujesz tęsknotę – ona w Tobie mieszka od zawsze, od tak dawna, że nawet już nie pamiętasz, za czym tak tęsknisz.

PIOTR ADAMCZYK

Piszesz „love" w Zeszycie Marzeń, nie wymazuj tej miłości jak śladu ołówka gumką...

Zaraz, zaraz, Zeszyt Marzeń? Pani nocna prowadziła taki zeszyt. Kiedyś chciałem podejrzeć, co w nim pisze, ale zdążyłem tylko zobaczyć, że cała strona była zapisana jednym wyrazem: „love, love, love, love", zupełnie jakby pisała to za karę, bo nam kazała np. po sto razy pisać „nie będę przeklinać, nie będę przeklinać, nie będę...". Nakryła mnie wtedy przy tym zeszycie i dała po łapach, nie wiem, co było na następnych stronach, wtedy tylko pomyślałem, że jak „love" jest za karę, to i na dalszych kartach coś za karę będzie.

Nikomu o tym nie mówiłem, nikt, poza mną o tym nie wiedział.

*

Kiedy czytam reportaż Marzenki, wszystko zaczyna wyglądać inaczej, zupełnie jakbym wyszedł z jaskini Platona. Jest jasno i trochę kłuje – światło w oczy, a świat w serce. Ale światło jest prawdziwe i świat jest prawdziwy, nareszcie to nie są złudzenia uczuć i rzeczywistości. To nimi do tej pory żyłem: fantomami miłości, szukając ciepła u innych kobiet, a tęskniąc cały czas za Marysią Jezus; fantomami życia, zapełniając swoją i masową wyobraźnię setkami idiotycznych wiadomości o gwałcących kangurach lub lubieżnych nietoperzach. Uległem nieprawdziwej mowie przedmiotów, tak jakbym uległ fałszywym przekazom proroków. W jakiś sposób jestem więc winny. Kiedy zatem do pokoju wchodzi prezes, wściekły, bo jest za późno na zatrzymanie maszyn, które za dwie godziny skończą drukować cały nakład, i słucham go spokojnie, gdy z krzykiem zwalnia mnie z pracy, to wiem, że oto początek mojej nowej drogi, chociaż nie wiem jeszcze do czego. Wiem jednak do kogo, więc sięgam po telefon i wybieram numer Marysi Jezus.

*

– Cześć, pani inspektor.

– Cześć, złoczyńco.

– Odpowiesz mi na jedno pytanie?

– Głupie pytanie.

– No dobra. Od pewnego czasu dostaję listy od kogoś, kto podpisuje się Miriam. Czy to ty je piszesz?

– Nie, nie piszę.

– Czy wspominałem ci kiedyś o pani nocnej?

– Nie, nie wspominałeś.

– Znasz mnie dobrze. Myślisz, że mogłem sobie wymyślić najpierw panią nocną, a potem Miriam albo tylko jedną z nich?

– A niby po co miałbyś to robić?

– Żeby mieć kogo słuchać i o kim myśleć. Kogoś, kto dawałby mi rady, wskazówki, nadzieję. Nie wiem, może taki fantom moich rodziców?

– To prawdopodobne…

– Ale czy mógłbym to tak wymyślić, że aż sam bym w to uwierzył?

– To jest tym bardziej prawdopodobne, bo jesteś przewrażliwionym na swoim punkcie histerykiem. Ale miało być jedno pytanie. Trochę przeszkadzasz mi w pracy, Piotrusiu.

– Ostatnie pytanie. Zrobimy deal?

– O, jaki?

– Zapomnicie o tej procy, a ja wam dam aktora. Tego Adamczyka.

– To ciekawe. Mów.

– Ale chciałbym się jeszcze upewnić…

– Tak?

– Wspominałaś o filmach z internetu.

– Tak, jakiś sadomasochizm.

– Mówiłaś, że na tym pierwszym filmie była lodówka podobna do twojej.

– Tak mi się wydawało...

– A na drugim już jej nie było.

– Nie jestem pewna.

– A mogłabyś to sprawdzić?

– Sekundę.

U kobiet sekunda trwa zawsze kilka minut.

– Jesteś tam?

– Jestem.

– Sprawdziłam. Na pierwszym filmie jest ta lodówka, na drugim na pewno nie. Ale jakie to ma znaczenie?

– A wolisz złapać faceta z procą czy znaleźć aktora?

– Aktora. Tego z procą sama wychowam.

– Jak ci powiem, gdzie jest, zapomnisz o tej procy?

– Przysięgam.

Deal?

– Deal!

– Masz adres osoby, od której kupiłaś tę lodówkę?

– Mam konto bankowe.

– A wśród swoich sąsiadek kojarzysz młodą, ładną dziewczynę?

– Co najmniej kilka.

– Ta mogłaby być modelką.

– To takie mam dwie.

– Ta ma taki sam widok z okna jak z twojego salonu, na wieżę ciśnień przy Wiśniowej.

– To jedna, wprowadziła się pół roku temu.

– Wyślij do niej patrol.

– Dlaczego?

– Znajdziesz u niej przywiązanego do łóżka aktora.

– Skąd wiesz?

– Wiem.

– To poważna sprawa. Musisz mi powiedzieć.

– Znam tę dziewczynę. Chodziła z Adamczykiem. W internecie

znajdziesz portal o dobrych wnętrzach, jest tam filmik z jej mieszkania, pokazuje w nim swoją nową lodówkę. To czerwony Smeg. Otwiera zamrażarkę i przez roztargnienie zostawia w niej „Vanity Fair". Na tych filmikach, które widziałem u ciebie na komisariacie, był mężczyzna przywiązany do łóżka. Na pierwszym filmie w oddali stała czerwona lodówka. Na drugim jej nie było, bo to ty kupiłaś ją na Allegro.

– Skąd wiemy, że to ta sama lodówka?

– W zamrażarce twojej znalazłem ten sam numer „Vanity Fair".

– Niesamowite. Ale jedno się nie zgadza. Mężczyzna na filmie ma tatuaż!

– To nie tatuaż, to szminka. Czerwone serce namalowane szminką.

– Skąd wiesz?

Przecież nie wyjaśnię jej przez telefon, że z dziewczyną Adamczyka grałem w sprawunki i pojechaliśmy na Jamajkę, ja osobno i ona osobno, a tam spotkaliśmy się po omacku w łóżku, bo tamta dziewczyna myślała, że umawia się z aktorem, a nie ze mną, bo kupiłem parę rzeczy, które on by kupił, a ona sądziła, że po przedmiotach się poznaje, tak jak mówiła kiedyś pani nocna, a jak zobaczyła, że w łóżku jestem ja, a nie on, połamała na mnie szminkę, którą zamierzała mi namalować czerwone serce, widocznie on tak lubił. No przecież nie powiem jej teraz przez telefon tego wszystkiego, bo mi nie uwierzy. Mogę jej to wytłumaczyć później, powoli, długimi zdaniami, a nie jednym, w wyniku którego weźmie mnie za wariata. Więc odpowiadam krótko i pewnym siebie tonem, gdy ponawia pytanie.

– Skąd wiesz, że to szminka?

– Mężczyźni takie rzeczy wiedzą.

34.
Ostatni list Miriam

Kobieta patrzy na swoje palce miękko ułożone na klawiaturze. To zdumiewające, jak wiele od nich zależy. Te palce mogą zamykać piękne historie, mogą też je niespodziewanie na nowo otwierać. Zaczyna pisać.

Miły mój…

Przerywa pisanie i spogląda przez okno. Na wzgórzu, przy płynącej Podwalem fosie, dziewczynka puszcza latawiec po niebie czerwonym od zachodzącego słońca. Jej matka siedzi na ławeczce, czyta książkę. Obok bardzo młoda para, licealiści chyba, całuje się namiętnie. Oboje mają zamknięte oczy, jakby chcieli, żeby już było całkiem ciemno. Chłopak kładzie rękę na kolanie dziewczyny i powoli przesuwa ją ku krawędzi króciutkiej spódniczki. Dziewczyna bierze dłoń chłopaka i z powrotem przekłada ją na kolano. Chłopak jest przez kilkanaście sekund posłuszny, po czym jego dłoń znów zaczyna wędrować ku upragnionemu miejscu. Tym razem dziewczyna pozwala zawędrować jej o centymetr dalej, zanim skarconą cofnie na kolano.

Do pokoju wchodzi mężczyzna, mija kobietę, tak jakby jej nie widział, zamyka okno i zaciąga ciężkie, ciemne zasłony.

Kobieta zapala stojącą na biurku lampkę od Tiffany'ego. Patrzy na wiszące na łańcuszku serduszko z kryształu. Dotyka palcem miejsca, w którym pękło. Chwilę się zastanawia, wzdycha i wyrzuca list do kosza.

Spis treści

PIOTR ADAMCZYK

Seria *Bliżej Siebie*

Seria Bliżej Siebie to ponadczasowe historie z różnych krajów i kontynentów o tym, co w życiu każdego z nas jest najważniejsze. O rodzinie, bezwarunkowej miłości, poszukiwaniu tożsamości i dróg, które często zmierzają w kierunku dla nas zupełnie nieoczekiwanym.

Dotychczas w serii ukazały się:
Lisa-Xiu i Lin-Shi. Córki z Chin – Auke Kok i Dido Michielsen,
Klub filmowy – Davida Gilmoura,
Kalinka – Andrzeja Lipińskiego.

Seria *Z Wykrzyknikiem!*

Nigdy się nie dowiemy, co dzieje się w snach drugiego człowieka. Z reguły nawet sam śniący zapomina, co było treścią jego snu, tracąc przez to dostęp do prawdy o sobie.

Andrzej Lipiński

W serii Z Wykrzyknikiem! chcemy dotrzeć do tej prawdy, która przeplata się z fikcją. Ale co jest realne, a co tylko snem? Nie wiadomo, bo każda historia mogła wydarzyć się naprawdę. Historia, która powinna być wykrzyczana, tak abyśmy mogli ją dobrze usłyszeć. Bo czy te próby opowiedzenia drugiemu człowiekowi o sobie, o swoich radościach, marzeniach, a także… koszmarach nie mają sensu? Czy musimy pogodzić się z wewnętrznym więzieniem nawet wtedy, gdy życie w nim jest tak przerażające, że myślimy wyłącznie o najgorszym?

Dotychczas w serii ukazały się:
Spektrum – Krystiana Głuszki,
Droga do Tarvisio – Grzegorza Kozery,
Przewrotność dobra – Jolanty Kwiatkowskiej.

Seria *Z różą*

Seria z różą to inspirujące książki dla osób poszukujących piękna w sobie. Powieści i historie pozwalające uwierzyć, że życie warto kreować, podążając za swoimi pragnieniami.

Dotychczas w serii ukazały się:
Solo - Soni Raduńskiej
Złudzenia, nerwice i sonaty - Sylwii Zientek
W lutym 2013 r. ukaże się również:
Normalnie nienormalna - Jolanty Kwiatkowskiej

Seria *Lektury reportera*

Seria Lektury reportera to próba poszukiwań tego, co ważne w naszym życiu oraz w naszym nieustannym dążeniu do szczęścia i spełnienia. Reportaż jest tu narzędziem do opowiedzenia historii niebędących fikcją. Ich przekaz potrafi być dotkliwy i przejmujący.

Mottem serii Lektury reportera staje się wypowiedź jednego z bohaterów reportaży: „Czym jest spełnienie? Słuchaj, jeśli niczego nie chcesz, nic nie musisz mieć. Szczęście w ogóle nie polega na tym, co mam. Szczęście polega na tym, czy jestem zadowolony z tego, co już mam. Chodzi o życie w zgodzie z przeznaczeniem".

Dotychczas w serii ukazały się:

Każdy zrobił, co trzeba – Bożeny Aksamit, Katarzyny Kokowskiej, Ewy Orczykowskiej, Oliwii Piotrowskiej, Ewy Wołkanowskiej, Honoraty Zapaśnik,
Gdy nie nadejdzie jutro – Pawła Skawińskiego.

W październiku 2012 r. ukaże się również:
Bejrut jest gdzieś tam – Youssefa Rakchy.

Wydawnictwo Dobra Literatura
www.dobraliteratura.pl

Druk i oprawa: Omegapress Sp. z o.o., Sosnowiec

Zamówienia: informacje znajdziesz w zakładce Sprzedaż i dystrybucja
na naszej stronie internetowej.
Polecamy także mapkę: Poszukaj księgarni, w której kupisz nasze książki.
Nasze książki m.in. tutaj:

Dobra Literatura

Dobra Literatura – wydawnictwo i księgarnia internetowa

Literatura oparta na faktach, reportaż, beletrystyka,
literatura popularnonaukowa, publicystyka poradnikowa.

Znajdziecie u nas książki, które warto przeczytać,
które inspirują i dają do myślenia, pozostawiając po sobie
cenne ślady.

Zapraszamy do wspólnej wędrówki!

www.dobraliteratura.pl